LE TALISMAN DE NERGAL

5. LA CITÉ D'ISHTAR

Catalogage avant publication de Bibliothèque et Archives nationales du Québec et Bibliothèque et Archives Canada

Gagnon, Hervé, 1963-

   Le talisman de Nergal

   L'ouvrage complet comprendra 6 v.
   Sommaire : 5. La cité d'Ishtar.
   Pour les jeunes de 12 ans et plus.

   ISBN 978-2-89647-178-2 (v. 5)

   I. Titre. II. Titre : La cité d'Ishtar.

PS8563.A327T34 2008   jC843'.6   C2007-942151-2
PS9563.A327T34 2008

Les Éditions Hurtubise bénéficient du soutien financier des institutions suivantes pour leurs activités d'édition :

– Conseil des Arts du Canada ;
– Gouvernement du Canada par l'entremise du Programme d'aide au développement de l'industrie de l'édition (PADIÉ) ;
– Société de développement des entreprises culturelles du Québec (SODEC) ;
– Gouvernement du Québec par l'entremise du programme de crédit d'impôt pour l'édition de livres.

Direction littéraire : Marie-Ève Lefebvre
Conception graphique : Kinos
Illustration de la couverture : Kinos
Mise en page : Martel en-tête

Copyright © 2009
Éditions Hurtubise inc.

ISBN 978-2-89647-178-2

Dépôt légal : 2e trimestre 2009
Bibliothèque et Archives nationales du Québec
Bibliothèque et Archives du Québec

Diffusion-distribution au Canada :   Diffusion-distribution en Europe :
Distribution HMH   Librairie du Québec/DNM
1815, avenue De Lorimier   30, rue Gay-Lussac
Montréal (Qc) H2K 3W6   75005 Paris FRANCE
Téléphone : (514) 523-1523   www.librairieduquebec.fr
Télécopieur : (514) 523-9969
www.distributionhmh.com

Imprimé au Canada
www.editionshurtubise.com

HERVÉ GAGNON

LE TALISMAN DE NERGAL

5. LA CITÉ D'ISHTAR

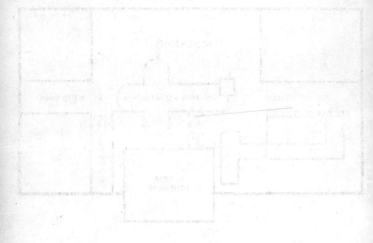

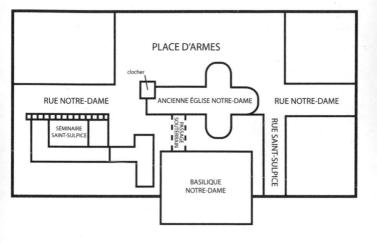

Rue Notre-Dame, Montréal, 1842

LES EXILÉS

Sur une terre inconnue,
en l'an de Dieu 1398 de notre ère

Emmitouflé dans une épaisse pelisse de fourrure, l'homme regardait s'éloigner à l'horizon le navire de sir Henry Sinclair, comte de Rosslin et d'Orkney, qui était venu les déposer ici, lui et ses frères. Après quelques mois à peine, le capitaine avait dû repartir pour éviter que les glaces ne l'emprisonnent. Déjà, au bord de la mer, la pluie portée par les bourrasques venues du large était à demi gelée. L'hiver s'annonçait.

Comme tous les guerriers, l'homme était haut de taille et large d'épaules. Les cheveux poivre et sel ébouriffés, une barbe touffue lui couvrant les joues, les yeux, d'un vert émeraude, plissés contre le vent cruel qui faisait claquer ses vêtements, il avait le cœur serré par un étrange mélange de tristesse et d'espoir.

Avec le départ du vaisseau se rompait son dernier contact avec l'Ancien Monde. Plus jamais il ne reverrait les cathédrales et les châteaux. Plus jamais il ne sentirait l'odeur âcre et tellement humaine des villes. Désormais, il utiliserait ses armes si nobles contre les bêtes sauvages et la canopée des immenses arbres lui servirait d'église.

L'homme appartenait à la génération qui avait échappé à la purge qui avait détruit l'ordre des Templiers en 1307. Il demeurait malgré tout un chevalier dans l'âme, convaincu de la grandeur de la cause qu'il défendait. Plus grande encore que le sort de la chrétienté même. Maintenant, le temps était venu. En toute connaissance de cause, ses compagnons et lui consentaient au sacrifice qui leur était demandé. Ils le faisaient en hommage à leurs prédécesseurs, qui avaient enduré mille tourments pour leur préparer la voie. Ils le faisaient surtout par sens du devoir, car s'ils refusaient d'accomplir leur destinée, le monde ne serait plus jamais le même.

Depuis plus d'un siècle, les Gardiens vivaient dans la clandestinité, attendant que vienne le moment de transmettre le secret qu'ils conservaient. Leurs ennemis les avaient traqués sans relâche et, d'assassinat en assassinat, leurs rangs s'étaient réduits au point où ils risquaient maintenant l'extinction. Aussi les dirigeants qui restaient avaient-ils décidé que le temps était venu d'emporter le secret par-delà l'océan, sur une terre vierge et inconnue, de l'autre côté du monde. Une contrée que d'anciennes légendes nommaient « Merika », où, selon la prophétie faite au fondateur des Gardiens par la Vierge Marie elle-même, la révélation finale aurait lieu.

L'expédition avait été confiée à Henry Sinclair, membre des Gardiens et grand navigateur, qui détenait de mystérieuses cartes ramenées jadis d'Orient, où apparaissaient ces terres mythiques. Là, dans ce monde inconnu et sauvage, une petite délégation d'exilés attendrait, s'assurant que le secret confié à leurs prédécesseurs soit préservé et que le jour venu, si telle était la volonté de Dieu, il soit transmis à celui auquel il était destiné. Quant aux Gardiens demeurés sur le continent, ils finiraient par disparaître. Ils le savaient. Mais leur mort dissimulerait à jamais le secret à leurs ennemis. Du moins, l'espéraient-ils.

En attendant, l'homme et les compagnons dont il avait la charge tenteraient d'organiser leur vie dans cet endroit hostile. Sinon, ils périraient. Dix hommes et dix femmes face à une nature farouche, peuplée d'animaux inconnus et d'êtres étranges. Depuis leur débarquement, quatre mois auparavant, ses camarades et lui avaient construit de rudimentaires mais solides habitations de pierre et de rondins. Après tout, chaque homme de la communauté était maçon. Ils s'étaient affairés à préserver les maigres récoltes des potagers ensemencés à la hâte au printemps, à fumer et à saler la viande des bêtes tuées depuis leur arrivée. Le campement était aussi prêt qu'il pouvait l'être pour affronter la saison froide, mais Dieu seul savait si l'un des Gardiens survivrait. Déjà, deux des hommes étaient gravement malades, leurs dents tombant une à une de leurs gencives pourries. Peut-être pourraient-ils compter sur l'aide fraternelle des hommes à la peau d'un rouge cuivré qui vivaient presque nus et semblaient connaître les moindres secrets et ressources de la forêt ? Au cours des dernières semaines, les Gardiens avaient réussi à établir des contacts, encore hésitants, avec eux. Bien qu'ils se méfiassent un peu des nouveaux arrivants, ces êtres simples étaient raisonnablement amicaux et semblaient fascinés par tout ce qui était fait de métal. Après de longues négociations, compliquées par la barrière de la langue, ils avaient accepté d'échanger des fourrures et de la viande contre quelques couteaux et quelques écuelles. Peut-être était-ce là la clé de la survie de l'autre côté de la terre ? Seul le temps le dirait.

L'homme frissonna sous le vent froid de l'automne. Le peu qu'il savait de cette terre lui faisait croire que l'hiver imminent serait rude. Il grogna, se reprochant le temps gaspillé à rêvasser. La nostalgie n'était plus de mise. Il avait fait son choix voilà longtemps et l'époque des regrets était révolue. Il haussa ses épaules massives et, résigné à son sort, tourna les talons et traversa la grève en se dirigeant vers la forêt.

Ses compagnons et lui devaient d'abord survivre. Ensuite, si Dieu leur prêtait vie, ils retrouveraient le lieu sacré qu'avait annoncé le frère Enguerrand de Montségur et leur veille commencerait. Ils assureraient la garde de ce qu'ils y trouveraient. Tel était le destin des Gardiens exilés.

À l'orée du bois, la fillette l'attendait. Lorsqu'il fut près d'elle, elle se détourna sans rien dire et disparut entre les arbres. Il la suivit.

2

TERRA INCOGNITA[1]

Quelque part dans un kan *inconnu*

N'eût été l'absence du sol sous ses pieds, Manaïl aurait été incapable de dire s'il était debout ou couché. Autour de lui, la noirceur était totale. Désorienté et étourdi, il resta étendu. Peu à peu, des bruits percèrent le silence. Un léger frémissement de feuilles. Le sifflement du vent entre les branches. Un grognement qu'il crut reconnaître. Le garçon reprit ses esprits et ouvrit les yeux. Dans le ciel, il aperçut quelques étoiles entre les nuages.

Ermeline était là, à ses côtés, réalisa-t-il avec un immense soulagement. Il tendit la main vers elle et chercha celle de sa compagne. Ses doigts touchèrent quelque chose.

— Cornebouc! En voilà des manières, vilain paillard! s'écria la gitane en lui frappant

---

1. En latin : terre inconnue.

sèchement la main. Garde tes pattes bala-
deuses par-devers toi !

Malgré le terrible sentiment d'échec qu'il
ressentait après avoir été si près de réunir tous
les fragments du talisman de Nergal, l'Élu
d'Ishtar ne put réprimer un sourire. Ermeline
était bien vivante et toujours aussi vindicative
lorsque venait le temps de défendre sa vertu.
Il s'assit. Dans le noir, il sentit la main tremblante de la gitane qui prenait la sienne.

— Où sommes-nous ? demanda-t-elle d'une
voix hésitante.

— Je n'en ai aucune idée.

Au même instant, une lune pleine et
brillante émergea de derrière un nuage, bai-
gnant les alentours d'une lumière pure. L'Élu
fut soulagé de constater que, où qu'il fût, Sîn[1]
existait toujours.

De leur mieux, Manaïl et Ermeline exami-
nèrent les environs. Ils se trouvaient dans une
petite clairière entourée d'arbres hauts et
touffus. Les longues herbes étaient bercées
par la brise. Une fragrance de fleurs sauvages
et d'humus remplissait l'air nocturne. Dans ce
kan, c'était de toute évidence l'été.

Tout à coup, la gitane se crispa. Elle se
retourna vivement vers son compagnon et lui

---

1. Le dieu lune des Babyloniens.

saisit la main gauche pour en palper la paume et la scruter sous les rayons de la lune.

— Le fragment y est toujours, soupira-t-elle avec soulagement.

L'air songeur, Manaïl regarda sa main. Dans la lumière de Sîn, les lignes pâles de la marque de YHWH étaient parfaitement visibles. Au milieu, la peau surélevée trahissait la présence du fragment que la balle tirée par Milton-Reese y avait enfoncé. Le seul qu'il détenait encore. Il baissa la tête, l'air dépité.

— Il en reste au mois un…, soupira-t-il. Mais je devrais les avoir tous les cinq. Si je ne m'étais pas laissé déjouer aussi bêtement, le talisman de Nergal serait complet et peut-être même déjà détruit. Au lieu de cela, nous voilà perdus en forêt, au milieu de nulle part, en pleine nuit.

Manaïl frappa le sol d'un coup de poing rageur.

— Allons, courage, dit Ermeline en lui mettant une main sur l'épaule. C'est la déesse qui nous a déposés ici. Elle ne l'a pas fait au hasard. Il y a certainement une raison.

Le garçon se contenta de faire la moue et de hausser les épaules sans rien dire. Il se leva.

— Qu'est-ce que tu fais ?

— Je cherche la porte, rétorqua-t-il avec impatience. On n'entre pas n'importe comment dans un *kan*. Tu le sais bien. Tôt ou tard, il faudra en repartir. Mieux vaut savoir où se trouve la sortie.

Manaïl ferma le poing droit et tendit la bague des Mages devant lui. Il pivota lentement sur lui-même à quelques reprises, guettant la moindre lueur sur le joyau, sans succès. Rien. Sur la mystérieuse pierre noire façonnée par les Anciens, le pentagramme renfermant une forme humaine refusa de paraître. Le garçon se renfrogna.

— C'est bizarre… On dirait qu'il n'y a pas de porte dans ce *kan*, dit-il.

— Peut-être se trouve-t-elle un peu plus loin ? suggéra la gitane.

Manaïl hocha la tête, perplexe.

— Non. C'est ici que nous nous sommes réveillés, c'est donc ici qu'Elle devrait être. Peut-être qu'Ishtar nous a déposés dans un *kan* d'où on ne s'échappe pas ?

— Je ne crois pas, répondit Ermeline. Rappelle-toi ce qu'Elle t'a dit dans le temple du Temps…

Elle ferma les yeux et se concentra pour retrouver les paroles exactes d'Ishtar.

— Elle a dit : *Il y a plusieurs demeures dans la maison de mon Père. Il existe un* kan *où une ville nouvelle m'est consacrée. Là, tu pourras trouver ce qui te manque et te préparer à l'assaut final.* Elle ne nous a pas laissés ici pour rien. Il y a forcément une raison.

Manaïl se passa nerveusement les doigts dans les cheveux.

— Je ne sais plus quoi penser, grogna-t-il, rempli d'une frustration qui menaçait de déborder.

Il avisa un immense chêne à l'orée de la clairière. Il prit la main de la gitane, l'aida à se relever et l'entraîna dans cette direction. Lorsqu'ils furent près de l'arbre, Manaïl s'assit à son pied et s'adossa au tronc dur et rugueux.

— Nous ne pouvons rien faire tant qu'il fait nuit. Reposons-nous. Au matin, nous mettrons au point un plan.

Ermeline ne protesta pas. Elle s'assit près de lui et, bientôt, s'endormit dans les bras du jeune homme.

Au loin, un loup hurla à la lune. D'autres se joignirent à lui et remplirent la nuit d'un lugubre concert. Dans les heures qui suivirent, des yeux brunâtres tirant sur le jaune percèrent les ténèbres à plusieurs reprises pour mieux scruter les deux intrus à travers les branches.

3

LE SILENCE DE L'ORACLE

Éridou, en l'an 3612 avant notre ère

Assis dans la pièce interdite, Mathupolazzar haletait dans la lueur de l'unique chandelle. Il n'en était presque pas sorti depuis que Zirthu avait ramené quatre fragments du talisman, six jours auparavant. C'était un gain appréciable, mais le Nergali avait assuré à son maître qu'il les rapporterait tous les cinq et il avait échoué. Le grand prêtre de Nergal, qui avait espéré et annoncé l'avènement imminent du Nouvel Ordre, ne pardonnait pas l'échec. Zirthu avait payé le sien de sa vie. Et l'étranger qu'il avait osé ramener avait subi un sort pire encore.

Malgré sa profonde déception, Mathupolazzar avait senti son cœur bondir de joie dans sa poitrine en voyant les quatre précieux objets s'enfoncer dans la sécurité du réceptacle de l'autel. La sainte relique du culte jadis instauré par les Mages Noirs, les plus puissants de tous les Anciens, était maintenant presque complète. Jamais elle n'aurait dû quitter son reposoir, mais Ashurat, fourbe maudit entre tous, l'avait dérobée pour la remettre à Naska-ât, retardant terriblement l'ouverture du portail dans le *kan* d'Éridou — l'endroit où Nergal avait choisi de s'incarner pour le bien de ses fidèles. Néanmoins, le temps recommencerait bientôt dans ce *kan* originel, effaçant à jamais toutes les variations futures qui existaient déjà. Enfin, la victoire était à portée de main. Il ne manquait que le dernier des fragments.

En présence de ses disciples, Mathupolazzar avait refermé le réceptacle de pierre d'une main rendue tremblante par une émotion mal contenue, avant d'entonner un chant d'action de grâce à Nergal, noire divinité des Enfers, à laquelle tous les Nergalii s'étaient joints dans l'allégresse. Puis, en proie à la frénésie causée par le sentiment de l'aboutissement tout proche, il les avait laissés à leurs prières et s'était enfermé avec l'oracle. Depuis, il avait consacré chaque seconde à tenter de localiser la pièce manquante du talisman. Il n'avait ni mangé ni dormi, se contentant de quelques gorgées d'hydromel[1] qui le soutenaient à peine.

---

1. Boisson fermentée faite d'eau et de miel.

Il avait fallu plusieurs semaines à ses Nergalii pour récupérer quatre des fragments éparpillés dans les *kan* par Naska-ât. Des semaines… C'était presque une éternité. Pourtant, c'était peu si l'on considérait qu'ils avaient dû explorer presque à l'aveuglette les *kan* où, par la magie de l'oracle, le grand prêtre avait cru entrevoir la présence d'un des objets sacrés.

L'instauration du Nouvel Ordre avait déjà trop tardé. Le terrible Nergal, surtout, avait suffisamment patienté. Mathupolazzar n'osait même pas imaginer sa colère si le talisman n'était pas bientôt reconstitué. Il fallait à tout prix agir. Jamais, depuis qu'il était devenu grand prêtre du culte de Nergal, n'avait-il fourni un tel effort pour interpréter l'écheveau infini du temps.

Mathupolazzar était penché au-dessus de l'oracle. Une sueur abondante trempait sa longue chevelure grise. Des mèches se collaient à son front et à ses joues. Il avait terriblement maigri. Son visage émacié était pâle et ses yeux, cernés et creux. L'oracle dont il abusait semblait se venger en absorbant sa vie. Encore un peu et il ne serait plus qu'un cadavre ambulant. Mais il ne pouvait pas se permettre d'arrêter. Il poussait à leurs extrêmes limites ses forces vives et n'en avait cure. S'il le fallait, il irait au-delà.

Heureusement, le regroupement de quatre fragments avait déjà eu un effet notable sur la structure du temps. Le nombre de *kan* qui, jusque-là, avaient formé une infinité de variantes, était considérablement réduit. Sous les paupières closes du grand prêtre, les filaments multicolores qui grouillaient sans cesse comme des vers étaient beaucoup moins disparates, mieux organisés, plus cohérents. Plusieurs s'étaient tressés en un cordon flamboyant autour duquel tournoyaient d'autres brins toujours indépendants. Le futur rétrécissait. Les continuités possibles s'annulaient. Lorsque le dernier fragment serait en possession des Nergalii, les *kan* seraient remplacés par un avenir unique décidé par Nergal.

Dans ces conditions, localiser le dernier fragment, que l'Élu détenait encore, aurait dû être plus facile. Cependant, malgré tous les efforts du grand prêtre, il lui échappait encore. Il avait beau faire appel à toute sa science et à tout son instinct, interroger, observer, ouvrir son esprit aux manifestations les plus subtiles de l'oracle, il était incapable de retrouver la piste de l'objet tant convoité.

Mathupolazzar ouvrit finalement les yeux et, comme après une trop longue immersion dans l'eau, aspira goulûment l'air renfermé de la petite pièce. Le retour à la réalité était toujours difficile après la consultation de l'oracle, mais cette fois-ci, il était plus désagréable encore. Son absence avait été si longue que le grand prêtre avait l'impression que son corps n'était plus qu'une enveloppe froide et inconfortable. Il retira ses doigts du petit disque de pierre. Pendant que son cœur reprenait peu à peu un rythme plus normal, il s'attarda un moment au symbole qui y était gravé : deux triangles et deux pentagrammes superposés, deux vers le haut et deux vers le bas, dans un cercle dont le centre était marqué d'un point.

Malgré sa frustration grandissante, Mathupolazzar ne put s'empêcher d'en admirer une fois de plus la parfaite simplicité : le Mal y dominait le Bien et englobait le pouvoir des autres divinités ; l'infinie diversité des *kan* pouvait être réduite à un premier instant, un point original à partir duquel il était possible de recréer l'avenir. Le Nouvel Ordre... Il secoua la tête, dépité. Pour la toute première fois, l'oracle lui faisait défaut.

Las, le grand prêtre dut se rendre à l'évidence, aussi inconcevable fût-elle : le fragment manquant avait disparu. On aurait dit qu'une main invisible s'était refermée sur lui, le retirant de la structure même du temps. Seuls les Anciens avaient possédé le pouvoir d'accomplir un tel prodige, comme ils l'avaient fait en construisant le temple du Temps. Et pourtant…

Le grand prêtre de Nergal tendit une main tremblante vers le gobelet qu'il avait déposé par terre avant d'entreprendre ses recherches. L'hydromel était devenu fade, mais il l'avala sans le goûter. La chaleur qui s'empara de son estomac lui redonna un peu d'énergie.

Il soupira de nouveau, résigné, replaça ses doigts sur l'oracle, ferma les yeux et poursuivit sa quête. Il n'abandonnerait pas si près du but, dût-il en mourir. Les filaments reprirent leur inlassable danse, toujours aussi muets. Autour de lui, dans le *kan* d'Éridou, les heures s'écoulaient avec indifférence. Lorsqu'il communiait avec l'oracle, il ne se trouvait plus dans le temps. Il *était* le temps.

Soudain, un mouvement discret attira son attention. Un petit filament, incolore et presque invisible, se mouvait imperceptiblement au milieu de la masse tournoyante. Il concentra toute son attention sur ce phénomène inédit. Ce *kan* semblait partiellement échapper aux perceptions de l'oracle, comme s'il n'existait qu'à moitié. Comme s'il en avait été volontairement extrait. Comme si on avait voulu le cacher...

Si quelqu'un d'autre avait pu être admis dans la chambre interdite, il aurait vu Mathupolazzar sourire sans même en avoir conscience. Il avait trouvé. Il en était persuadé. Un *kan* créé de toutes pièces.

Lorsqu'il eut la certitude d'avoir bien cerné ce qu'il percevait, le grand prêtre s'arracha avec difficulté de l'oracle. Les jambes flageolantes, le corps partagé entre la faiblesse et l'excitation, il se leva péniblement. Pendant un instant, la tête lui tourna. Une puissante nausée lui fit remonter une bile amère dans la bouche. Il vomit quelques glaires sur le sol et s'appuya au mur pour ne pas tomber jusqu'à ce que le malaise se dissipe. Puis il sortit de la pièce interdite en titubant, impatient de relancer la recherche du fragment.

D'une voix qui semblait avoir vieilli de vingt ans, il rassembla devant lui les Nergalii. Il devait leur annoncer que la victoire était à nouveau à portée de main.

LA SAGESSE DES ANCIENS

Dans son rêve, Manaïl se reposait, assis près d'un arbre. Les gens qu'il avait croisés au gré de sa quête défilaient lentement devant lui. Certains, comme Ashurat, le frère Enguerrand de Montségur, Giraude la Sarrasine, Charlie Dickens, Nosh-kem, le duc de Sussex et même le ténébreux Hanokh, s'arrêtaient un instant, hochaient la tête et lui offraient un sourire bienfaisant sans rien dire avant de s'éloigner. D'autres, comme Arianath, Pylus, Noroboam l'Araméen, Jubelo, le Grand Inquisiteur Abraham Flandrin, Jehan Malestroit, Daimbert de Louvain, sir Harold Dillingham, Libby et Milton-Reese, lui adressaient un regard sombre et haineux en passant leur chemin.

Des éclairs et des grondements de tonnerre retentirent soudain et une pluie diluvienne se mit à tomber. Un faciès au teint sombre, encadré par des cheveux d'un noir de jais et illuminé par deux yeux jaunes aux pupilles allongées, fendit le rideau de pluie. Nergal. L'être maudit lui souriait, dévoilant ses canines pointues et se pourléchant les lèvres comme un félin qui contemple sa proie. Il tendait vers lui une main aux ongles longs et acérés, semblables aux serres d'un aigle, et réclamait le dernier fragment.

Manaïl gémit de terreur et se colla contre l'arbre. S'il en avait été capable, il se serait caché dans le tronc. Le dieu des Enfers, de la Destruction, de la Maladie et de la Guerre éclata d'un rire dédaigneux qui couvrit les roulements du tonnerre.

— Si jeune… Si impressionnable…, dit-il d'un ton dégoulinant de mépris. Est-ce vraiment là tout ce qu'Ishtar a trouvé pour empêcher mon avènement? Le petit poisson de Babylone! Il n'est même pas capable de conserver les fragments qu'il retrouve! Brrrrr… Je tremble de peur!

Nergal s'esclaffa de nouveau et toute sa personne sembla se résorber sous l'averse, laissant Manaïl à lui-même.

— Ne t'en fais pas, fit une voix derrière lui. Il est prisonnier de l'autre côté du portail. Tout ce qu'il peut faire, c'est de s'immiscer dans tes rêves.

La pluie cessa brusquement. Le garçon chercha du regard l'origine de la voix bien connue et la repéra aussitôt. La déesse de l'Amour, de la Fertilité et de la Guerre des Babyloniens se tenait au milieu de la clairière. Dans la nuit, une lumière éclatante de pureté l'enveloppait et lui donnait une splendeur sans égale. Elle était débarrassée de la poussière dont Elle était souillée la dernière fois que le garçon l'avait vue, dans le temple du Temps en ruine. Ses blessures étaient guéries et dans sa robe cousue de fils d'or, Elle retrouvait son air impérial. Sur sa tête, la tiare scintillait comme mille étoiles.

L'Élu se leva et fit quelques pas en direction d'Ishtar, qui l'accueillit en ouvrant les bras et en lui adressant un sourire maternel. Respectueux, Manaïl s'arrêta à quelques pas d'Elle.

— Mon pauvre enfant, dit-elle avec une douceur infinie. Tu as tant souffert pour moi.

— S'il le faut, je mourrai pour vous, déesse, dit Manaïl. Vous le savez bien.

— Espérons que nous n'en viendrons pas là. Mais tu devras encore surmonter beaucoup d'obstacles.

La déesse fit un pas vers l'avant et lui caressa la joue. Aussitôt, Manaïl se sentit envahi par une douce chaleur qui chassa quelque peu ses inquiétudes et son amertume.

— *Tu commences à avoir de la barbe,* ricana Ishtar en souriant avec tendresse. *Tu seras bientôt un homme.*

— *Si je vis assez longtemps,* répliqua l'Élu.

— *Tout dépend de toi.*

Ishtar retira sa main.

— *Déesse, quel est cet endroit ?* demanda Manaïl en désignant la clairière d'un geste.

— *C'est joli, non ?* répliqua Ishtar en humant les parfums de l'abondante nature. *Et calme, aussi. Tu y seras en sécurité, du moins pour l'instant. Tu pourras y refaire tes forces et accomplir ce que les Anciens attendaient de toi.*

À ces paroles, une vague de désarroi balaya le cœur de Manaïl.

— *Ce que les Anciens attendaient de moi...,* cracha-t-il. *Ils ont fait erreur et vous aussi. J'ai essayé de toutes mes forces, mais je ne serai jamais à la hauteur. Je ne suis pas le héros que vous espériez. Je suis juste « le poisson ». Tout ce que j'ai réussi, c'est à perdre presque tous les fragments.*

— *Mais avant qu'on te les prenne, ne les avais-tu pas retrouvés tous les cinq, comme l'annonçait la prophétie des Anciens ?* rétorqua la déesse d'une voix remplie de compassion. *Bien sûr, l'idéal aurait été que tu assembles le talisman et que tu le détruises. Mais la destinée fait toujours à sa tête. Heureusement,* les fragments ne sont pas perdus. Ils sont seulement ailleurs, dans un autre kan.

— Entre les mains des Nergalii…, précisa l'Élu avec dépit.

Songeuse, Ishtar se déplaça lentement vers la gauche, le menton dans le creux de sa main.

— Qui peut dire ce qu'avaient prévu les Anciens ? continua-t-Elle. Leur sagesse était grande. Peut-être étais-tu prédestiné à passer par ce détour ? Ta quête demeure inchangée, mon enfant : tu dois toujours récupérer les fragments et détruire le talisman. Tu devras simplement franchir quelques étapes de plus.

Elle revint se planter devant le garçon et le regarda droit dans les yeux.

— Tu as encore toute ma confiance, affirmat-Elle. Tu es mon Élu.

— Mais j'ignore où se trouvent les fragments et, même si je le savais, comment pourrais-je les reprendre ? geignit Manaïl, dont les yeux menaçaient à tout instant de se remplir de larmes.

La déesse fronça les sourcils, feignant le reproche.

— Allons, tu es beaucoup plus intelligent que cela. Et plus fort, aussi. Tu l'as souvent prouvé. Un des fragments est enchâssé dans ta main gauche, ici et maintenant. Réfléchis un peu… Dans quel kan sont les autres ?

Le garçon ferma les yeux et inspira un bon coup en tentant de mettre de l'ordre dans ses idées et ses souvenirs.

— Le Nergali les a certainement ramenés dans le kan d'Éridou pour les confier à Mathupolazzar, concéda-t-il en ouvrant les yeux. À l'heure qu'il est, ils ont sans doute été placés en sécurité dans le réceptacle de l'autel, dans le temple de Nergal. Mais tout ça ne change rien. Je n'arrive même pas à retrouver la porte du temple du Temps. Ma bague ne réagit plus... Je suis prisonnier de ce kan.

— Le temple du Temps n'existe plus, mon enfant, l'informa la déesse. Les Anciens l'avaient construit pour te permettre de retrouver les cinq fragments. Comme cela est accompli, il n'a plus de raison d'être. Mais cela ne signifie pas que tu sois prisonnier, ni que ta quête soit terminée.

Manaïl releva un sourcil et la regarda, perplexe, tout en restant silencieux.

— Sans le recours au temple, tout repose sur toi, poursuivit Ishtar. Tu es l'Élu, ne l'oublie pas. Tu n'es pas comme les autres. Tu es libre. Libre de choisir la passivité et de te terrer dans ce kan pour assurer la protection du fragment si cela te semble la ligne de conduite la plus sage. Par contre, tu as en toi le pouvoir de poursuivre ta quête. Pour cela, tu dois trouver ce qui te manque, puis livrer

l'ultime combat avec courage. D'après toi, que te faut-il pour pouvoir continuer?

Manaïl réfléchit.

— Je ne sais pas comment détruire le talisman. Hanokh m'avait promis de me l'enseigner, mais il m'a menti. Même si j'en possédais tous les fragments, je n'y arriverais toujours pas.

— Très bien, fit la déesse en hochant la tête. Quoi d'autre?

Le garçon haussa les épaules.

— Je ne maîtrise pas encore le pouvoir des Anciens? proposa-t-il.

— Voilà, dit la déesse, satisfaite. Maintenant, tu sais ce que tu cherches. Il te reste à le trouver.

— Dans ce kan*?*

— Dans ce kan, *acquiesça Ishtar d'un ton énigmatique. Les Anciens n'ont rien laissé au hasard. Tu dois avoir confiance en ce qui reste de leur sagesse. Dans leur omniscience, ils avaient sans doute prévu ce qui t'arrive aujourd'hui. Peut-être même l'ont-ils voulu ainsi. Ermeline et toi êtes désormais les seuls héritiers des Mages, porteurs de leurs pouvoirs et de leurs espoirs.*

— Les Nergalii protègent certainement les fragments, insista Manaïl, inquiet. Même si j'arrive à quitter ce kan, *je ne vais tout de*

même pas surgir seul dans leur temple pour les affronter tous ?

— Patience. Trouve d'abord ce dont tu as besoin, répliqua Ishtar. *Ensuite, tu pourras planifier la suite des choses.*

Tout à coup, la déesse sembla prêter l'oreille à quelque chose qu'Elle seule entendait. Elle se renfrogna.

— Sois prudent, l'avertit-Elle. *Les Pouvoirs Interdits sont capricieux, Élu. Tu dois les dominer entièrement. Si tu réussis, Ermeline aura la vie sauve et la destruction du talisman sera à ta portée. Si tu échoues, elle mourra et, sans elle, ton avenir n'est que ténèbres.*

— Quoi ! s'exclama Manaïl. Ermeline va mourir ?

Sans avertissement, la déesse disparut dans un éclair aveuglant. Au loin, sa voix résonna à travers les arbres de la forêt.

— Le passé nous rejoint parfois par de bien drôles de façons, Élu. Surtout, n'oublie jamais la prophétie des Anciens. Elle est le seul guide de ta conduite. Suis le chemin tracé pour toi. Il te mènera à ton but.

Seul avec son inquiétude dans la clairière, Manaïl se sentait déchiré entre l'espoir et le découragement.

LE PRÉDATEUR

*Quelque part sur une terre inconnue,
en l'an de Dieu 1665*

Manaïl s'éveilla au son du chant d'un oiseau qu'il ne connaissait pas. La nuit lui avait paru bien courte, mais il se sentait reposé. Il lui semblait avoir à peine fermé les yeux quand les premières lueurs du jour lui avaient révélé un monde étranger. Autour de la clairière, des arbres de toutes sortes, certains feuillus et d'autres ornés d'épines, s'élançaient majestueusement vers le ciel. Jamais le garçon n'en avait vu autant. Sa Babylone natale en était si dépourvue qu'on devait importer du bois du Liban pour construire des maisons et fabriquer des meubles. Derrière la muraille de végétation, les cimes innombrables laissaient deviner une forêt touffue. Les oiseaux et les criquets célébraient le jour nouveau en chantant à tue-tête. Un vent léger faisait onduler les longues herbes parsemées de fleurs sauvages.

Il se frotta les yeux pour en chasser le sommeil et le terrible avertissement qu'Ishtar avait prononcé dans son rêve lui revint en force. *Si tu réussis, Ermeline aura la vie sauve et la destruction du talisman sera à ta portée. Si tu échoues, elle mourra et, sans elle, ton avenir n'est que ténèbres.* L'angoisse lui serra la poitrine et assombrit la beauté du paysage qui l'entourait. Il avait toujours su que sa quête pouvait réclamer des vies. Il en avait maintes fois eu la preuve. Mais Ermeline ? Pour une raison qui lui échappait, il s'était toujours cru en mesure d'assurer la protection de la gitane. Il ne pouvait pas s'imaginer poursuivre sans elle. Encore moins vivre sans elle.

Il tenta de s'asseoir mais s'arrêta en sentant le poids du bras qu'Ermeline avait posé sur sa poitrine pendant son sommeil. Il n'avait pas encore commencé à explorer l'émotion que ce geste suscitait en lui lorsque la gitane renifla, entrouvrit les yeux et, embarrassée, retira prestement son bras.

— Tu vois ? grommela Manaïl pour cacher son malaise. Ça arrive à tout le monde de mettre la main au mauvais endroit. Mais je ne fais pas de colère, moi.

Ermeline se contenta de sourire. Elle s'assit, bâilla, s'étira comme un chat et souffla sur une mèche de cheveux qui lui tombait devant l'œil. Elle riva sur lui ses yeux exceptionnels, le droit d'un vert d'émeraude et le gauche, jaune comme celui d'un chat. Malgré lui, Manaïl ne put s'empêcher d'en admirer la beauté, augmentée par la lumière pure de cet endroit. Avec son teint basané, ses lèvres vermeilles et pleines, ses cheveux qui lui descendaient dans le dos, noirs comme le plumage d'un corbeau, Ermeline était la plus belle fille qu'il eût jamais vue. Elle possédait aussi, sans l'ombre d'un doute, le pire caractère auquel il s'était frotté.

— Mais tu n'es pas une jouvencelle, toi, rétorqua la gitane. Les garçons sont dénués de vertu, c'est bien connu !

— Hrrrmpphhhh…, ronchonna Manaïl.

Indifférente à l'humeur de son compagnon, elle se mit à admirer le paysage. Son visage prit une expression d'émerveillement.

— Comme c'est joli ! s'exclama-t-elle. Tous ces arbres, ces fleurs, ces odeurs… On se croirait au Paradis terrestre.

— Où ?

— L'endroit où vivaient Adam et Ève avant de commettre le péché originel et d'en être chassés par Dieu. Je vais vraiment devoir t'apprendre des choses, à toi !

— Si ça ne te dérange pas, rétorqua le garçon, les dents serrées, j'ai mieux à faire. Au cas où tu l'aurais oublié, je viens de perdre quatre fragments du talisman. Un de plus et les histoires que tu veux tant partager n'auront jamais existé. Ni toi d'ailleurs. Ni même les fleurs et les arbres que tu trouves si merveilleux !

Décontenancée, Ermeline resta bouche bée et fixa un point, au loin. Puis elle tendit une main vers son épaule pour le réconforter, mais en voyant son regard sombre, elle jugea plus sage de la retirer.

— Ne prends pas la mouche, mon ami. L'ire[1] ne te mènera à rien de bon. Je sais que notre situation est sérieuse. Mais elle n'est pas sans espoir. Soit, le talisman n'est pas détruit, mais tant que tu en détiens un fragment, les Nergalii sont incapables de le compléter. Rien n'est encore perdu.

— Ça ne durera pas longtemps. Ils finiront certainement par me retrouver. Ils y parviennent toujours. Tu imagines ce qui arrivera lorsqu'ils débarqueront en masse ?

Ermeline se tapota le bout du nez, songeuse.

— Oui, mais les Nergalii savent-ils dans quel *kan* tu te trouves ?

---

1. Colère.

— S'ils ne le savent pas déjà, ça ne tardera pas.

Ermeline tapota son nez de plus belle tandis que le jeune homme arrachait des brins d'herbe d'un geste machinal.

— Il faudrait seulement comprendre pourquoi Ishtar nous a envoyés ici, dans un *kan* sans sortie, avec un seul fragment...

Avant que Manaïl ne puisse poursuivre, un grondement profond, pareil à un tremblement de terre, retentit. Les deux jeunes se raidirent aussitôt, aux aguets, scrutant les alentours. Par instinct, l'Élu tâta sa ceinture à la recherche d'une arme, mais n'en trouva aucune.

— Cornebouc... Qu'est-ce que c'était ? chuchota Ermeline.

— Chut ! fit Manaïl en tendant l'oreille.

Pendant quelques instants, rien ne se produisit. Puis, derrière eux, un bruissement de feuilles rompit le silence. Ils se retournèrent juste à temps pour voir émerger d'entre les arbres une créature cauchemardesque qui fit quelques pas dans leur direction en se dandinant maladroitement avant de s'immobiliser.

Un épais pelage brun recouvrait le corps massif de la bête. Elle se tenait sur quatre pattes énormes qui se terminaient par des griffes menaçantes. L'air perplexe, elle inclina la tête, mettant en évidence ses deux petites oreilles rondes, renifla avec son gros museau noir et fixa les deux intrus de ses petits yeux sombres et brillants.

— Par Ishtar…, bredouilla Ermeline. Mais quelle est cette chose ?

Pendant un moment, tout resta immobile. Puis la bête se redressa sur ses pattes arrière, ouvrit la bouche, découvrant ses canines menaçantes, et émit un rugissement terrifiant qui résonna dans les bois et fit s'envoler des nuées d'oiseaux. À l'extrémité de la clairière, une famille de cerfs s'enfuit à toute vitesse.

Manaïl saisit la main d'Ermeline. Luttant contre leur affolement, ils reculèrent prudemment de quelques pas. La bête sembla réfléchir un instant avant d'interpréter ce mouvement comme une menace. Retombant sur ses quatre pattes, elle se mit à avancer vers eux en grognant et en secouant la tête. Manaïl réalisa qu'elle n'abandonnerait pas si facilement la partie.

— Cours ! s'écria-t-il.

Sans se faire prier, Ermeline prit ses jambes à son cou et s'élança de toutes ses forces à travers la clairière.

— Essayons de grimper à un arbre ! cria son compagnon derrière elle.

La gitane se trouvait à quelques toises[1] de la forêt lorsque son pied se prit dans une

---

1. Une toise vaut 2 mètres.

racine. Elle trébucha et s'affala. En un instant, Manaïl fut près d'elle. Il lui empoigna le bras pour l'aider à se relever, mais avant qu'il n'y parvienne, la bête, avec une agilité étonnante, les avait rejoints. Ne sachant que faire d'autre, l'Élu se plaça entre le prédateur et la gitane.

La créature s'arrêta tout près d'eux et mugit férocement. À la vitesse de l'éclair, une de ses pattes fendit l'air. Manaïl rentra le ventre pour éviter de justesse que les griffes ne lui répandent les entrailles sur le sol.

— Hou! s'écria-t-il en désespoir de cause. Va-t'en d'ici, sale bête!

— Chimère! Sale outre velue! renchérit la gitane. Ouste! Retourne en enfer!

Leurs grands gestes parurent surprendre l'animal, qui cessa ses menaces. Puis, sentant que ses proies étaient sans défense, il attaqua.

6

LE MAL INCARNÉ

Démuni devant la terrifiante bête, luttant contre la panique qui l'envahissait, Manaïl ne trouva qu'une solution pour échapper à la mort: il devait tenter d'arrêter le cours du temps. Même s'il était sans armes, une brève interruption des événements lui permettrait peut-être de se soustraire à la vue de la bête et de sauver Ermeline, ne fût-ce qu'en grimpant tous deux bien haut dans un arbre.

Il se concentra. La créature, qui s'apprêtait à bondir sur lui crocs et griffes dehors, sembla ralentir imperceptiblement. Il croyait bien être en train de réussir lorsque ses talons heurtèrent la jambe de son amie, adossée au tronc d'un arbre sans être parvenue à y grimper. Il perdit l'équilibre. Le contrôle sur le temps lui échappa et il vit la bête amorcer une ultime enjambée.

Pour éviter de tomber à la renverse, il projeta ses bras vers l'avant. Tout se déroula alors très vite. La marque de YHWH prit vie. Une chaleur familière s'y forma. Puis, tout bascula. Devant Manaïl, maintenant assis par terre et le bras toujours tendu devant lui, le temps s'assombrit. En quelques secondes, le jour fit place à la nuit et un mur de volutes semblables à une épaisse fumée se forma entre le prédateur et ses proies.

Dès que l'ombre l'eut enveloppée, la bête s'immobilisa tel un oiseau frappé par une flèche en plein vol. Son grondement violent se transforma en un piteux toussotement et elle s'affala lourdement sur le sol, les pattes repliées sous elle, la gueule ouverte dans l'herbe. Les volutes sombres parurent se solidifier autour d'elle. Elle se releva avec peine, fit un pas hésitant, trembla et s'effondra de nouveau en émettant un faible grognement. Gisant sur le côté, elle frémit, ses pattes battant le vide, puis s'immobilisa.

Sous les yeux ébahis de l'Élu, la créature se flétrit sur place, comme si sa chair et sa graisse fondaient sur ses os. Sa vessie et ses intestins se vidèrent et empuantirent l'air. Elle ne fut bientôt plus qu'un sac de peau flasque à l'intérieur duquel flottait un squelette.

Entre l'Élu et la bête, les étranges volutes sombres se dissipèrent et le jour reprit ses droits sur la nuit. Le garçon observa sa paume, sidéré. Les lignes blanchâtres de la marque de YHWH étaient bien visibles. Au centre du pentagramme, le petit triangle surélevé trahissait toujours la présence, sous la peau, du fragment du talisman de Nergal.

Le souffle court, il entendit résonner en lui les paroles de Hanokh. *Ceci est l'empreinte de YHWH*, avait dit le vieux magicien. *Pour toujours et à jamais, elle fera partie de toi. Observe-la. Le triangle qui pointe vers le haut représente l'élément masculin de l'univers et le feu. Celui qui pointe vers le bas, l'élément féminin et l'univers. Ensemble, ils forment une étoile qui symbolise l'essence de la Création de YHWH. Comme la Création repose sur le Bien, la marque vient en aide à ceux qui ont le cœur pur.*

Manaïl était perplexe. Depuis Jérusalem, la marque de YHWH avait démontré plus d'une fois qu'elle était une source de vie. Grâce à elle, il avait guéri maintes blessures. Il avait survécu aux tortures du Grand Inquisiteur. Il avait même ramené des pestiférés du seuil de la mort. Sans elle, sa quête aurait échoué depuis longtemps. Et voilà qu'elle révélait un pouvoir jusque-là insoupçonné. La marque de YHWH pouvait-elle aussi être une arme offensive ? Hanokh ne l'avait pas

énoncé en ces termes. Alors, pourquoi ?…
Comment ?…

Médusé, Manaïl considéra les faits. Depuis
que Hanokh l'en avait gratifié, la marque de
YHWH avait absorbé le pouvoir délétère des
fragments jusqu'à ce qu'ils soient enchâssés
dans sa poitrine. Elle avait formé une barrière entre la puissance sombre de Nergal
et lui. Maintenant, par l'effet du hasard, un
fragment s'y trouvait enfoui et voilà que le
mystérieux pouvoir semblait s'être inversé. Ce
qui avait jusqu'ici préservé la vie la détruisait,
maintenant.

*Fils de la Lumière, il portera la marque des
Ténèbres*, annonçait la prophétie des Anciens.
Fils du Bien, il combattra le Mal par le Mal.
Envahi par une sourde angoisse, le garçon
déglutit sans parvenir à détacher son regard
de sa main. Avant qu'il ne pénètre dans le
kan de Paris, la déesse l'avait prévenu que sa
puissance augmenterait à mesure que le Mal
s'accumulerait en lui. Il n'avait pas compris,
alors, ce qu'elle avait voulu dire. Mais désormais, tout devenait clair. Affreusement clair…
Elle lui avait aussi dit qu'avec la puissance, la
tentation de passer du côté du Mal deviendrait plus forte. Ce qu'il venait de faire avait
été si facile…

Manaïl frissonna. La voix d'Ermeline pénétra ses pensées. Elle semblait venir de très loin.

Il sentit une main effleurer délicatement son avant-bras et sursauta comme si on y avait appliqué un fer rouge.

— Martin ? Que se passe-t-il ? Es-tu blessé ?

— Hmmm ? Non, je n'ai rien…

La gitane posa un regard méfiant sur la carcasse décharnée de la bête qui, quelques instants auparavant, lui était apparue comme un véritable monstre, une masse de muscles et de graisse aux crocs acérés, prête à les dévorer.

— Martin… Quelque chose est sorti de ta main, déclara-t-elle, la gorge serrée par la peur. Qu'est-ce que c'était ?

— Le Mal…, murmura l'Élu d'une voix éteinte, à peine audible.

— Le Mal ? répéta Ermeline. Mais que dis-tu là ?

Le garçon tourna vers elle un visage au teint livide qui la terrifia. Jamais elle n'avait vu son ami dans un tel état.

— *Il combattra le Mal par le Mal*, récita-t-il d'un ton sépulcral qui donna froid dans le dos à la gitane. Le fragment est enfoncé au centre de la marque de YHWH et je crois qu'il en inverse l'effet. Je… Je crois que je porte en moi les pouvoirs de Nergal. Les Pouvoirs Interdits…

— Mais si la marque te permet de te défendre, voilà une fort bonne chose! s'exclama Ermeline.

Manaïl hocha la tête.

— Je crains que non, dit-il, dépité.

— Allons donc! s'enthousiasma la gitane. Tu l'as vu comme moi! Tu n'as eu qu'à tendre la main pour terrasser une bête féroce! Imagine le mauvais quart d'heure que tu feras passer aux Nergalii! Tu pourras les occire en masse! Nous sommes enfin en sécurité et tu geins? Je ne te comprends pas.

— Tout dépend de la manière dont tu vois les choses, répliqua le garçon. La marque de YHWH me permet désormais de me défendre, c'est vrai. Mais le Bien en elle a disparu. Tu réalises ce que cela signifie?

Ermeline se fit silencieuse et réfléchit. Peu à peu, ses beaux yeux vairons s'agrandirent sous le coup du choc qui venait de la frapper.

— Tu veux dire que si elle détruit, elle ne peut plus guérir?

Manaïl hocha tristement la tête et serra les lèvres.

— À compter de maintenant, je devrai lutter chaque jour pour résister au Mal.

Découragé, il se laissa choir dans l'herbe près d'elle et désigna du menton la carcasse de la bête.

— Tu ne peux pas savoir ce que ça m'a fait. J'avais la sensation d'être... tout-puissant. Je suis certain que, si je l'avais voulu, j'aurais pu la réduire en cendres, la faire éclater ou la faire souffrir pour l'éternité... Et, pendant un instant, j'ai eu envie d'être... cruel. De faire le Mal pour le simple plaisir... La tentation était presque trop forte.

Ermeline demeura un moment interdite. Elle continuait néanmoins à réfléchir.

— Dis-moi, si la marque de YHWH a cet effet sur le fragment que tu possèdes, pourquoi ne se produisait-il rien lorsque les autres étaient encastrés dans la cicatrice sur ton torse ?

Manaïl haussa les épaules.

— Le pentagramme inversé de Noroboam est une force négative. Les fragments aussi, même réunis. Je suppose qu'ils s'annulent.

— Alors il faut trouver un couteau et l'extraire de ta main au plus vite ! s'exclama Ermeline. Lorsque tu l'auras mis dans ta poitrine, il te suffira de le sceller avec la marque de YHWH, comme tu l'as déjà fait à Londres.

Manaïl hésita longuement. Il hocha finalement la tête en signe de dénégation. Son regard s'assombrit et la gitane crut y voir passer un éclair de cruauté qui s'éteignit aussitôt.

— Pour l'instant, c'est la seule arme que nous ayons, soupira-t-il. Le moment venu, je devrai décider…

— Décider quoi ?

— De ce qui, du Bien ou du Mal, m'est le plus utile pour mener ma quête à terme, dit Manaïl avec une grimace de dégoût.

◆

De l'autre côté de la petite clairière, des yeux perçants observaient le garçon et la jeune fille. L'inconnu comprenait assez bien cette langue, dont la sonorité lui écorchait toujours les oreilles. De toute façon, il n'avait pas eu besoin de saisir le sens des mots. Ce qu'il avait vu lui suffisait.

D'un geste impérieux et digne d'un dieu, le garçon était venu à bout d'un ours affamé. Il avait tendu sa main gauche, palmée comme la patte d'un canard. Cet enfant était un puissant sorcier. Sa souffrance donnerait une grande force aux guerriers. Quant à la fille, elle serait adoptée par la tribu et ferait une excellente femme pour un de ses frères.

◆

Près de la dépouille de la bête, Manaïl se leva, l'air résolu. Il se retourna vers Ermeline, adossée à un arbre, pensive.

— Nous n'accomplirons rien en restant ici. Viens, dit-il en lui empoignant la main.

D'un pas décidé, il l'entraîna vers l'orée de la forêt.

— Qu'est-ce qui te prend ? Où allons-nous ? demanda-t-elle en trottinant pour le suivre.

— Chercher ce qui me manque pour combattre à forces égales, déclara Manaïl, le regard noir. S'il existe encore une chance d'en finir avec les Nergalii, je ne crois pas avoir beaucoup de temps devant moi.

Main dans la main, ils pénétrèrent dans la forêt.

✦

Avant de les suivre, l'observateur mit ses mains en porte-voix autour de sa bouche et imita trois fois le chant de la mésange. Au loin, un son similaire lui répondit. Sous peu, ses frères viendraient le rejoindre.

LES VOYAGEURS

Sur le vaste fleuve qui traversait cette contrée, deux hommes et une femme pagayaient avec vigueur dans leur petit canot d'écorce. Dans ce pays neuf et vierge, on ne domptait pas la nature, on l'apprivoisait. Malgré le danger de chavirer, le risque toujours présent des attaques d'animaux sauvages et l'inconfort causé par les intempéries, un voyage comme celui-là ne les effrayait pas. Surtout en été.

Les trois voyageurs longeaient la rive, où les eaux étaient plus tranquilles, et progressaient bien. Ils avaient quitté Québec une semaine plus tôt et, après avoir dormi à la belle étoile durant les premiers jours, ils avaient passé la dernière nuit aux Trois-Rivières. Ils en étaient repartis le matin même en prenant la direction de Ville-Marie. En comptant les portages, ils y seraient dans moins d'une semaine, si tout se passait bien.

Dans leur embarcation se trouvaient trois fusils, de la viande séchée, quelques bouteilles de vin, une outre d'eau et des couvertures. Chacun portait sur lui une corne remplie de poudre à fusil et un couteau. C'était tout ce dont ils avaient besoin pour une expédition de quelques semaines. D'habitude, ils se rendaient à Ville-Marie pour commercer. Ils y livraient des marchandises et repartaient avec des ballots de fourrures qu'ils ramenaient à Québec pour les vendre. Mais cette fois-ci, ils avaient un rendez-vous important.

Depuis le matin, ils n'avaient pas échangé trois mots. Ils se connaissaient et voyageaient ensemble depuis assez longtemps déjà pour que les paroles soient devenues presque inutiles. Honoré Martel et sa sœur Marguerite se ressemblaient comme deux gouttes d'eau. Leurs cheveux et leurs yeux noirs, leur port altier, leur grande taille, leur attitude confiante et leur air taciturne rendaient leur parenté évidente. À Québec, le fait qu'une femme agisse à titre de voyageuse pour la compagnie de fourrures faisait jaser. Ce n'était pas la place d'une « créature », chuchotait-on dans leur dos. Les refus catégoriques qu'avait opposés Marguerite aux nombreuses demandes en mariage qu'elle avait reçues et le célibat entêté d'Honoré n'arrangeaient rien. Le frère et la sœur se fichaient éperdument de ce qu'on pensait d'eux. Ils aimaient la liberté que leur procurait leur occupation et n'étaient jamais assez longtemps dans la petite colonie pour pâtir des commérages.

Toussaint Perrault s'était associé à eux plusieurs années auparavant et, depuis, le trio ne se quittait pratiquement jamais. Le dernier venu était grand et jouissait d'une force herculéenne. Sa chevelure blonde flamboyante, son long nez étroit, ses yeux bleus comme les eaux du fleuve et sa bouche toujours souriante tranchaient sur la nature renfermée de ses compagnons. Toutefois, en voyage, il était silencieux et à son affaire. Il avait plusieurs fois prouvé sa loyauté en venant en aide à l'homme ou à la femme au cours d'une expédition. Une fois, il avait même affronté un ours brun qui avait fait irruption dans leur camp de fortune, attiré par l'odeur d'un lièvre qu'ils faisaient rôtir. Armé d'un simple couteau, il avait risqué sa vie et sauvé la leur. Comme eux, il ne s'était jamais marié. La liberté lui était trop précieuse pour qu'il accepte de s'établir en permanence sur une terre de laquelle il devrait arracher les cailloux pendant des années avant d'espérer nourrir un jour une famille.

Sur le fleuve, le soleil allait bientôt se coucher. Il était temps de s'installer pour la nuit. Ils accostèrent sur la berge, ramassèrent

du bois sec et allumèrent un feu. Ils mangèrent leur viande en silence, puis Honoré et
Marguerite s'allongèrent et s'enroulèrent dans
leur couverture. Ils s'endormirent pendant
que le grand blond montait la garde.

Au loin, des loups hurlèrent. Dans les bois,
non loin de là, Toussaint crut même apercevoir la lueur d'une flamme scintiller dans des
yeux jaunâtres et froids comme la mort.

LE RAPT

Manaïl et Ermeline marchaient sans relâche à travers les bois touffus. L'Élu avançait à grandes enjambées, rempli d'une détermination nouvelle qui inquiétait un peu la gitane. Malgré son pas vif, il restait renfrogné et, depuis leur départ, une vague grimace de dégoût restait accrochée à son visage. Dans ses yeux sombres brillait un mélange de colère et d'angoisse. Malgré son jeune âge, son attitude ressemblait davantage à celle d'un homme âgé d'au moins dix ans de plus.

La matinée s'écoula sans qu'ils rencontrent âme qui vive et ils n'échangèrent que quelques mots. Seuls le chant des oiseaux, le bruissement des feuilles et des fougères, le craquement des branches sous leurs pas et le clapotis du petit ruisseau qu'ils longeaient de temps à autre les accompagnaient.

— Tu sais où tu vas, au moins ? finit par demander Ermeline, excédée par le rythme imposé par son ami.

— Non, mais l'eau nous y mènera.

— Tu perds la tête, mon pauvre ami !

— Tôt ou tard, ce ruisseau se jettera dans une rivière et là où il y a un cours d'eau, il y a des gens, dit Manaïl. À Paris, il y avait la Seine, non ? À Babylone, il y avait l'Euphrate et à Londres, la Tamise. Nous finirons bien par tomber sur une cité.

— Une cité ? Perdue dans ces bois ? Pfft ! Tu rêves ! Nous sommes au milieu de nulle part !

Elle lâcha la main du garçon et s'agenouilla près du ruisseau.

— S'il faut suivre l'eau, aussi bien en boire. J'ai une de ces soifs, dit-elle en puisant l'eau froide et cristalline à deux mains pour la porter à sa bouche.

Excédé, Manaïl soupira et s'immobilisa. Il revint sur ses pas et en fit autant. Il ferma les yeux pour mieux goûter la sensation rafraîchissante qui l'envahit.

— Tu as faim ? demanda la gitane.

Sans attendre sa réponse, elle étira le bras au-dessus du ruisseau et se mit à cueillir de jolis petits fruits sauvages tout bleus qui foisonnaient à cet endroit.

— Attention, dit Manaïl. Nous ne connaissons rien de ce *kan*. Si tu t'empoisonnes, je ne pourrai rien faire pour te sauver.

— Il faut tout de même manger, répliqua Ermeline. Quête ou pas, tu ne seras guère avancé si tu meurs de faim, sottard[1] !

Pendant que le garçon grommelait de plus belle, la gitane porta un fruit à sa bouche, le mastiqua et l'avala avec circonspection.

— Alors ? demanda Manaïl.

— C'est succulent ! s'exclama Ermeline, la mine réjouie. Très sucré et juteux. Essaie, il y en a plein.

Cédant à la faim qui le taraudait depuis longtemps, le garçon ne se fit pas prier. Les deux compagnons s'empiffrèrent jusqu'à ce qu'ils soient rassasiés.

✦

Avec l'agilité d'un fauve, le guetteur louvoyait en silence entre les arbres et les buissons. Sous ses pas, les épines de pin et les morceaux de bois mort ne produisaient pas le moindre bruit. Profitant de la halte que faisaient les deux jeunes étrangers pour se restaurer, il imita de nouveau le chant d'oiseau,

----

1. Imbécile.

auquel on répondit prestement, de beaucoup plus près qu'il ne l'aurait supposé.

Derrière lui, vers la gauche, des branches s'écartèrent en silence et trois guerriers surgirent du bois. Quelques signes échangés suffirent pour que les quatre hommes s'entendent sur la marche à suivre.

✦

— Tu vas enfin me dire quelle mouche t'a piqué ? demanda la jeune Sarrasine lorsqu'elle fut certaine que Manaïl s'était un peu calmé. Tout ce mystère commence à sérieusement m'exaspérer ! Je te rappelle que la déesse a dit que je devais t'aider. Comment puis-je le faire si tu ne me confies rien ?

Le garçon hésita un peu, mais se laissa convaincre par l'air résolu qu'affichait Ermeline.

— Cette nuit, j'ai rêvé d'Ishtar, finit-il par répondre. Maintenant, je sais pourquoi nous sommes ici.

— Et l'idée ne t'est pas venue de m'en toucher mot ? s'insurgea la gitane.

— J'allais le faire ce matin, lorsque cette bête est apparue… Tu connais la suite, dit-il en désignant sa main gauche avec dédain.

— Alors ? insista Ermeline avec impatience.

— Elle m'a dit que c'est dans ce *kan* que je trouverais le moyen de détruire le talisman et que j'apprendrais à maîtriser les Pouvoirs Interdits. Je suppose que si j'y parviens, nous pourrons quitter cet endroit. Mais tout ça me dégoûte.

— Pourquoi donc ? La victoire est à ta portée !

— Je porte déjà le Mal en moi. Si, en plus, je maîtrise les Pouvoirs Interdits, quelle différence restera-t-il entre l'Élu et les Nergalii ?

Sans prévenir, Ermeline l'embrassa sur la joue et lui posa une main sur la poitrine, là où, voilà quelques jours à peine, s'étaient trouvés quatre fragments du talisman de Nergal. Elle tapota un peu l'endroit en souriant.

— Ton cœur, murmura-t-elle en le regardant droit dans les yeux. Peu importe les actes auxquels tu as été contraint, le Mal n'est pas dans ta nature. Je le sais.

— Comment ?

— Je suis une femme. Nous sentons ces choses. Et puis, je te vois agir depuis longtemps, maintenant.

Manaïl sourit tristement.

— Qu'Ishtar t'entende…

Il aurait tant voulu lui dire que sa vie même dépendait de son succès. Les mots se bousculaient dans son esprit. Malgré lui, il ouvrit la bouche.

— Ermeline… Je…

— Oui ?

— Rien, dit-il en baissant les yeux, incapable de se résoudre à lui imposer le poids de son angoisse. Laisse tomber.

Ermeline releva un sourcil, perplexe, puis haussa les épaules.

— Bon… Comme tu veux.

Embarrassés, l'Élu et la gitane se remirent en route. Ils marchaient depuis quelques minutes à peine, enfermés dans un profond mutisme, lorsqu'un craquement sec retentit derrière eux. Manaïl sursauta et se retourna vivement. Placé devant Ermeline, il constata avec surprise et amertume que, sans même réfléchir, il avait tendu le bras, main ouverte, prêt à utiliser le pouvoir du Mal.

— Il y a quelqu'un…, murmura-t-il, alerté.

— Une autre de ces affreuses bêtes ? fit Ermeline.

Ils restèrent immobiles, à l'affût du moindre mouvement, mais rien ne se produisit. Après plusieurs minutes d'attente, Manaïl se détendit et abaissa la marque de YHWH. Il prit la main d'Ermeline et, ensemble, ils poursuivirent leur chemin tout en restant aux aguets. Mais seuls les bruits de la forêt se faisaient entendre.

Ils marchaient depuis peu lorsqu'un cri étouffé attira l'attention de Manaïl. Il se retourna pour apercevoir Ermeline, les yeux écarquillés, tirée vers l'arrière par un homme à l'air féroce qui lui avait plaqué une main sur la bouche et l'avait saisie par la taille de l'autre. Elle se débattait comme une diablesse, mais l'agresseur était solide.

Le garçon allait s'élancer à son secours lorsqu'un choc sur la nuque le projeta au sol, face contre terre. Il lutta pour chasser le voile noir qui descendait devant ses yeux et tenta de se relever, mais un second coup eut raison de lui.

— Attention à sa main gauche, dit sèchement une voix.

L'Élu sentit que des mains lui immobilisaient solidement le bras gauche. La dernière chose qu'il vit fut les pieds inertes d'Ermeline qui disparaissaient dans les bois. De l'endroit de plus en plus sombre où il s'enfonçait, il entendit d'étranges hululements de joie. Quelqu'un célébrait leur capture. Puis, le silence se fit et tout devint noir.

✦

Lorsque Manaïl revint à lui, il essaya de relever la main gauche. L'identité de ses assaillants importait peu : la marque de YHWH en viendrait à bout. Mais il se rendit compte que ses poignets étaient solidement liés dans son dos. On le soutenait de chaque côté par un bras. À moitié éveillé, il entendit la voix d'Ermeline.

— Cornebouc ! Détache-moi, rustaud ! Je t'arracherai les yeux et je te les ferai manger, espèce de fredain[1] ! Aïe ! Aïe !

On la maltraitait ! Manaïl se mit à se débattre de plus belle, mais ses jambes refusaient de le porter.

— Calmez-le ! cracha la voix qu'il avait entendue plus tôt.

On le frappa durement et il fut une nouvelle fois enveloppé par la nuit.

---

1. Scélérat.

9

AU POTEAU

U n rythme pénétrant ramena l'Élu à la conscience. Autour de lui, on battait des tambours de manière obsédante. Leur son était différent de tout ce que Manaïl connaissait. Ils avaient une qualité organique, chaude, presque vivante. Puis vinrent les chants, syncopés et répétitifs, qui atteignaient des paroxysmes d'intensité avant de diminuer jusqu'à un quasi-murmure pour reprendre de plus belle. Des voix d'hommes, de femmes et d'enfants s'entremêlaient. Bientôt, le bruit sourd et rythmé de pas frappant la terre nue s'éleva. Quelque part, on dansait.

Le garçon avait la tête affreusement lourde et des élancements réguliers montaient de sa nuque endolorie. Il tenta d'y porter une main, mais en fut incapable. Ses bras étaient tirés vers l'arrière et une vive douleur lui traversait les muscles des épaules. Il constata que ses pieds le portaient toujours, mais qu'ils étaient eux aussi immobilisés.

Tout à coup, un hululement strident retentit tout près de son visage. Le garçon sursauta, ouvrit tout grand les yeux et releva brusquement la tête. Un éclair de douleur lui traversa le crâne et les yeux, le faisant grimacer.

Autour de lui, dans la lumière de grands feux allumés çà et là, des dizaines d'individus dansaient dans la nuit, leur corps luisant de sueur. Les pirouettes qu'ils accomplissaient faisaient voler dans les airs leurs longs cheveux sombres. Les hommes longilignes, imberbes et torses nus, à la musculature féline, étaient vêtus de pagnes, que certains portaient par-dessus un pantalon, et de souliers de peau. Les flammes donnaient à leur peau de jolis reflets de cuivre. Quant aux femmes, leurs vêtements les couvraient à peine davantage et les enfants allaient nus comme au jour de leur naissance. Jamais Manaïl n'avait vu de gens comme eux.

L'Élu se trouvait au milieu d'une place publique. Tout autour étaient alignés de longs bâtiments dont la structure de bois était recouverte de peaux, chacun assez grand pour abriter des dizaines de personnes. Au loin, il lui semblait apercevoir la silhouette sombre d'une palissade de pieux. Tout à fait revenu à lui, Manaïl essaya encore de dégager ses

mains, mais rien n'y fit. Elles étaient solidement liées, tout comme ses chevilles. Il
poussa sa tête vers l'arrière et son crâne
heurta quelque chose de dur. Un poteau. On
l'y avait attaché.

Une femme s'aperçut qu'il avait repris
conscience et lança un grand cri. À l'unisson,
les tambours se turent abruptement. Les danseurs s'immobilisèrent, haletants. Tout à coup,
le silence fut total. Même les animaux de la
forêt semblaient s'être endormis. Une voix
autoritaire retentit. Tous les regards de l'assistance se tournèrent dans la direction d'où elle
avait surgi. Les danseurs s'écartèrent pour
livrer le passage à un très vieil homme à l'air
fier, qui s'approcha d'un pas lent et digne en
s'appuyant sur un long bâton.

Deux longues tresses de cheveux blancs
lui retombaient sur les épaules. Sur sa poitrine, de nombreux colliers de coquillages,
de crocs et de griffes d'animaux cliquetaient
au rythme de ses pas. Dans la lumière des
flammes, les rides qui parcheminaient son
visage semblaient encore plus profondes et lui
donnaient un air plusieurs fois centenaire,
mais son regard demeurait celui d'un homme
jeune et alerte.

Le vieil homme avança vers Manaïl et
s'arrêta si près que ce dernier put sentir dans
son haleine une odeur de fruits, de graisse

et de fumée. Sans dire un mot, l'inconnu le dévisagea longuement, fit une moue dédaigneuse et se mit à circuler autour de lui en le considérant d'un air méfiant et critique, comme on examinerait un animal avant de l'acheter. Lorsque le vieillard fut derrière lui, Manaïl sentit qu'on lui tâtait la main gauche. Sans ménagement, on lui écartait les doigts, étirant les membranes de peau qui les reliaient comme des palmes. Un grognement intrigué suivit. Le même manège recommença pour la main droite. Le vieil homme tendit douloureusement le majeur vers le haut. Puis il tira sur la bague des Mages d'Ishtar, la fit pivoter sur elle-même et, après quelques efforts, parvint à la faire glisser. Aussitôt, Manaïl se mit à se débattre comme un diable, ce qui eut pour seul effet de resserrer ses liens, qui lui râpèrent la peau des poignets et des chevilles.

— Non! s'écria-t-il, la panique lui écrasant la poitrine à l'idée de perdre l'indispensable bijou. Rends-moi cette bague!

Indifférent à sa colère soudaine, le vieillard revint devant lui. En souriant, il passa la bague à son doigt et tendit le bras pour l'admirer. Loin de la refléter, la mystérieuse pierre noire semblait absorber la lumière des flammes. Une sorte d'admiration se dessina sur le visage de son nouveau propriétaire.

Le vieil homme se retourna subitement vers l'assistance pour haranguer la foule dans une langue qui n'était ni le français du *kan* de Paris ni l'anglais de celui de Londres, mais que Manaïl comprenait néanmoins grâce à l'étrange pouvoir des Anciens.

— Ce garçon est un grand sorcier! s'écria-t-il. Son pouvoir est immense. Il a terrassé sans effort un ours sous les yeux d'un de nos guerriers!

Il brandit son bâton dans les airs et lança un puissant cri, qui fut repris par la foule. Les tambours se remirent à battre de leur rythme quasi hypnotique et les festivités reprirent de plus belle. Les hommes, les femmes et les enfants recommencèrent à danser. Petit à petit, le cercle que décrivaient les participants autour de Manaïl se rétrécissait. Des individus s'approchaient à tour de rôle pour lui faire, tout près du visage, des grimaces grotesques ponctuées de ce qui ne pouvait être que des insultes et des menaces.

Derrière le garçon, une voix féminine perça le vacarme.

— Martin? Tu es là?

Ermeline! Dans sa confusion, Manaïl l'avait oubliée! De toute évidence, elle était attachée dos à lui.

— Ermeline! s'écria-t-il pour couvrir le bruit des tambours. Tu n'es pas blessée?

— Non, ça va. Mais ma tête me fait grevance[1]. Et on nous a bien liés! Je n'arrive pas à bouger d'un poil! En plus, ces coquins me font des faces de mi-carême!

— C'est pareil pour moi.

— Cornebouc! Si seulement je pouvais prendre mon médaillon…

Manaïl tourna la tête aussi loin qu'il en était capable et, derrière le poteau de bois, aperçut l'épaule et les cheveux noirs de la gitane. Au même moment, une vive douleur lui traversa la joue. Il se retourna et vit une femme qui rigolait en grimaçant. Elle brandissait des ongles acérés. La brûlure sur sa joue lui fit vite comprendre qu'elle venait de le griffer. Dès lors, tout ne fut qu'un tourbillon de violence.

— Aïe! Espèce de charogne! s'écria la gitane en furie, derrière lui. Bâtard! Jus de bordellerie! Coille[2] molle! Libère-moi et je te bastonnerai le croupion, châtron[3]!

Au rythme effréné des tambours et des chants, dans une délirante agitation, hommes, femmes et enfants s'approchaient des deux prisonniers. Ils les égratignaient, les frappaient, les mordaient, leur arrachaient les

---

1. Douleur, mal.
2. Testicule.
3. Castré.

cheveux. Un poing s'abattit sur le visage de Manaïl et il sentit sa paupière enfler. Un autre coup lui fendit la lèvre, d'où coula un filet de sang chaud. Un bâton frappa son tibia et lui arracha un grognement de douleur. Un pied s'enfonça dans son ventre et lui vida les poumons. Des dents se refermèrent sur son épaule et en percèrent la chair.

Derrière lui, les cris et les invectives d'Ermeline lui firent comprendre qu'elle subissait le même sort.

— Tu devrais avoir honte de houspiller une joventè[1] sans défense! hurla-t-elle. Ah! Dieu veuille que je te mette la main au col ou le pied au cul, mécréant! Sauvage! Détache-moi si tu oses!

Aux yeux du garçon, ce constat fut plus douloureux encore que les tourments qu'on lui infligeait. Ermeline — son Ermeline — était torturée tout près de lui et il était impuissant à lui venir en aide. De tout son être, il tenta d'arrêter le cours du temps, même s'il savait que le bref répit qu'il en tirerait ne lui donnerait pas pour autant le moyen de se défaire de ses liens. Mais l'avalanche de coups et de souffrance était telle qu'elle empêchait toute concentration.

---

1. Jeune fille.

Puis la voix puissante et autoritaire du vieil homme retentit. Une fois encore, la folie collective qui s'était emparée de la foule cessa comme par magie. Dans le silence soudain, on s'écarta pour le laisser passer et il s'avança vers l'Élu, sonné et brisé par la douleur. Parvenu devant lui, il lui tourna le dos et reprit la parole.

— Bientôt, le courage de cet étranger sera celui de nos guerriers ! Sa mort glorieuse les rendra plus forts ! Comme il a vaincu l'ours, grâce à sa puissance, nous soumettrons nos ennemis !

Lorsqu'il eut terminé, le vieillard se retourna pour faire face au garçon. Il ferma les yeux, leva le visage vers le ciel et écarta les bras en entonnant un chant monotone qui dura quelques minutes.

Son invocation terminée, il tendit la main vers le côté et un homme s'empressa d'avancer pour y déposer un long couteau à la lame recourbée. Tout autour, la danse reprit, encore plus frénétique qu'avant.

En se dandinant maladroitement au rythme des tambours et au son des hululements, le vieillard franchit les quelques pas qui le séparaient de Manaïl. Autour d'eux, les cris des danseurs atteignirent l'hystérie. D'un geste vif, il empoigna la chemise du garçon, encore maculée du sang répandu par Milton-Reese dans le *kan* de Londres, et la déchira. Même étourdi par les coups, l'Élu sut que l'étrange cérémonie atteignait son apogée. Ce vieil homme allait lui ouvrir la poitrine et en extirper son cœur. Impuissant, il se prépara à la douleur qui l'envahirait.

Contre toute attente, il ne se produisit rien. Lorsque le garçon releva la tête, il s'aperçut que le vieil homme s'était arrêté. La bouche entrouverte, les lèvres tremblantes, il fixait sa cicatrice d'un regard stupéfait et rempli d'une crainte superstitieuse.

— Gendenwitha…, murmura-t-il, les lèvres tremblantes.

Pour une raison inconnue, le vieillard avait été distrait dans son rituel. Le moment était inespéré. Manaïl ferma les yeux et se concentra avec l'énergie du désespoir.

10

L'ÉMISSAIRE DE GENDENWITHA

Autour de Manaïl, le temps fut affecté de cette manière devenue désormais familière. Le rythme des tambours ralentit peu à peu, puis cessa entièrement. Le garçon ouvrit les yeux et observa les alentours. Chaque danseur était figé dans une posture plus ou moins naturelle, affichant une grimace ou poussant un cri. Le vieil homme appuyait son couteau sur sa poitrine, une expression de crainte respectueuse pétrifiée dans ses traits.

L'Élu réalisa avec soulagement qu'il avait réussi à exercer son mystérieux pouvoir, sans vraiment comprendre comment. Mais le répit ne durerait pas. Il n'était jamais arrivé à interrompre longtemps le cours du temps. Il se mit à se débattre de toutes ses forces, mais ses efforts n'eurent d'autres effets que d'approfondir les lacérations infligées par les liens sur ses poignets. Il tenta désespérément de dégager sa main gauche. Il devait utiliser la puissance nouvelle de la marque de YHWH. C'était son seul espoir d'échapper à cette horde de tortionnaires. Mais il n'arrivait pas à se libérer.

— Ermeline! s'écria-t-il. Tu peux te détacher?

Le silence surnaturel qui régnait fut sa seule réponse. Il soupira. Bien sûr... La gitane était la descendante d'une Magesse d'Ishtar, mais cela ne l'empêchait en rien d'être figée dans le temps, comme tous les autres. Désespéré, le garçon se remit à tirer de plus belle sur ses liens.

— Si tu cessais de te débattre un moment, je pourrais te libérer, ronchonna une voix profonde derrière lui.

Manaïl sursauta. Quelqu'un n'était pas affecté par l'arrêt du temps! Comment était-ce possible? Il tourna la tête pour tenter d'apercevoir l'homme qui lui avait parlé.

Il ressemblait aux danseurs qui avaient tournoyé autour de lui et qui l'avaient maltraité. Ses cheveux, d'un noir d'ébène, étaient retenus par un bandeau de cuir parsemé de petites perles multicolores. Il avait les traits finement ciselés et les pommettes saillantes. Ses yeux noirs brillaient dans la lumière immobile des flammes et il ne portait pour tout vêtement qu'une tunique de cuir sans manches, un pagne et des chaussures de peau semblables à celles des autres. Ses lèvres minces serrées sous l'effet de la concentration, il s'affairait à couper les liens de Manaïl avec un couteau.

— Qui es-tu ? demanda le garçon.

— Tiens-toi tranquille, rétorqua sèchement l'inconnu dans son étrange langue musicale en sectionnant la dernière corde.

Manaïl sentit aussitôt la pression se relâcher sur ses poignets, puis sur ses chevilles. Il arracha frénétiquement ce qui restait de cordes, fit un pas sur le côté pour ne pas se couper sur la pointe du couteau que le vieillard appuyait toujours sur sa poitrine et pivota sur lui-même juste à temps pour apercevoir l'étranger, accroupi, qui libérait Ermeline. Le corps inerte de la gitane s'affaissa. L'homme la saisit au vol et, sans effort apparent, la chargea sur son épaule. Puis il se releva.

— Suis-moi, ordonna-t-il avec un geste autoritaire de la tête. Vite.

— Attends, rétorqua l'Élu.

— Nous n'avons pas beaucoup de temps.

— Crois-moi, je le sais mieux que personne.

Sous le regard réprobateur de l'inconnu, Manaïl s'approcha du vieux chef qui avait été si impressionné à la vue de sa cicatrice. Il lui retira sa bague et, avec soulagement, la remit à son majeur droit.

Sans plus attendre, l'autre s'élança au pas de course. Manaïl fit un nœud avec les pans de sa chemise déchirée pour camoufler de son mieux sa cicatrice avant d'emboîter le pas au mystérieux homme. Ensemble, ils franchirent rapidement la place centrale où les danseurs étaient toujours immobilisés sur place, franchirent la palissade de pieux et se retrouvèrent bientôt à l'orée de la forêt. Seule la lune éclairait leurs pas. L'étranger s'enfonça dans les bois, l'Élu derrière lui.

Avec une agilité presque surnaturelle, l'homme louvoyait entre les arbres sans la moindre hésitation, le corps de la gitane ballottant lourdement sur son épaule sans qu'il semble en éprouver la moindre fatigue. Sa musculature, saillante et féline, semblait avoir été conçue pour la course.

Après quelques minutes, la présence d'une légère brise et le chant de quelques insectes indiquèrent à Manaïl que le temps avait repris son cours. Dans l'étrange village, le vieillard et ses danseurs possédés se demandaient sans doute où étaient passées leurs victimes. L'Élu nota distraitement que le temps semblait s'être arrêté un peu plus longtemps qu'à l'habitude.

— Cornebouc! Qu'est-ce que c'est que ces manières! s'écria soudain Ermeline, d'une voix indignée, en battant avec vigueur des jambes et des bras. Non mais, tu vas me lâcher, bougre de polisson ? Paillard ! Valdenier[1] ! Ribaud[2] !

Sous la pluie de coups et d'invectives, l'homme s'arrêta et déposa la jeune fille, qui sortit aussitôt son médaillon de son corsage et le brandit, rouge de colère.

— Regarde le beau médaillon…, commença-t-elle.

— Non ! s'écria Manaïl. Cet homme est un ami. Il nous a libérés.

Ermeline toisa à tour de rôle son ami et le grand homme sombre qui la regardait, le visage dénué d'émotion.

— Cornebouc ! Un ami ne s'enfuit pas en emportant une demoiselle sur son épaule comme un séducteur ! C'est un vil ruffian, oui ! protesta-t-elle, tendant toujours son médaillon devant elle.

L'homme se contenta de lever un peu le menton et de faire la moue, visiblement peu impressionné. Sous les rayons de la lune, Manaïl eut l'impression qu'un coin de sa bouche se retroussait en un mince sourire amusé qui disparut aussi vite qu'il était venu.

— Puisque je te le dis…, insista le garçon en s'approchant de la gitane en furie.

---

1. Vaurien.
2. Débauché.

Je t'expliquerai plus tard. Dans l'immédiat, il vaut mieux fuir aussi loin que possible. Tout ces gens doivent déjà nous courir après.

— Hum… Je crains que tu n'achètes chat en poche[1], mon ami…, dit la gitane, suspicieuse.

— Ermeline! cracha Manaïl, exaspéré. Ça suffit! Range-moi ce médaillon!

— Bon, bon…, grommela-t-elle en obéissant. Pas besoin de prendre le mors aux dents.

L'étranger hocha calmement la tête en signe d'approbation, se retourna et se remit en marche. L'Élu et la gitane s'élancèrent derrière lui, cette dernière maugréant toujours.

✦

Ils coururent pendant plusieurs heures. Tout au long du trajet, le mystérieux étranger demeura aussi silencieux qu'un mort. Ils parvinrent près d'une rivière au débit impressionnant qu'ils longèrent jusqu'à des rapides bouillonnants. Le soleil se levait lorsqu'ils s'arrêtèrent enfin. L'Élu et la gitane s'installèrent, haletants et trempés de sueur. Leur libérateur, lui, avait à peine le souffle court et semblait frais comme une rose. Il s'assit, jambes croisées,

---

1. Acheter quelque chose sans vérifier son état au préalable.

sur la berge de ce qui était devenu un large fleuve parsemé de vaguelettes. Il désigna l'eau d'un signe de la tête.

— Buvez, ordonna-t-il.

Sans se faire prier, les deux amis se désaltérèrent longuement. Ermeline en profita pour s'asperger le visage d'eau fraîche et laissa échapper un profond soupir de contentement.

Une fois rassasié, Manaïl s'assit en face de l'homme qui était demeuré immobile comme une statue de marbre.

— Qui es-tu ? demanda-t-il pour la seconde fois.

— Karahotan, répondit l'autre. Je suis un serviteur de Gendenwitha.

— Genden… quoi ? rétorqua le garçon.

— Gendenwitha, qui se lève chaque matin avant le soleil, dit Karahotan en désignant l'est de la main.

Gendenwitha… C'était le mot qu'avait prononcé le vieillard lorsqu'il avait aperçu le pentagramme sur sa poitrine dénudée. Manaïl sentit l'espoir renaître en lui. L'Étoile du matin… Ishtar… La déesse ne l'avait pas abandonné ! Dans ce *kan*, comme dans tous les autres, Elle avait une incarnation. Pourtant, cela n'expliquait pas comment cet étranger avait pu résister à la suspension du temps. Seul l'Élu et les Nergalii en étaient capables, ceux-ci bien plus encore que celui-là…

Comme s'il lisait dans ses pensées, Karahotan ouvrit un pan de sa tunique de cuir sans manches et exhiba une étoile, tatouée au-dessus de son sein droit. L'étoile d'Ishtar.

— Lorsque j'étais enfant, voilà bien des lunes, Gendenwitha m'est apparue en songe, expliqua-t-il de sa voix calme. Elle m'a annoncé qu'un jour, quand je serais devenu un guerrier, je devrais venir en aide à celui qui porterait sa marque à l'envers. Elle m'a dit qu'elle ferait en sorte que je sois le seul à le voir. Quand tu as ensorcelé les autres, j'ai vu la marque sur ta poitrine. J'ai obéi à la déesse. Je t'ai sauvé, avec la petite pie qui piaille toujours. Mon devoir est accompli.

Ermeline se redressa, vexée, mais ne répliqua pas. L'homme se leva avec souplesse et, une fois debout, indiqua une direction de l'index.

— Hochelaga, dit-il. Suis l'eau. La Centaine t'aidera. Mais fais vite. Les autres vont te poursuivre.

— La Centaine ? Qui est-ce ? demanda le garçon. Comment la trouverai-je ?

Pour toute réponse, Karahotan haussa les épaules.

— Tu verras.

Il salua Manaïl de la tête et s'éloigna. Avant de se fondre dans la forêt, il hésita et se retourna.

— Que Gendenwitha soit avec toi.

L'instant d'après, il avait disparu sans bruit, comme une ombre, laissant l'Élu et la gitane, perplexes, seuls sur la rive.

Dans l'esprit de Manaïl, les paroles que la déesse avait prononcées dans son rêve revêtaient soudain une plus grande clarté. *Suis le chemin tracé pour toi*, avait-Elle dit. *Il te mènera à ton but.* Voilà. Sous les traits de Gendenwitha, Elle venait de le lui indiquer. Son devoir à lui était de le suivre. Avec un mélange de résignation et de détermination, il se leva à son tour.

— C'est par là, soupira-t-il.

— Tu sais où nous allons, au moins ? Ou donnes-tu crédence à cet étranger ? s'enquit Ermeline avec méfiance.

— Karahotan nous a sauvés d'une mort certaine, rétorqua le garçon, impatient. Il était envoyé par Ishtar. Il m'a dit de me rendre à Hochelaga et d'y chercher La Centaine. C'est exactement ce que j'entends faire. Si tu préfères rester ici, grand bien te fasse.

Sans attendre, il s'engagea avec la détermination de la veille dans la direction que lui avait indiquée Karahotan.

— Eh ! Quelle mouche t'a piqué ? Attends-moi ! s'écria la gitane derrière lui. Mais ne va pas si vite !

11

LES MILICIENS

Respectant le conseil de Karahotan, Manaïl et Ermeline marchèrent aussi vite qu'ils le purent, parcourant certaines portions de leur route au pas de course. Ils ne s'arrêtèrent que pour manger quelques fruits sauvages, boire et reprendre leur souffle pour repartir aussitôt. Le soleil atteignit son zénith, puis amorça sa descente vers l'ouest sans qu'ils ralentissent le pas. La fatigue alourdissait leurs jambes, mais la pensée que leurs ravisseurs étaient sans doute à leurs trousses leur donnait des ailes.

Ils s'immobilisèrent soudain lorsque Ermeline ferma les yeux et inspira profondément.

— Martin ? Tu sens cette odeur ? chuchotat-elle, frôlant l'extase, en lui mettant la main sur l'avant-bras.

— Oui…, répondit Manaïl. De la fumée… et de la viande rôtie.

Sur la pointe des pieds, ils s'avancèrent jusqu'à un petit bosquet dont ils écartèrent délicatement les branches. À environ une heure de marche, au milieu des champs de blé, se trouvait une petite bourgade de plusieurs dizaines de maisons. Çà et là, on pouvait apercevoir des habitants qui vaquaient à leurs occupations.

— C'est *ça*, ta cité ? s'exclama Ermeline, une moue dédaigneuse sur les lèvres. Un misérable hameau, oui...

— On dirait bien...

— Seigneur... Je mangerais un bœuf, gémit la gitane. On y va ?

— Chut ! intima le garçon. On pourrait nous entendre.

— Et alors ? Tu ne trouveras jamais cette Centaine en restant terré dans les bois. Tôt ou tard, il faudra bien qu'on sache que tu existes.

— Je sais, mais il vaut mieux être prudents.

— Il y a cette viande qui grille tout proche et moi, j'ai faim, grommela la gitane en se tenant le ventre. Tu peux rester ici si le cœur t'en dit. Moi, j'y vais !

Ermeline fit un pas en direction du petit village. Une branche cassa sous son pied et le craquement sec résonna comme une explosion dans le silence de la forêt.

— Chut! murmura Manaïl, exaspéré. Par Ishtar, ton ventre peut attendre un peu, non? Ou préfères-tu mourir l'estomac bien rempli?

Tout à coup, une voix éclata sur leur droite.

— Qui va là?

L'Élu et la gitane s'immobilisèrent, le cœur battant.

— Les Iroquois! s'écria la même voix.

En moins de temps qu'il n'en faut pour le dire, deux détonations retentirent coup sur coup. Des projectiles atteignirent un tronc d'arbre tout près d'eux et en firent voler des éclats.

— Couche-toi! ordonna Manaïl en saisissant la gitane par la pèlerine pour la projeter durement par terre.

Autour d'eux, les bois s'animèrent. Des branches craquèrent, des feuilles bruissèrent. Devant, des voix s'élevèrent, puissantes.

— Je crois que j'en ai touché un! s'écria un homme. J'ai vu quelqu'un tomber!

— Gare! avertit un autre. Ces Sauvages sont sans doute tapis dans l'herbe, prêts à nous décoller la chevelure.

Tout à coup, quelqu'un surgit derrière Manaïl et Ermeline.

— On ne bouge plus! ordonna-t-il sur un ton qui n'admettait pas la réplique.

Un objet dur et froid vint s'appuyer sur la nuque du garçon. Pendant un instant, le silence régna puis, contre toute attente, l'homme se mit à rire à gorge déployée.

— Eh ! Charles ! Pierre ! s'esclaffa-t-il. Nos Iroquois ne sont qu'un gamin et une pucelle !

L'homme poussa brusquement Ermeline avec son pied.

— Aïe ! protesta-t-elle en se frottant le postérieur. Courtois comme tu l'es, tu seras encore puceau dans vingt ans, manant !

— Allez, retournez-vous ! leur intima l'homme en faisant fi des insultes qu'on lui servait avec tant de conviction.

Manaïl et Ermeline obéirent et s'assirent sur le sol. Vêtu de souliers de cuir, de bas de laine, d'une culotte grise en grosse toile qui lui descendait sous le genou, d'une chemise blanche et d'un chapeau gris à large rebord, les cheveux longs noués derrière la nuque et arborant une barbe de plusieurs jours, celui qui venait de les capturer était petit et chétif mais paraissait énergique. Il pointait sur le garçon le canon d'une longue arme qui semblait être une version plus grande des revolvers du *kan* de Londres.

Tout à coup, deux autres individus semblablement accoutrés surgirent des bois et s'arrêtèrent, visiblement amusés, des armes identiques pointées vers le sol.

— Dis donc, mon René, ils n'ont pas l'air bien méchants, tes Sauvages, s'exclama l'un d'eux en ricanant.

Le dénommé René agita son arme devant le garçon.

— Alors ? Que faites-vous dans les bois à cette heure-ci ?

— Nous cherchons un endroit nommé Hochelaga, répondit Manaïl après s'être raclé la gorge.

— Tu as du retard ! fit Pierre, qui semblait être le meneur du trio, en riant. Depuis vingt ans, elle s'appelle Ville-Marie. Il n'y a que les Sauvages qui la nomment encore Hochelaga.

Ne sachant que dire, le garçon resta silencieux.

— Quel est ton nom ? demanda Charles.

— Michel Delisle.

Surprise par la nouvelle sonorité du nom de Manaïl dans ce *kan*, Ermeline leva un sourcil.

— Et toi ? s'enquit René en la dévisageant avec une drôle de lueur lubrique dans les yeux.

— Ermeline. Et je te prierais de ne pas me regarder comme ça, vilain paillard ! lui répondit-elle en mettant la main sur son corsage. Si tu continues, tu vas finir les yeux exorbités !

Pierre et Charles pouffèrent tandis que René rougissait.

— Elle a du caractère, la joliette[1] ! s'exclama Charles en riant. Ne t'inquiète pas, mon pauvre René. Ces abrutis de la mère patrie finiront bien par nous en envoyer, des femmes ! Dans quelques années, tu seras bien marié et entouré d'enfants !

— D'où venez-vous, au juste ? coupa Pierre. Vous n'êtes tout de même pas partis de Québec tout seuls ?

— Euh… Oui. C'est ça, répondit Manaïl, heureux qu'on lui suggère ainsi une réponse plausible.

— Nous étions presque arrivés lorsque des… euh… Sauvages nous ont capturés, ajouta Ermeline. Ils nous ont attachés à un poteau et ils allaient nous torturer, mais nous avons réussi à nous échapper.

— Hmmm…, fit Charles. Ça explique les bleus dans leur visage et le sang sur la chemise du garçon, ajouta-t-il à l'intention des deux autres.

— Vous avez eu bonne fortune, déclara Pierre. On ne survit guère longtemps, seul dans ces bois.

L'homme s'approcha, prit un air officiel et tendit la main au garçon.

---

1. Jolie fille.

— Je m'appelle Pierre Mallet, habitant de mon état, dit-il alors que Manaïl acceptait la poignée de main. Et voici René Moreau et Charles Messier, habitants eux aussi.

L'Élu salua les deux autres d'un signe de tête.

— La nuit va bientôt tomber. Il vaudrait mieux ne pas nous attarder, dit Charles.

— Tu as raison, acquiesça Pierre. Allez, rentrons.

Manaïl et Ermeline se levèrent. Encadrés par les trois hommes, leurs armes désormais posées sans menace sur l'épaule, ils sortirent du bois et s'engagèrent dans les champs, en direction de la bourgade appelée Ville-Marie.

VILLE-MARIE

Ville-Marie, en l'an de Dieu 1665

Il leur fallut peu de temps pour franchir la distance entre la lisière des bois et les habitations. En marchant à travers champs, Manaïl s'efforça, sous le couvert d'une conversation anodine, de tirer le plus d'informations possible des trois hommes qui les accompagnaient.

— À... euh... Québec, j'avais entendu dire toutes sortes de choses au sujet de... euh... Ville-Marie. Je m'attendais à une ville un peu plus... grande, fit-il remarquer, un peu hésitant, à Pierre, qui marchait à sa droite.

— Presque cent maisons et autant de terres défrichées en vingt ans, c'est déjà beaucoup, répliqua ce dernier avec une fierté certaine. Nous sommes partis d'un rêve de messires De la Dauversière et Olier, tu sais. Rien d'autre. En 1642, lorsque les premiers d'entre nous

sont arrivés, tout était à faire. Il a fallu déboi-
ser à la sueur de notre front, sous la menace
constante des Sauvages qui ne demandent pas
mieux que de nous arracher la chevelure et de
nous torturer, comme tu le sais.

— Ça, oui! interjeta Ermeline. J'ai encore
mal partout!

— Depuis le début de l'année, ils sont plus
sanguinaires que jamais. Parfois, on a l'impression qu'il s'en cache un derrière chaque
arbre de la forêt! Heureusement, la milice de
la Sainte-Famille veille. Nos patrouilles font
la vie dure aux Iroquois! Et puis, la colonie
est placée sous la protection de la Sainte
Vierge. Ça nous a sans doute aidés.

Manaïl resta un moment interdit. La Sainte
Vierge était une incarnation d'Ishtar. Elle lui
était apparue sous cette forme à Paris, puis à
Londres. *Il existe un* kan *où une ville nouvelle m'est consacrée,* lui avait-Elle déclaré
avant de les transporter hors du temple du
Temps. Il sentit l'espoir grandir en lui.

— Il y a beaucoup d'habitants?

— Environ quatre cents. C'est peu, mais
c'est un début, l'informa Charles. La population est composée d'hommes jeunes et courageux. Avec la grâce de Dieu, et si jamais les
administrateurs royaux parviennent à sortir
leur tête de leur cul, bientôt, nous aurons des
femmes et des enfants en quantité suffisante

pour jeter les bases de ce qui sera un jour une grande cité.

La conversation ralentit à leur entrée dans Ville-Marie. Vue de l'intérieur, la colonie paraissait encore plus modeste. Rudimentaire, même. Serrées les unes contre les autres, d'humbles maisons de bois à la toiture inclinée, aux murs percés de quelques petites fenêtres, s'alignaient le long d'un chemin de terre battue. Un peu partout, les gens vaquaient à diverses occupations. Certains discutaient en petits groupes, d'autres aiguisaient tranquillement un couteau, fendaient du bois à la hache ou étaient paisiblement assis, buvant de l'eau. Un peu partout, des chiens, des cochons et des volailles circulaient librement, indifférents à l'arrivée des étrangers. Derrière une maison, Manaïl aperçut une vache solitaire qui mangeait placidement du foin.

Sur leur passage, la plupart des gens s'interrompaient pour les toiser d'un air méfiant. Le garçon constata avec soulagement que, en gros, les vêtements qu'Ermeline et lui avaient rapportés du *kan* de Londres ressemblaient suffisamment à ceux de cet endroit pour éviter les questions gênantes. Son pantalon en toile noire délavée, sa veste et sa chemise d'un blanc passé feraient l'affaire. Il en irait de même de la pèlerine, de la longue jupe et de la chemise de toile grossière d'Ermeline, à laquelle il ne manquait qu'une petite coiffe blanche pour passer tout à fait inaperçue.

Pierre se retourna vers ses compagnons miliciens.

— Ça ira, dit-il. Je vais les conduire moi-même.

— Comme tu veux, répondit René. Moi, je vais aller boire un pot.

Il s'éloigna en compagnie de Charles tandis que Pierre empoignait les bras de Manaïl et d'Ermeline pour les guider doucement.

— Où nous emmenez-vous ? demanda la gitane.

— Chez Monsieur de Maisonneuve. Il saura bien quoi faire de vous.

— Qui est-il ? interrogea le garçon.

— Mais, le gouverneur de Ville-Marie, pardi ! Il est pourtant bien connu à Québec.

— Ah oui. Bien sûr, dit le garçon. Monsieur de Maisonneuve…

✦

Pierre Mallet s'arrêta devant une petite maison en tout point semblable aux autres et frappa à la porte. Quelques instants plus tard, elle s'ouvrit. Un homme à l'air austère, vêtu d'un modeste costume de drap gris, les cheveux noirs parsemés de gris, courts et taillés en rond autour de la tête, se tenait bien droit dans l'embrasure. Il devait avoir une cinquantaine d'années, mais ses traits tirés par la fatigue et les rides profondes qui sillonnaient son visage trahissaient de grands soucis. Manaïl ne put s'empêcher de noter que ce chef n'était guère plus impressionnant que la cité qu'il dirigeait.

— Oui? Qu'est-ce que c'est? demanda l'homme d'une voix sereine dans laquelle perçait un soupçon de lassitude.

Visiblement intimidé, Pierre retira son chapeau, s'inclina avec respect et garda les yeux au sol.

— Monseigneur, dit-il, René Moreau, Charles Messier et moi-même faisions notre patrouille régulière lorsque nous avons trouvé ces deux-là dans les bois, non loin d'ici. Ils disent être en provenance de Québec et avoir échappé aux Iroquois qui les avaient capturés.

Paul de Chomedey, sieur de Maisonneuve et gouverneur de Ville-Marie, toisa la chemise souillée et déchirée de Manaïl, de même que les contusions et les ecchymoses qui couvraient le visage des nouveaux venus.

— On vous a bien heurtés, on dirait, constata-t-il d'un air un peu hautain. Entrez.

Il s'écarta pour leur laisser le passage. Ermeline et Manaïl se retrouvèrent dans l'unique pièce de la petite maison. Elle était dépouillée de tout luxe. Il ne s'y trouvait qu'une table, quelques chaises grossières et dépareillées, une cheminée de pierre et, dans le coin, une drôle de cabane en bois à l'intérieur de laquelle se trouvait une paillasse.

Le gouverneur se retourna vers le milicien.

— Merci. Tu as bien fait.

— Monseigneur..., fit Mallet en s'inclinant avant de pénétrer à son tour dans la résidence.

Maisonneuve referma la porte et désigna de la main deux chaises qui se trouvaient autour de la table. L'Élu et la gitane s'assirent sans mot dire. Pierre, quant à lui, resta debout près de la porte en triturant nerveusement son chapeau. Maisonneuve tira une autre chaise et s'assit en face des deux jeunes inconnus, appuya ses coudes sur la table et joignit ses doigts devant son visage. Il soupira et concentra sur eux ses yeux bruns au regard à la fois bon et pénétrant.

— Vous avez eu beaucoup de chance de survivre à votre capture, dit-il après un long silence. Remerciez-en la divine Providence et la Vierge Marie, qui veille sur notre modeste colonie.

Manaïl songea que l'homme ne croyait pas si bien dire.

— Comment vous appelez-vous ?

— Michel Delisle, répondit Manaïl. Et voici Ermeline.

Le gouverneur tendit le cou, attendant visiblement la suite.

— Euh… Delisle. Ermeline Delisle, improvisa le garçon.

— Vous êtes frère et sœur, donc, conclut le gouverneur. La ressemblance est évidente, en effet. Les cheveux sombres, le teint foncé…

Ermeline réussit à cacher sa surprise tandis que Manaïl anticipait nerveusement les questions à venir.

— Et vos parents ?

— Morts, monsieur le gouverneur, coupa Ermeline avant que son compagnon ne s'enlise davantage.

— Ils n'ont pas survécu à la traversée, je suppose ?

— C'est ça, oui. Ils sont morts pendant la traversée. Mon… euh… frère et moi avons décidé de venir vivre à… Ville-Marie.

— Je vois…, dit Maisonneuve avant de se lever d'un bond. Dieu a voulu que vous arriviez jusqu'à nous et il ne sera pas dit que le gouverneur de Ville-Marie abandonne deux orphelins à leur triste sort. Vous êtes tous deux en âge de travailler et notre petite colonie a grand besoin de gens en santé et dans la force de l'âge. Particulièrement de femmes…, ajouta-t-il en adressant un sourire malaisé à Ermeline. Les prétendants ne te manqueront pas, mon enfant, et je suis prêt à parier que nous te retrouverons devant le curé, au bras de ton futur époux, d'ici la fin de l'année.

Cette fois-ci, Ermeline retint difficilement une grimace. L'idée du mariage avec un étranger lui répugnait souverainement. Du coin de l'œil, elle observa son compagnon qui s'était raidi à cette possibilité et se retint pour ne pas laisser voir sa satisfaction.

— Quant à toi, mon garçon, poursuivit le gouverneur, tu m'as l'air vigoureux. Tes jeunes bras seront appréciés dans les champs. Mais avant toute chose, nous devons trouver à vous héberger.

Maisonneuve réfléchit un instant en se tapotant les lèvres du bout du doigt et se tourna vers Pierre.

— Tiens, lui dit-il, emmène-les chez la veuve Fezeret. Son fils est en voyage de traite et elle est seule. Elle aura certainement une couche pour eux. Dis-lui bien que je la dédommagerai de ma bourse pour toute dépense qui lui apparaîtra excessive.

— Bien, monseigneur, répondit Pierre.

Le gouverneur se retourna vers Manaïl et Ermeline, et son visage prit un air sévère.

— Quant à vous deux, sachez qu'à Ville-Marie, le péché d'oisiveté est chose inconnue. Nous travaillons dur pour arracher notre pain à cette terre inhospitalière. Pour votre gîte et votre couvert, vous aiderez de votre mieux la Fezeret à entretenir son petit lopin de terre. Elle est âgée, la pauvre, et des bras vigoureux lui rendraient un fier service. Maintenant, allez. Et faites honneur à la cité de la Vierge Marie.

L'Élu et la gitane se levèrent à leur tour et marchèrent à reculons jusqu'à Pierre.

— Merci, monseigneur. Que Dieu vous bénisse, dit Ermeline.

LA VISITEUSE

Simone Guilebaut, veuve de Jean Fezeret, était une vieille femme de cinquante-sept ans. Le visage traversé par des rides profondes, les cheveux plus blancs que bruns, le dos un peu voûté, la peau des mains couverte de taches de vieillesse, les doigts rendus calleux par le travail, elle dégageait une grande bonté mêlée de résignation. Lorsque Pierre Mallet s'était présenté à la porte de sa petite maison de bois avec les deux jeunes étrangers et qu'il avait expliqué la requête du gouverneur, elle avait posé sur eux un regard maternel et leur avait ouvert sans réserve sa demeure et son cœur.

— Ça me fera du bien d'avoir quelqu'un dans la maison, leur dit-elle en posant devant eux deux écuelles remplies de bouilli de bœuf fumant et de légumes ainsi qu'une miche de pain frais. Mon fils René est toujours parti à la traite et depuis la mort de mon pauvre Jean, je me sens bien seule.

— Merci, madame, dit Ermeline en se frottant les mains. Cornebouc! Quel fumet!

— Ce n'est rien du tout, rétorqua l'hôtesse avec modestie. Juste un petit reste qui traînait sur la crémaillère depuis hier. Mais ça vous remplira la panse. Il est tard, et vous devez avoir faim après vos aventures.

Avec enthousiasme, Ermeline empoigna la cuillère de bois et la précipita dans l'écuelle en étain. Elle allait la porter à sa bouche lorsque la veuve Fezeret l'arrêta, l'air réprobateur.

— Tut! Tut! Tut! fit-elle en agitant l'index. Il ne faudrait pas négliger de dire ses grâces, demoiselle, avant de manger.

La vieille s'installa à la table avec eux, pencha la tête et joignit les mains devant son front.

— *Benedic, Domine, nos et hæc tua dona quæ de tua largitate sumus sumpturi. Per Christum Dominum nostrum*[1]. *Amen*, récita-t-elle.

— *Amen*, répétèrent Manaïl et Ermeline.

Cuillère en main et bouche à nouveau entrouverte, la gitane attendit, incertaine, le

---

1. En latin: Bénissez-nous, Seigneur, ainsi que la nourriture que nous allons prendre, par Jésus-Christ Notre-Seigneur.

signal de la veuve, puis se mit à dévorer sa portion avec un appétit qui suscita chez l'hôtesse un sourire maternel. Plus modéré, Manaïl prit le temps de lui faire la conversation et relata leur aventure récente avec les Iroquois pendant que la veuve se versait un plein gobelet de vin qu'elle avala d'un trait en faisant claquer sa langue de satisfaction avant de le remplir à nouveau. Il omit soigneusement la manière dont la gitane et lui étaient arrivés dans ce *kan* et resta fort vague à propos des circonstances de leur fuite.

— Je peux en avoir encore ? l'interrompit la gitane en tendant son écuelle.

Armée d'une louche en fer-blanc, la veuve se fit un plaisir de remplir le récipient à ras bord. La pièce était maintenant plongée dans la pénombre. Elle alluma une chandelle qui se trouvait dans un bougeoir posé sur la table. Ermeline récupéra avec un bout de pain le jus de sa deuxième ration et rota. La Fezeret écarquilla les yeux.

— Te voilà rassasiée, on dirait ! s'écria-t-elle en riant de bon cœur.

— Oh oui ! rétorqua cette dernière en rougissant. C'était succulent !

— Maintenant, rendons grâce au Seigneur, dit la veuve.

Elle pencha la tête et se recueillit une autre fois. Manaïl et Ermeline échangèrent un regard, haussèrent les épaules et, résignés, l'imitèrent.

— *Agimus tibi gratias, omnipotens Deus, pro universis beneficiis tuis : qui vivis et regnas in sæcula sæculorum*[1]. *Amen.*

— *Amen*, répondirent-ils en chœur.

La Fezeret se leva, ramassa les écuelles et les cuillères, et empila le tout près d'un bassin rempli d'eau.

— Il est temps de se mettre au lit, annonça-t-elle. Après une telle journée, vous devez être vannés, mes pauvres petits.

Elle désigna à Ermeline une paillasse enfermée dans une cabane de bois, semblable à celle qu'elle avait aperçue chez Maisonneuve.

— Tu vas dormir dans le lit de mon René, ma petite, dit-elle. Quant à toi, jeune homme, je crains que tu doives te contenter d'une vieille paillasse près de la cheminée. Mais elle est propre et je vais allumer un bon feu pour que tu n'aies pas froid.

— J'ai dormi sur pire, répondit Manaïl.

— Ah, j'oubliais ! s'écria la veuve.

Elle se dirigea avec empressement vers un grand coffre de bois, l'ouvrit et y farfouilla.

---

1. En latin : Nous Vous rendons grâces, Dieu tout-puissant, pour tous les bienfaits que Vous nous avez donnés, Vous qui vivez pour les siècles des siècles.

Elle en sortit une chemise qu'elle tint à bout de bras pour l'examiner d'un œil critique.

— Ça devrait aller, déclara-t-elle, satisfaite.

Elle tendit le vêtement à Manaïl.

— Tiens, mon petit. Change ta méchante chemise. Elle a vu de bien meilleurs jours. Tu as l'air d'un mendiant. Celle-ci appartenait à mon pauvre Jean. Tu es déjà plus costaud que lui, mais elle t'ira certainement.

L'Élu et la gitane s'étendirent chacun de leur côté sur leur paillasse respective.

— Bonne nuit, mon petit…, dit Ermeline en dissimulant mal son amusement, avant de refermer les volets de bois et de disparaître dans son étrange cabane.

— Bonne nuit, grogna l'Élu.

Il attendit que la vieille se soit installée dans son propre lit et en ait aussi refermé les volets pour retirer sa chemise en lambeaux et enfiler la nouvelle. Ne sachant que faire avec le vieux vêtement, il le jeta dans le feu qui pétillait dans l'âtre. La chemise, qui finirait par être confectionnée sur un autre continent quelques siècles plus tard, s'embrasa et se consuma. Puis Manaïl s'enroula dans la grosse couverture de laine rêche que la Fezeret lui avait donnée.

Quelques secondes plus tard, l'Élu et la gitane dormaient à poings fermés.

✦

Lorsque Manaïl s'éveilla, le soleil était levé et ses rayons pénétraient par deux petites fenêtres. L'esprit embrouillé par le sommeil, il lui fallut un moment pour se remémorer l'endroit où il se trouvait. Les ronflements d'Ermeline, qui résonnaient à travers la cabane de bois toujours fermée, le lui rappelèrent. Ville-Marie, la ville de la Sainte Vierge.

Il s'assit sur sa paillasse et bâilla. Dans l'âtre, le feu était éteint depuis longtemps. Il allait se lever pour réveiller la gitane lorsque la porte de la maison s'ouvrit brusquement. Le visage empourpré de colère, la Fezeret fit irruption dans la pièce et referma la porte avec fracas. Elle posa sur la table un bol de bois dans lequel se trouvaient quelques œufs frais qu'elle venait de ramasser et soupira avec impatience.

— Qu'avez-vous, madame ? demanda Manaïl tout à coup aux aguets.

La veuve fit un effort visible pour se calmer et força un sourire qui plissa tout son visage.

— Oh… ce n'est rien, soupira-t-elle. Une rencontre malheureuse. Que Dieu me le pardonne, mais je déteste La Centaine.

Manaïl se redressa à la mention du nom que lui avait transmis Karahotan.

— La Centaine ? Qui est-ce ? s'enquit-il en essayant de cacher son empressement.

— Une vieille folle qui passe de temps à autre dans la colonie. Personne ne sait d'où elle vient. Elle est apparue un jour, voilà des années. Je l'ai vue de mes yeux. Elle était déjà vieille comme les pavés de Paris, à l'époque. Chaque fois qu'elle se montre, elle erre dans la colonie en marmonnant une histoire confuse au sujet du fils d'une veuve. Elle regarde partout, comme si elle cherchait quelque chose. Puis elle repart dans les bois sans dire un mot. Je l'ai aperçue, ce matin, pendant que je ramassais mes œufs. Elle se tenait au loin et me regardait fixement avec un air bizarre qui m'a donné des frissons dans le dos.

La vieille croisa les bras sur sa poitrine.

— Moi, je crois que c'est une sorcière placée là par le diable pour tenter les bons chrétiens qui font l'œuvre de Dieu à Ville-Marie, poursuivit-elle. Elle finira sur le bûcher, celle-là, c'est moi qui te le dis.

Avant qu'elle ne termine sa phrase, Manaïl était déjà sorti en trombe de la maison. Il surgit dans ce qui tenait lieu de rue et regarda d'un côté, puis de l'autre, mais ne vit personne qui correspondît à la description de La Centaine. Il s'élança au pas de course dans une direction puis revint sur ses pas, fouillant désespérément les alentours des yeux.

Immobile sous les regards interdits des habitants de la colonie, il soupira de dépit. Une autre rencontre manquée... Ermeline apparut derrière lui, les cheveux en broussaille et les yeux bouffis autant par le sommeil que par les aventures de la veille.

— Mais qu'est-ce qui te prend, mon pauvre ami ? dit-elle en lui prenant le bras pour le ramener vers la maison. On te regarde comme si tu avais perdu l'esprit.

— La Centaine, répliqua Manaïl. Elle était ici...

— Allez viens, insista la gitane. Nous la retrouverons, ta Centaine.

À regret, l'Élu se laissa entraîner vers la maison où la Fezeret l'attendait, perplexe.

ANGÉLIQUE

La semaine qui suivit s'écoula selon une nouvelle routine avec laquelle Ermeline et Manaïl se familiarisèrent sans trop de difficulté. Les matins de la gitane étaient consacrés à aider la Fezeret à traire une vache maigrichonne qui ne donnait que peu de lait, puis à désherber le petit potager situé à l'arrière de la maison. Ses après-midi se passaient à se tenir assise en face de la veuve, qui enroulait autour de ses avant-bras les longueurs de laine qu'elle filait sans jamais se fatiguer sur un vieux rouet grinçant, ou encore à coudre ou à repriser les vêtements que d'autres colons lui apportaient.

Manaïl, lui, avait été chargé de récolter le foin que la vieille avait semé sur sa petite terre et qui avait déjà beaucoup poussé. Si on le coupait tôt, une seconde récolte serait possible avant l'automne. Il passait ses journées entières seul, accroupi, une faucille à la main, à saisir des poignées de foin, à les couper et à en faire des bottes qu'il ramenait le soir pour les mettre à sécher dans un petit appentis. Le premier soir, il était revenu du champ les doigts couverts d'ampoules douloureuses qui n'avaient cessé de se multiplier depuis.

L'Élu se surprenait chaque jour à retourner la faucille tranchante dans ses mains, songeur. Grâce à cet instrument, il lui serait facile d'extraire le fragment de la paume de sa main gauche. Il suffirait ensuite d'un petit geste et d'une brève douleur pour le réinsérer dans sa poitrine, à l'abri sous le pentagramme. La marque de YHWH retrouverait son pouvoir bénéfique et il pourrait guérir ses blessures en quelques secondes, comme il l'avait souvent fait depuis que Hanokh l'y avait tracée. Mais il n'arrivait pas à se décider. Lorsque le terrible animal s'était présenté devant Ermeline et lui, quelques jours plus tôt, il avait pu mesurer l'ampleur du pouvoir engendré par l'alliance contre nature que le Bien et le Mal avaient conclue dans sa chair. Jusqu'ici, dans sa quête, rien n'avait été le fruit du hasard. *Fils de la Lumière, il portera la marque des Ténèbres. Fils du Bien, il combattra le Mal par le Mal*, disait la prophétie des Anciens. Peut-être ce pouvoir nouveau devait-il lui revenir ? Malgré la répugnance qu'il lui inspirait, il hésitait à s'en débarrasser.

Il n'en avait pas parlé à Ermeline, mais, depuis qu'il était arrivé dans ce *kan* et qu'il avait découvert le pouvoir qui résidait dans sa main gauche, il avait l'impression qu'un poids indéfinissable pesait sur lui, que son âme s'assombrissait et que son cœur se transformait en pierre. Au bout du compte, il avait choisi d'attendre. Il serait toujours temps de rectifier les choses. D'ici là, il se sentait plus en sécurité en sachant que, si besoin était, il pouvait faire appel à un pouvoir aussi dévastateur que les dangers qu'il aurait sans doute à affronter.

✦

Le 24 juin finit par arriver. Tout Ville-Marie était en liesse. La Saint-Jean-Baptiste était une grande fête dans la colonie. Les femmes cuisinèrent en abondance, les hommes s'enivrèrent gaiement. On chanta et on dansa jusque tard dans la nuit, sous l'œil sévère de l'abbé Gabriel Souart, curé de la nouvelle paroisse et supérieur des Sulpiciens. Le prêtre réprouvait les occasions où le vice d'ivrognerie régnait en maître et où le péché de chair n'était jamais bien loin. Malgré cela, il comprenait que les colons avaient grand besoin de pareils moments de répit et les tolérait tout en surveillant étroitement la vertu de ses paroissiens.

Toute la journée, les jeunes hommes rivalisèrent pour l'attention d'Ermeline, qui dansa au bras de l'un et de l'autre toute la soirée pendant que Manaïl, plus jaloux qu'il ne voulait l'admettre, ruminait à l'écart, un gobelet de vin à peine entamé à la main. De tous les colons, seuls s'ennuyèrent les quelques malheureux qui avaient été désignés pour patrouiller la forêt.

Un peu plus loin, trois voyageurs étaient assis ensemble. Couverts de poussière, les traits tirés par la fatigue, ils étaient arrivés durant l'après-midi. Honoré Martel et sa sœur Marguerite avaient dansé un peu, mais avaient surtout voulu se reposer de leur long périple. Sauf pour quelques heureux élus, la plupart des célibataires de la colonie s'étaient vu refuser les faveurs de la belle Marguerite, qui s'était soustraite à leur main tendue avec une certaine hauteur. Quant à Honoré, il avait fait virevolter quelques femmes de la colonie avant de s'asseoir et de se contenter de siroter tranquillement un verre de vin en observant les fêtards, un petit sourire en coin sur les lèvres.

Contrairement à ses deux compagnons, Toussaint Perrault paraissait infatigable. De tous les hommes présents, le grand blond à la carrure impressionnante était celui qui avait

le plus fait danser la gitane, la faisant tournoyer sans effort dans les airs, ce qui l'avait
fait rire un peu trop fort au goût de Manaïl.

Le garçon finit par en avoir assez et, plutôt
que de rester là à se ronger les sangs, décida
de retourner chez la veuve Fezeret. De toute
façon, il était fatigué, ses mains couvertes
d'ampoules l'embêtaient et il voulait dormir.
Ermeline pouvait bien continuer à danser si
elle le désirait. Il n'en avait cure. Il se leva et
quitta la fête sans être remarqué.

Arrivé devant la maison de la veuve, il
s'aperçut qu'une chandelle y avait été laissée
allumée. Prudent, il ouvrit la porte sans faire
de bruit et se figea dans l'embrasure, sa main
gauche à moitié levée, prête à cracher le mystérieux pouvoir du fragment.

Une petite fille se tenait au milieu de la
pièce, immobile, les mains croisées sur le
ventre. Elle devait avoir dix ou onze ans et lui
arrivait à peine à la hauteur du menton. Dans
la lumière de la flamme, sa chevelure rousse
bouclée brillait de reflets blonds. Chétive et
pâle, elle était vêtue d'une chemise et d'une
jupe usées et trop grandes pour elle. Elle leva
vers lui un visage angélique à l'expression
trop sérieuse pour son âge et vrilla sur lui des
yeux kaki qui tiraient sur le brun.

— Tu es Maurin de l'Isle, déclara-t-elle
d'un ton monocorde.

Il s'agissait d'une affirmation, pas d'une question. Au son du nom qui avait été le sien dans le *kan* de Jérusalem, Manaïl se redressa, interdit.

— Oui, répondit-il, méfiant. Qui es-tu ?

Pour toute réponse, l'enfant fit trois pas dans sa direction et tendit sa main fermée.

— Prends, ordonna-t-elle.

Manaïl ouvrit la main et l'enfant y laissa tomber un petit objet. Il la ramena devant ses yeux et y découvrit une pièce de monnaie. Il l'inclina pour mieux la déchiffrer à la lueur de la bougie. Son sang se glaça dans ses veines.

Sur la pièce figuraient deux cavaliers, écu au bras et lance vers l'avant, assis sur la même monture. Sur son pourtour étaient gravés des mots qu'il avait déjà vus et qu'il reconnut sans savoir lire : *SIGILLUM MILITUM XPISTI*[1] et *NON NOBIS, DOMINE, SED NOMINI TUO DA GLORIAM*[2]. De la monnaie templière…

— Je m'appelle Angélique, déclara l'enfant, qui semblait satisfaite de sa réaction. Je viens de la part de La Centaine. Elle doit te parler. Suis-moi.

Sans attendre sa réponse, comme si refuser était impossible, elle tourna les talons et

---

1. En latin : Sceau des chevaliers du Christ.
2. En latin : Non pour nous, Seigneur, mais pour que ton nom en ait la gloire.

sortit. Manaïl hésita. Soit, cette enfant lui avait remis une pièce frappée par les Templiers. Mais qu'est-ce que cela prouvait vraiment?

— Hé! Attends! s'écria-t-il, sans susciter l'effet escompté.

Il referma la porte puis regarda en direction de la fête et aperçut Ermeline, au loin, qui dansait toujours avec le grand Toussaint en riant à gorge déployée. De l'autre côté, la petite s'éloignait déjà sur le chemin.

Il suivit la fillette.

DANS LES ENTRAILLES
DE LA TERRE

Angélique sortit de Ville-Marie et traversa les champs, Manaïl sur ses pas. En bordure de la forêt, elle s'arrêta enfin et se retourna, l'air grave. Croyant qu'elle l'attendait enfin, le garçon se hâta de la rejoindre mais avant qu'il n'y parvienne, elle lui fit un signe pressant de la main et, sans rien dire, s'enfonça dans les bois. Exaspéré par ce petit jeu, il serra les poings et accéléra de plus belle. Derrière lui, les sons joyeux de la fête s'estompèrent petit à petit.

Pendant plusieurs heures, dans la forêt obscure, il suivit ainsi Angélique, qui se tenait toujours à une dizaine de toises devant lui malgré ses efforts constants pour la rattraper. Elle disparaissait pour ne reparaître que lorsque Manaïl croyait être égaré. La frustration du garçon augmentait à vue d'œil et il se demandait ce qui lui avait pris d'accompagner ainsi une parfaite inconnue seulement parce qu'elle possédait une pièce de monnaie templière et qu'elle connaissait le nom qu'il avait utilisé dans un autre *kan*. Il maudit intérieurement son impétuosité et son imprudence. Si cette petite décidait de l'abandonner après la multitude de détours effectués au cœur d'une forêt dense et sombre, jamais il ne pourrait retrouver son chemin vers Ville-Marie.

— Mais attends-moi, à la fin! s'enragea-t-il en agitant les bras après s'être presque perdu une fois de plus.

Pour toute réponse, la petite s'arrêta, le temps qu'il s'approche un peu, puis repartit entre les branches.

Le jour se levait lorsque Manaïl émergea, soulagé, dans une clairière encerclée d'érables, de peupliers, de pins, de sapins et d'épinettes. Isolé au milieu se trouvait un rocher qui se dressait vers le ciel. On aurait dit qu'un géant l'avait planté là, dans cette trouée au travers des arbres, ou alors qu'il était tombé des cieux telle une pointe de flèche pour s'enfoncer à moitié dans la terre. Stupéfait, le garçon nota qu'une petite colonne de fumée semblait s'échapper du sommet, comme si un feu avait été allumé à l'intérieur.

Dans les hautes herbes, il pouvait suivre du regard la trace du passage d'Angélique jusqu'au curieux rocher. Il s'approcha avec méfiance.

L'étrange pièce de roc était haute d'au moins deux toises. Au centre se trouvait un interstice tout juste assez large pour permettre le passage d'un homme. Mais le tout ne faisait pas une toise de diamètre et l'ouverture ne menait certainement nulle part. Perplexe, le garçon observa à nouveau les traces laissées par la fillette qui l'avait guidé jusque-là.

— Suis-moi, ordonna soudain la voix d'Angélique.

Manaïl sursauta et pivota sur lui-même. La petite fille se tenait dans l'ouverture, un bougeoir à la main. La faible clarté de la chandelle accentuait la pâleur de son visage. Avant que le garçon n'ait pu dire un mot, elle avait fait demi-tour et, chose en apparence impossible, s'était enfoncée à l'intérieur du rocher. Manaïl resta un moment interdit. Puis il haussa les épaules, soupira et pénétra dans l'ouverture. Inconsciemment, il fermait et ouvrait sans cesse la main gauche, prêt à utiliser le pouvoir du fragment si nécessaire.

✦

À Ville-Marie, la fête était terminée. Le violon et les cuillères s'étaient tus, les flasques d'eau-de-vie et les bouteilles de vin étaient vides. Les derniers danseurs, à bout de souffle, retournaient chez eux. Ermeline avait tournoyé toute la nuit dans les bras puissants de Toussaint Perrault. Galant, ce dernier avait insisté pour la reconduire, un peu étourdie par la danse et le vin, jusque chez la veuve Fezeret. Quelques pas derrière suivaient discrètement Honoré Martel et sa sœur Marguerite. Les trois voyageurs avaient obtenu du gouverneur la permission de dormir dans une grange non loin de là et même l'infatigable Toussaint avait hâte de se laisser choir dans le foin douillet pour récupérer du voyage.

En arrivant devant la maison de la veuve, Ermeline salua les trois compères en s'attardant un peu sur Toussaint. Elle allait saisir la poignée de la porte lorsque celle-ci s'ouvrit brusquement.

La Fezeret, qui avait visiblement trop bu, titubait un peu dans l'embrasure. Ses yeux étaient rougis et semblaient avoir de la difficulté à se fixer sur la gitane. Mais ce qu'Ermeline nota surtout fut son expression. La veuve était livide.

— Ton frère est parti… avec Angélique, dit-elle d'une voix pâteuse.

— Angélique ? répéta-t-elle avec une pointe de jalousie. Qui est-ce ?

— La drôle de petite… qui vit… avec La Centaine, voyons, dit la veuve en levant l'index de manière exagérée. Elle l'a… emmené chez la… sorcière. J'ai bien peur que… que tu ne le revoies ja… jamais. Hips !

Alarmée, Ermeline resta figée sur place. Elle sentait la colère monter en elle. Les voyageurs, quant à eux, se tenaient cois.

— Pourquoi n'êtes-vous pas venue m'avertir ? s'écria-t-elle, exaspérée.

— Je… Je me suis endormie, avoua la veuve, honteuse. J'ai… un peu trop bu et… Hips !

La gitane ne l'écoutait plus. Elle s'en voulait terriblement et maudissait son étourderie. Gardant en tête sa quête plutôt que de se laisser bêtement entraîner par la fête, l'Élu avait retrouvé celle que Karahotan avait mentionnée. La Centaine. Il était parti vers elle. Seul. Pendant ce temps, elle avait dansé comme une vulgaire grisette[1] au bras de son galant. Était-il en danger ? Ou partirait-il vers son destin sans l'attendre ? Elle devait le rejoindre au plus vite. Mais comment le retrouver à présent ?

La délicate pression de la main de Toussaint sur son coude la fit sortir de ses pensées.

— Viens, Ermeline. Nous allons t'aider à chercher ton frère, suggéra-t-il avec douceur.

---

1. Jeune fille de basse condition, aux mœurs légères.

Ermeline adressa au colosse un sourire rempli de gratitude et se retourna vers la veuve.

— Par où sont-ils partis ? lui demanda-t-elle.

— Par là, répondit la Fezeret en indiquant la droite d'un doigt vacillant. Ils... ils sont entrés dans... la forêt. Hips ! Mais vous ne le retrouverez... pas. Personne n'a jamais découvert... où vivait La... Centaine.

Sans dire un mot, Toussaint interrogea Honoré et Marguerite du regard. Le frère et la sœur acquiescèrent d'un hochement de la tête, oubliant du coup l'attrait du foin et du sommeil. Ensemble, ils prirent la direction de la forêt, laissant derrière eux la veuve Fezeret, hébétée, dans l'embrasure de la porte de sa maisonnette.

✦

Une fois à l'intérieur de l'étrange rocher, Manaïl constata que l'ouverture donnait sur un étroit passage qui s'enfonçait abruptement dans les profondeurs de la terre. Plus bas, la lumière d'une chandelle trahissait la présence d'Angélique. Le garçon s'y engagea avec prudence. Pendant plusieurs minutes, il descendit la pente raide d'un pas mesuré en s'appuyant de son mieux contre les parois humides et glissantes, posant les pieds sur les appuis qui lui paraissaient solides. La fillette, pour sa part, semblait être familière avec chaque pierre et progressait sans hésitation, s'arrêtant de temps en temps pour l'attendre sans rien dire.

Graduellement, la pente s'adoucit et se transforma en un mince couloir horizontal. L'Élu y fit quelques pas, tourna sur sa droite et s'arrêta, stupéfait. Il se trouvait dans l'entrée d'une grotte au haut plafond en ogive qui rappelait celui d'une cathédrale. Sur les parois décorées d'ossements divers, d'animaux desséchés et de symboles incompréhensibles brillaient des torches enflammées dont la lumière traçait des ombres fantomatiques toujours changeantes. Leur fumée montait en volutes vers le plafond où elle s'engouffrait dans une cheminée naturelle. Çà et là traînaient quelques vieux meubles : une table, deux tabourets et un coffre de bois. Il régnait une étrange odeur d'herbes, de crasse, de graisse et de soufre. Près d'un mur, Manaïl remarqua un drôle de petit étang dont l'eau, qui semblait remonter des entrailles de la terre, bouillonnait et laissait échapper une vapeur à l'odeur indéfinissable.

Au milieu de la grotte ronflait un feu sur lequel un lièvre embroché achevait de griller. Tout près se trouvait une pile de fourrures

à côté de laquelle se tenait Angélique. La
fillette la désigna de la main.

— La Centaine, déclara-t-elle.

Telle une créature cauchemardesque, les
peaux s'animèrent.

16

LA CENTAINE

Une main osseuse et décharnée, aux ongles longs, crochus et sales, émergea lentement de la montagne de fourrures. Elle fut suivie d'une tête parsemée de quelques touffes blanches éparpillées dans toutes les directions.

Le surnom de « Centaine » prit tout son sens. La femme enveloppée dans les peaux était si vieille qu'elle semblait être déjà morte et s'être extirpée de la tombe pour sa seule gouverne. Son nez crochu, d'une longueur exceptionnelle, saillait au milieu d'un tissu de rides tissées dans tous les sens sur un visage aux os proéminents. Sa peau, presque trans-lucide, laissait paraître de grosses veines bleu-tées. Entre ses lèvres minces et décolorées, qui recouvraient des gencives édentées, elle tenait une pipe en plâtre dont la fumée la contraignait à fermer à moitié l'œil droit. Les lobes de ses oreilles décollées s'étiraient presque jusqu'à la hauteur de son menton. Son teint cireux trahissait non seulement son âge, mais aussi une absence prolongée d'exposition à la lumière du jour.

La vieille posa une main à terre et fit mine de se lever, grogna et retomba sur les fesses en marmonnant comme un homme ivre. Angélique s'empressa auprès d'elle, la soutint par le coude et l'aida du mieux qu'elle put. Après moult protestations, l'étrange vieillarde parvint à se mettre debout et récompensa la fillette d'une sourire qui tenait plutôt de la grimace. Le dos si voûté qu'elle devait ramener la tête vers l'arrière pour regarder devant elle, elle claudiqua maladroitement vers Manaïl qui, interdit, n'osait ni bouger ni parler. Les jambes qui dépassaient sous les nombreuses peaux se révélaient d'une extrême maigreur et lui donnaient des airs de pélican.

Lorsqu'elle fut à deux pas de lui, La Centaine s'arrêta. L'œil droit toujours à demi clos, la pipe solidement plantée dans le coin de la bouche, elle l'examina sans pudeur en balbutiant, approchant son visage tout près du sien. Le garçon put sentir son haleine fétide mêlée à l'odeur du tabac et aux effluves nauséabonds d'un corps qui n'avait pas fréquenté l'eau depuis des décennies. La respiration sifflante de la vieillarde témoignait de sa santé défaillante.

Sans prévenir, elle lui empoigna la main gauche avec une vigueur étonnante et la retourna, paume vers le haut. En ronchonnant, elle écarta les doigts et tâta les membranes qui les reliaient.

— Mmphmmm… Palmée… Oui…, murmura-t-elle en mâchouillant allègrement le tuyau de sa pipe.

Elle poursuivit ses observations. Avec l'ongle long et crasseux de son index, elle suivit les lignes de la marque de YHWH. Sur la peau flasque du dos de sa main, parmi les veines saillantes, Manaïl aperçut un étrange symbole tatoué, composé de trois lettres « T » disposées à angle droit les unes par rapport aux autres.

— Brmmmmmph…, grommela la vieille en hochant la tête. *Mishpat*… Jérusalem… Salomon… Israël. Bien. Bien.

Elle tâta le centre de la marque. Sentant le fragment maléfique qui y était enfoui, elle le pressa à quelques reprises, perplexe. Son visage se renfrogna et se froissa comme un vieux morceau de papier.

— Hmmmm ? fit-elle, incertaine, en arquant un sourcil. Hmm-hmm. Grmmmmm...

Puis, elle sembla comprendre quelque chose.

— Grmph... Moui... moui... moui. Le Mal... Hrmph... Bon.

Sans prévenir, La Centaine lâcha la main gauche et empoigna la chemise du garçon. Sa paralysie tout à coup secouée, Manaïl eut un mouvement de recul à l'idée de la laisser examiner sa poitrine. Depuis qu'elle avait été tracée, il avait toujours été plus prudent de ne pas exposer la marque des Ténèbres. Il avait l'habitude de la protéger.

La vieillarde leva vers lui un regard chargé d'impatience qui lui glaça le sang.

— Hmmmmmmmm, gronda-t-elle en pinçant les lèvres.

Comprenant qu'il n'avait pas le choix de se soumettre à l'investigation de cette créature qui était censée l'aider, l'Élu surmonta sa répulsion et resta immobile.

La vieillarde reprit son manège et, de ses doigts noueux, détacha jusqu'au milieu de la poitrine les boutons qui fermaient sa chemise neuve. Lorsqu'elle eut terminé, elle rabattit le vêtement sur les épaules du garçon et l'abaissa jusqu'aux coudes. Elle s'approcha jusqu'à ce que son long nez frôle la peau. À travers les volutes de fumée qui montaient du fourneau de sa pipe, elle sembla admirer un moment l'affreuse cicatrice. Son ongle suivit le tracé du pentagramme inversé. Elle hocha la tête.

— Aahhhhhh ! dit-elle, un sourire approbateur plissant son visage. La marque... Mgn Mgnmgnmgn.

Apparemment satisfaite de ce qu'elle voyait, elle remonta la chemise sur les épaules du garçon, la reboutonna, lui tapota l'épaule et recula de quelques pas incertains.

Pendant ce qui parut comme une éternité à Manaïl, elle le dévisagea en silence. Puis son visage s'éclaira d'un large sourire qui plissa à nouveau sa peau en d'innombrables ondulations qui firent presque disparaître ses yeux. Elle saisit sa pipe et la retira lentement de sa bouche.

— Fils de la veuve, caqueta-t-elle d'une voix chevrotante. Grmph... Au nom de tous les Gardiens en exil qui t'ont attendu depuis plus de deux siècles et demi, bienvenue dans le Nouveau Monde.

La Centaine retourna s'asseoir près du feu en claudiquant et, avec l'aide d'Angélique, elle s'assit lourdement. La fillette s'éloigna aussitôt et se tint en retrait dans un coin de la pièce, comme une domestique docile. La vieille haleta pendant quelques instants en fixant les flammes, puis elle se retourna vers le garçon et, d'un geste, l'invita à la rejoindre.

— J'ai beaucoup de choses à te dire, Fils de la veuve. Mgn mgnmgnmgn… Et peu de temps pour le faire, dit-elle. Viens.

La vieille lui tendit une main osseuse. Oscillant entre la méfiance qui lui venait maintenant de façon naturelle face à tout inconnu et le soulagement d'avoir trouvé quelqu'un qui pouvait enfin l'aider, Manaïl s'approcha lentement, saisit la main et s'assit auprès de La Centaine, oubliant son apparence repoussante.

TELLE EST PRISE
QUI CROYAIT PRENDRE

Ermeline et les trois voyageurs avançaient d'un pas rapide depuis deux bonnes heures déjà. La gitane ne pouvait s'empêcher de remarquer à quel point les bois qu'elle avait trouvés si charmants il n'y avait pas si longtemps semblaient maintenant menaçants malgré l'aube naissante.

Au début, suivre la piste de Manaïl avait été facile et le quatuor qu'elle formait avec Honoré, Marguerite et Toussaint avait parcouru une distance considérable sans jamais hésiter. Ce dernier avait une expérience particulière de la forêt et lisait sans effort dans les épines de pin et les fougères des indices que lui seul semblait percevoir. Puis, peu à peu, la piste s'était estompée et le voyageur n'y comprenait visiblement rien. Accroupi, il observait le sol près de lui.

— Je n'ai jamais rien vu de tel, dit-il, médusé. Peut-être la veuve a-t-elle fait erreur… Elle était soûle, après tout.

— Que veux-tu dire ? demanda la gitane, anxieuse.

— La piste s'arrête brusquement. J'ai beau chercher, elle ne reprend pas. À moins que ton frère sache voler, je n'ai aucune explication, dit Toussaint en haussant les épaules.

Il écarta une mèche de cheveux qui lui était retombée sur le visage, inspecta les alentours et tendit l'oreille un moment. Dans la forêt, seul le chant matinal des oiseaux et le bruissement des feuilles rompaient le silence. Inquiète, Ermeline observa son manège, les poings sur les hanches, pendant que Marguerite et Honoré, un peu en retrait, attendaient calmement les résultats des observations de leur compagnon.

— Tu sais où nous sommes, au moins ? s'enquit la gitane auprès du colosse.

Il la regarda et lui adressa le même sourire charmeur qui l'avait séduite la nuit précédente. Pourtant, cette fois, ses yeux bleus comme la mer, eux, ne riaient pas.

— Nous sommes au beau milieu de nulle part, répondit-il. Loin de l'Élu d'Ishtar, je le crains.

Ermeline écarquilla les yeux de surprise en entendant le statut de Manaïl mentionné avec désinvolture. Dans un recoin éloigné de sa conscience, la voix de sa regrettée mère lança un cri d'alarme. Toussaint jeta un coup d'œil à Honoré et Marguerite qui, derrière la gitane, hochèrent imperceptiblement la tête.

— Quoi ? Qu'as-tu dit ? demanda la gitane, interloquée.

Un coup s'abattit sur la nuque de la jeune fille. Elle vacilla sur ses pieds et tenta de se retourner, mais n'y arriva pas. Elle s'affala sur le sol, inconsciente.

✦

Lorsqu'elle revint à elle, sa première impression fut que sa joue gauche était en feu. Elle essaya d'y porter les doigts, mais, son esprit se clarifiant peu à peu, elle constata vite que ses mains étaient solidement liées derrière son dos. À un arbre, sans doute. Seuls ses pieds étaient libres. Mais pourquoi ?

Elle releva la tête à la recherche d'une explication et trouva Honoré et Marguerite Martel plantés devant elle.

— Te voilà enfin de retour parmi nous, lui dit la voyageuse, un sourire narquois sur les lèvres. Il était temps. Honoré commençait à se fatiguer de te gifler.

La gitane posa son regard sur ce dernier. Une lueur sauvage dans ses yeux sombres, il se frottait la paume de la main droite avec celle de gauche. Elle comprit alors pourquoi sa joue lui faisait si mal.

— Que… Que signifie tout cela ? balbutia-t-elle, encore étourdie.

Ermeline scruta les alentours, désemparée, cherchant instinctivement celui en qui elle avait confiance.

— Toussaint ? appela-t-elle. Où es-tu ?

— Ici, fit la voix du colosse, sur la droite.

Appuyé avec nonchalance contre un arbre, les bras croisés sur sa poitrine, il la regardait, une expression énigmatique sur le visage. Non loin de lui, on avait allumé un feu.

— Réponds à nos questions et tout ira bien, belle Ermeline, conseilla-t-il d'un ton qui incitait à la confidence. Personne ici ne te veut de mal. C'est l'Élu que nous cherchons.

— Vos questions ? répéta-t-elle. Mais…

La main d'Honoré s'abattit brutalement sur son visage. Des éclats multicolores envahirent l'espace devant les yeux de la gitane. Sonnée, elle secoua la tête pour reprendre ses esprits, regarda tour à tour chacun des voyageurs et comprit.

— Martin ! hurla-t-elle à pleins poumons dans le vain espoir que Manaïl l'entende. Les Nergalii ! Ils sont là !

Un violent coup de poing dans le ventre lui coupa le souffle. Un autre l'atteignit une fois de plus au visage. Du sang se mit à couler, chaud et épais, emplissant ses narines et dégoulinant de la commissure de ses lèvres jusqu'à son menton. Respirant avec difficulté, elle renifla et se tut.

Tel un félin en chasse, Marguerite s'approcha d'elle avec une grâce menaçante.

— Où est le dernier fragment ? demanda-t-elle avec une terrifiante froideur.

— Va pourrir en enfer ! haleta la gitane en relevant le menton avec morgue.

Un nouveau coup de poing dans le ventre la vida de son air. Elle sentit des vomissures remonter dans sa gorge, mais les ravala en grimaçant et refusa de baisser les yeux, qu'elle avait vrillés avec défiance dans ceux de son vis-à-vis.

— Où est le dernier fragment ? répéta Marguerite.

Pour toute réponse, Ermeline lui cracha au visage. L'autre essuya la salive, l'air amusé.

— Allons, allons, fit-elle d'une voix enjôleuse. Pourquoi t'entêter ? Tu finiras par nous le dire de toute façon. La durée de tes tourments ne dépend que de toi.

Pour marquer le coup, Honoré lui appliqua une claque du revers de la main qui la fit se frapper durement l'arrière de la tête contre l'arbre auquel elle était attachée. En retrait, Toussaint observait la scène sans broncher.

— Notre frère Zirthu a récupéré quatre des cinq fragments du talisman de Nergal, reprit Honoré. Ils sont bien en sécurité dans le *kan* d'Éridou. Il les a arrachés lui-même de la poitrine sanglante de l'Élu. Mais le cinquième n'y était pas. La question se pose donc : où l'a-t-il caché ? Lui le sait. Et toi aussi, sans doute. Dis-le-nous et je m'assurerai personnellement que Mathupolazzar soit clément avec toi. Si tu le désires, tu pourras même obtenir une place de choix dans le Nouvel Ordre.

— Espèce d'eunuque ! Fils de catin ! dit la gitane en crachant du sang sur le sol. Tu perds ton temps et même si je savais de quoi tu parles, il faudrait bien plus que tes petites caresses pour me le faire avouer !

Honoré fit mine de lui appliquer une nouvelle claque, mais cette fois, Ermeline l'attendait de pied ferme. Elle le laissa s'approcher et, au moment opportun, releva le genou de toutes ses forces. Elle sentit sa rotule écraser l'entrejambe de son assaillant. Les yeux exorbités, la bouche grande ouverte en un cri silencieux, Honoré porta ses mains à ses parties intimes. La couleur fut drainée de son visage et il s'effondra face première sur le sol en gémissant. Pour faire pleine mesure, la gitane lui cracha dessus.

— Cornebouc ! Voilà qui t'apprendra à frapper une demoiselle sans défense ! ragea-t-elle, les yeux brillants et le visage cramoisi de colère. Capon! Poltron! Couard! Ça fait mal, non? Ha! Grand bien te fasse! Bougre!

Marguerite soupira de lassitude. Elle tendit la main vers un arbre tout près d'elle, sélectionna une branche longue et souple, la cassa et se mit à en arracher les feuilles devant l'air de défiance de la gitane. Lorsqu'elle eut terminé, elle testa son fouet improvisé en le faisant siffler à quelques reprises dans les airs.

— Tout ce courage gaspillé… Si le hasard avait fait les choses autrement, tu aurais fait une Nergali remarquable. Mais puisqu'il en est ainsi…

Sans prévenir, elle fouetta à plusieurs reprises les jambes de sa victime, qui serra les dents pour ne pas crier et refusa obstinément de baisser les yeux. Les coups laissèrent sur ses mollets de longues marques rouges qui se gorgèrent bientôt de sang.

— Où est le dernier fragment?

Devant le silence buté d'Ermeline, elle la gratifia de nouveaux coups de fouet, sans toutefois obtenir le résultat escompté.

— Je te ferai payer chacun de ces coups, bourrelle[1], gronda la gitane, les yeux rivés sur sa tortionnaire. Tu mangeras tes yeux!

Puis Ermeline s'enferma dans un mutisme lourd de dignité. Seules les larmes qui coulaient

---

1. Femme du bourreau.

malgré elle de ses yeux vairons trahissaient la souffrance qu'elle endurait.

Après de nombreux coups supplémentaires, Marguerite fit un signe de la tête à Honoré, qui se releva avec peine, grimaçant et blême comme un pestiféré, une main toujours posée sur sa douloureuse virilité. Il se dirigea vers le feu en claudiquant et en retira un poignard dont la lame avait été chauffée au rouge.

Un sourire pervers sur les lèvres, il se redirigera vers Ermeline.

— Nous allons te réchauffer un peu, dit Marguerite. Peut-être que la mémoire te reviendra.

Sous le regard indifférent de Toussaint, toujours appuyé contre un arbre, Honoré s'approcha, le couteau brûlant tendu devant lui. Les yeux remplis d'une haine fiévreuse et animé d'un intense désir de vengeance, il appuya le métal contre le ventre de la gitane.

Le crépitement de la chair qui brûlait fut couvert par un terrible cri de douleur qui déchira le calme de la forêt. Des nuées d'oiseaux effrayés s'envolèrent dans une véritable cacophonie, abandonnant la gitane aux mains de ses bourreaux.

Au loin, le hurlement d'un loup lui répondit. En plein jour.

18

LE SECRET DES GARDIENS

Assis avec La Centaine sur une peau d'ours près du feu, Manaïl mangeait sans appétit la cuisse de lièvre qu'elle lui avait offerte. Il avait posé sur le sol le gobelet d'étain qu'Angélique avait rempli d'eau. Étrangement, il se sentait paisible auprès de la vieillarde. Il avait l'impression d'être exactement là où il le devait. *Tu trouveras dans ce* kan *ce qu'il te faut pour poursuivre ta quête*, l'avait assuré Ishtar. *Suis le chemin tracé pour toi. Il te mènera à ton but*. Et Karahotan, inspiré par l'incarnation de la déesse, lui avait dit de retrouver La Centaine, qu'elle l'aiderait. Tout se déroulait comme il le fallait.

Dans la tête de l'Élu, les questions se bousculaient.

— Pourquoi m'avez-vous appelé « Fils de la veuve » ? demanda-t-il.

— Grmpphhhh… N'est-ce pas ce que tu es ? rétorqua La Centaine en souriant.

Manaïl réfléchit. Jadis, dans ce qui lui semblait maintenant une autre vie, révolue depuis longtemps, son père avait été mis à mort parce qu'une maison qu'il avait construite s'était effondrée sur ses occupants. Sa mère, elle, avait été vendue comme esclave. Cela faisait bien de lui le fils d'une veuve.

— La tradition des Gardiens annonce l'arrivée dans le Nouveau Monde du Fils de la veuve, reprit-elle.

— Les Gardiens ? Qui sont-ils ?

— Brmmph... Tu es familier avec les Pauvres Chevaliers du Christ et du Temple de Salomon, je crois..., dit la vieille en fermant un œil devant lequel montaient les volutes de fumée de sa pipe.

— Bien sûr. J'en suis moi-même un, répliqua le garçon en bombant fièrement le torse.

— Hmmmmmmm... Un frère servant, si je ne m'abuse.

— Oui. Mais comment le savez-vous ?

— Parce que tu étais annoncé, Fils de la veuve...

— Par qui ?

— Par la tradition que les Gardiens préservent...

La vieille ferma complètement l'œil. Le visage qu'elle avança vers lui se plissa comme une vieille pomme.

— Depuis la mort d'Enguerrand de Mont-ségur, compléta-t-elle.

Elle observait attentivement le garçon et semblait étudier sa réaction. Elle n'eut pas à attendre longtemps pour en être satisfaite.

— Le commandeur ! s'écria Manaïl, en sou-riant, rassuré de savoir que le templier était à nouveau mêlé à sa quête. Encore lui.

— Je vois que tu connais le fondateur des Gardiens, dit la vieille en souriant. Tu es bien celui dont il a prophétisé la venue.

La Centaine retira sa pipe de sa bouche édentée, prit une petite blague de cuir qui se trouvait près d'elle, en sortit du tabac et la bourra. Elle la reporta à ses lèvres, alluma une brindille dans les flammes et tira sur sa pipe jusqu'à ce qu'elle fume. Elle ferma les yeux, inhala profondément et laissa la fumée sortir par ses narines.

— Gnngnnnngnnnn, grommela-t-elle, pensive.

Elle se racla la gorge, cracha dans le feu une glaire épaisse et jaunâtre qui grésilla un moment avant de disparaître, puis reprit.

— À son retour de Jérusalem, le comman-deur a eu une vision au cours de laquelle la Vierge Marie lui a révélé ton existence et ta mission. Elle l'a chargé de te venir en aide. Il y a consacré le reste de sa vie. Mais ça, je crois que tu le sais déjà, non ?

— Oui. Même de l'au-delà où il se trouve, ce diable d'homme est parvenu à m'aider de bien des façons, dit-il en songeant au rôle que, d'outre-tombe, le commandeur avait joué dans sa quête. Il avait laissé des pistes pour moi à Paris et à Londres.

— Combien en as-tu récupéré ? demanda la vieillarde à brûle-pourpoint.

Un peu étonné, Manaïl comprit qu'elle faisait référence aux fragments du talisman de Nergal.

— Cinq, rétorqua le garçon, penaud, en baissant la tête. Mais… je les ai perdus. Sauf un.

La Centaine haussa les épaules.

— Mrrphhhhh. C'est pour cette raison que les Gardiens existent. Depuis leur création en l'an de Dieu 1274 par le frère Enguerrand de Montségur, ils veillent. Ils attendent ta venue. Mgnmgnmgn…

L'Élu releva la tête, interdit. Où cette vieillarde voulait-elle donc en venir ?

— Pour… cette raison ? répéta-t-il. Je ne comprends pas.

— Grmph… La Vierge a révélé au frère Enguerrand qu'un jour, tu pourrais avoir besoin d'un refuge, expliqua-t-elle en mâchonnant sa pipe, et que tu le trouverais dans le Nouveau Monde. Le commandeur n'a pas seulement œuvré pour toi à Paris et à Londres. Au sein de l'ordre des Templiers, il a regroupé quelques frères parmi les plus fidèles et leur a confié le secret que la Vierge lui avait révélé. Mrrmmphh… Ainsi sont nés les Gardiens. Puis l'Ordre a été aboli en l'an de Dieu 1307 par les deux plus grands fourbes que le monde ait connus : le pape Clément V et le roi Philippe le Bel, qui brûlent sans doute en enfer pour l'éternité. Heureusement, les Gardiens avaient vu venir le coup et s'étaient préparés. Ils se sont enfuis en Écosse, où les comtes Sinclair, eux-mêmes templiers, leur ont accordé leur protection. Brmphhh… Comme le pays tout entier était déjà excommunié par le pape, ils ne risquaient pas d'y être poursuivis par les inquisiteurs. Peu à peu, ils se sont fondus dans la population. Ils ont abandonné leurs vœux monastiques, se sont mariés et ont fondé des familles. Grnngrnngrnnnn… Mais, clandestinement, ils sont toujours demeurés des templiers et des Gardiens. Peu à peu, leurs descendants leur ont succédé, recevant leur mission sacrée de leurs pères.

La vieille se racla encore la gorge et cracha une nouvelle glaire épaisse dans le feu, puis se remit à tirer sur sa pipe avant de poursuivre.

— Brrrmph… Selon la tradition des Gardiens, la Vierge avait révélé au frère Enguerrand qu'il existait, aux confins du monde, une contrée connue depuis des millénaires et qui lui serait un jour consacrée. Parmi les trésors qu'il avait rapportés de Jérusalem se trouvait une carte, copiée par les musulmans au cours des siècles, et dont on disait qu'elle avait été d'abord dessinée par les navigateurs phéniciens voilà des milliers d'années. On y apercevait un monde inconnu nommé « Merika ». Enguerrand a compris qu'il s'agissait du monde où devait se trouver ton refuge et la carte a été précieusement conservée par les Gardiens. En 1398, il a été décidé qu'une partie d'entre eux s'y exileraient. Là, ils ont attendu l'arrivée du Fils de la veuve. Mrrrppphhh.

Le regard de la vieille se perdit un instant dans les flammes. Manaïl, stupéfait de constater comment sa voie avait été tracée depuis des siècles, avait bu les paroles de son interlocutrice et attendait impatiemment la suite.

— Les Gardiens qui étaient restés en Écosse sont retournés en France, continua-t-elle lentement. Leurs descendants se sont insinués dans les milieux les plus influents. Le moment venu, ils ont influencé les événements pour que soit créée dans le Nouveau Monde une colonie placée sous la protection de la Vierge, en accord avec la prophétie.

— Ishtar…, intervint l'Élu.

La Centaine tira une autre grande bouffée de sa pipe, expira la fumée et continua à caqueter de sa voix usée par l'âge.

— Mmrrrrphhhhhh… Ishtar, oui. Ville-Marie n'est qu'un prétexte.

— Et vous, vous êtes…

— La descendante des Gardiens exilés. Grmmmph. Mon ancêtre faisait partie des premiers arrivants. Depuis plus de cent longues années, je t'attends.

— Et elle ? ajouta-t-il en désignant Angélique de la tête.

La vieille haussa les épaules. La petite fille était assise dans son coin, impassible, mais ses yeux intelligents et vifs ne semblaient rien perdre de la conversation.

— Elle est mes jambes et mes yeux, dit-elle. Elle veille sur moi.

Manaïl hésita.

— Alors vous allez m'aider à retrouver les fragments ? demanda-t-il, le cœur gonflé d'espoir.

L'autre pouffa et finit par expectorer une nouvelle glaire pâteuse dans les flammes.

— Non, dit-elle en ricanant. Mrgnnngnnn… Toi seul peux y parvenir. Notre mission était de guetter ton arrivée et de te guider vers un lieu indiqué par la Vierge, où…

Soudain, La Centaine s'interrompit. Elle étira le cou et redressa la tête ; la posture lui donnait l'air d'un vautour aux aguets.

— Hrmph ?

Son regard devint vitreux, comme si elle observait une scène au loin qu'elle seule pouvait voir. Son visage perdit toute expression et un filet de bave coula de la commissure de ses lèvres.

— Une jeune fille…, dit-elle d'une voix distante. Ses cheveux sont noirs comme les ailes d'un corbeau. Elle a des yeux étranges, l'un vert, l'autre jaune… Elle porte un médaillon chargé d'un étrange pouvoir.

— Ermeline! s'écria Manaïl. Que se passe-t-il? Où est-elle?

— Elle est en danger, répondit La Centaine, le regard fixe. Mgnmgnmgn… En danger de mort imminente.

La vieille secoua la tête et cligna des yeux. Elle se retourna vers Angélique.

— Va, ordonna-t-elle à la petite. Fais vite. Cette enfant doit absolument vivre. Et ramène le Gardien!

La fillette inclina la tête. Sans rien dire, elle tourna les talons et sortit de la caverne. Manaïl se leva d'un bond et fit mine de la suivre, mais la main osseuse de son hôtesse se posa sur son avant-bras.

— Laisse, Fils de la veuve, dit-elle.

— Non! s'écria-t-il en s'arrachant à l'emprise de la vieille. Je dois défendre Ermeline.

Elle se leva avec peine et s'approcha de lui. Elle tira une bouffée de fumée de sa pipe et la lui souffla au visage. Une odeur dense aux relents d'épices envahit les narines du garçon. Son esprit s'embruma. Autour de lui, la caverne se mit à tourner. Incapable de rester debout plus longtemps, il se rassit lourdement, imité par la vieillarde.

— Angélique sait ce qu'elle fait, affirma cette dernière en lui tapotant le genou. Aie confiance. Elle la ramènera. Maintenant, allonge-toi et dors un peu.

Malgré lui, Manaïl obéit et s'allongea sur l'épaisse peau d'ours. Presque aussitôt, il s'endormit.

ECCE LUPI[1]

Attachée à l'arbre, le menton reposant sur sa poitrine, Ermeline avait perdu conscience. Seuls ses liens l'empêchaient de s'affaisser au sol. Son visage, parsemé d'ecchymoses et de coupures, était bouffi au point d'être à peine reconnaissable. Sa chemise et sa jupe déchirées laissaient paraître de terribles brûlures d'où suintait du sang et un liquide incolore. Son tibia droit, brisé par les coups répétés, saillait à travers sa peau et donnait à sa jambe un angle anormal. Sa respiration était laborieuse et irrégulière.

— Laisse-la récupérer un peu, suggéra Toussaint, qui n'avait pas bougé depuis le début de l'interrogatoire. Morte, elle ne pourra rien nous dire.

— Tu as raison, dit Marguerite.

---

1. En latin : Voici les loups.

La voyageuse se retourna vers son frère, en sueur et visiblement exténué par les efforts qu'il avait fournis pour frapper la gitane.

— Il ne reste que quelques heures de clarté. Nous allons devoir passer la nuit à la belle étoile. Va nous chercher du bois pour le feu.

Le Nergali acquiesça de la tête et obtempéra. La couleur était un peu revenue sur ses joues, mais son visage demeurait crispé par la douleur lancinante qui irradiait de son entrejambe. Il marchait avec une grande prudence. Il n'avait fait que quelques pas lorsqu'un grognement sinistre le figea sur place. Un loup émergea de la forêt. Honoré pâlit à nouveau, de peur cette fois. En évitant tout mouvement brusque, il recula et tira de sa ceinture le couteau avec lequel il avait torturé la gitane.

— Mais que fais-tu là, idiot ? s'écria Marguerite avec impatience. Je t'ai dit d'aller chercher du...

Les mots restèrent coincés dans la bouche de la Nergali. Tout autour, le reste d'une meute sortit lentement du bois. Les canines découvertes, le pelage gris hérissé sur les omoplates, la tête basse, les prédateurs salivaient en fixant les trois humains. Dans leurs yeux bruns tirant sur le jaune brillait une lueur sauvage.

— Par Nergal, lança-t-elle.

Elle pivota sur elle-même mais constata que toute retraite était impossible. Les loups les avaient encerclés. Toussaint attrapa une branche basse, escalada l'arbre contre lequel il était resté appuyé et se réfugia aussi haut qu'il le pouvait dans les branches.

— *OCCIDETE*[1], fit une petite voix qui provenait de la forêt.

À l'unisson, la meute s'élança en grognant et en jappant sur Marguerite et Honoré. La Nergali recula d'un pas en hurlant, les bras relevés devant son visage. Un loup bondit et la frappa en plein torse avec ses pattes avant. Elle s'écroula lourdement sur le sol et se débattit vainement pour empêcher la bête de planter ses crocs dans sa gorge. Elle en sentit bientôt la peau se déchirer sous les canines pointues. Le sang gicla de la blessure ouverte. Une autre bête se joignit à la première, puis une autre. En quelques secondes, ses lèvres, ses joues, ses paupières et son nez furent arrachés au son des grognements sadiques des loups en furie. Son corps ne fut bientôt plus qu'une masse grotesque de chair sanglante, mais la vie refusait cruellement de le

---

1. En latin : Tuez.

quitter. De faibles râles émanaient de la carcasse méconnaissable.

Aveuglé par la panique, Honoré lança son couteau au premier de ses agresseurs et le rata lamentablement. Désarmé, il tourna les talons, s'enfonça dans les bois et courut de toutes ses forces, les branches lui lacérant cruellement le visage sans qu'il s'en rende compte. Il n'avait couvert que quelques toises lorsqu'un choc brutal dans son dos le projeta au sol, face contre terre. Des crocs s'enfoncèrent dans sa nuque et il hurla, hurla et hurla encore pendant que d'autres loups se disputaient des morceaux de leur proie.

En peu de temps, le calme revint dans la forêt, brisé seulement par le grondement des bêtes et le bruit de la chair qui se déchirait. Caché par le feuillage, Toussaint observa le déroulement de l'obscène festin. Tout à coup, un bruissement de feuilles, tout près, le ramena à la réalité.

La petite fille chétive et pâle sortit d'entre deux érables massifs. Vêtue d'une chemise et d'une jupe trop grandes, elle s'immobilisa et observa froidement la scène, le visage grave et serein encadré par des boucles rousses. Sentant son arrivée, les loups interrompirent leur sinistre repas et levèrent vers elle des yeux dociles.

— *GRATIÆ. VADITE RETRO*[1], dit-elle en faisant un petit signe de la main.

Un à un, les loups disparurent dans les bois, abandonnant à regret les corps déchiquetés des Nergalii.

Angélique s'approcha d'Ermeline, toujours inconsciente et attachée à un arbre. Elle lui saisit délicatement le menton, lui releva la tête et inspecta l'état de son visage. Elle la laissa doucement retomber, sortit un petit couteau de sa jupe et trancha les liens. La gitane tomba sur le sol.

La fillette se retourna vers l'arbre dans lequel Toussaint était juché et s'adressa au colosse comme si elle avait toujours su qu'il s'y trouvait.

— Descend, ordonna-t-elle simplement.

Toussaint obéit et vint la rejoindre. De la tête, la petite lui désigna la forme inerte d'Ermeline. Le voyageur s'accroupit, prit la gitane dans ses bras et se releva sans effort apparent.

— Suis-moi, dit Angélique.

Elle se mit en marche sans attendre. Une seconde plus tard, elle avait disparu dans la forêt, suivie de Toussaint qui portait son fardeau.

---

1. En latin : Merci. Retirez-vous.

Derrière eux gisait ce qu'il restait d'Honoré Martel. Les bêtes de la forêt se chargeraient de faire disparaître la carcasse et personne ne saurait jamais ce qui lui était arrivé. Plus loin, du sang maculait un tronc d'arbre et des fougères. Mais personne ne remarqua que le corps de Marguerite avait disparu.

REVOIR ÉRIDOU ET MOURIR

Éridou, en l'an 3612 avant notre ère

Craignant un piège, Mathupolazzar avait dépêché quelques Nergalii dans l'étrange *kan* qu'il avait découvert. Le pouvoir nécessaire pour arriver à cacher ainsi un *kan* parmi les autres lui rappelait que les Anciens avaient été terriblement puissants. Les Arts Noirs des adorateurs de Nergal n'étaient qu'une petite partie de leurs secrets et le grand prêtre en ressentait une humiliation qui le dégoûtait et le rendait amer. Il ne mobiliserait tous ses fidèles que lorsque ses éclaireurs reviendraient et l'assureraient que l'Élu s'y trouvait bel et bien.

Il n'y avait rien à faire sinon attendre le retour des envoyés. Mathupolazzar était donc retourné dans la pièce interdite et depuis, il n'en était pas ressorti. Par le biais de l'oracle, il avait bien tenté de suivre le progrès des disciples dépêchés dans ce mystérieux *kan*, mais il n'avait rien pu voir de particulier qui lui indiquât leur succès. Ou leur échec.

Au loin, très loin, des coups répétés retentirent et s'insinuèrent dans l'univers intérieur où l'oracle l'emmenait toujours. Devant ses yeux clos, l'image des filaments dansants se brouilla et disparut. Le grand prêtre fut brusquement arraché à sa contemplation. Il ouvrit les yeux et inspira profondément. Une vague de douleur traversa son corps usé par les efforts récents et il grimaça en reprenant contact avec la réalité.

On frappait à la porte.

— Maître ! criait avec insistance une voix de l'autre côté, étouffée par le bois épais de la porte. Maître ! Venez ! Vite !

Mathupolazzar se leva avec difficulté sans prendre la peine de ranger l'oracle et se dirigea vers la porte en maugréant, le regard noir. L'impudent qui avait osé commettre ce sacrilège avait tout avantage à avoir une excellente raison. Sinon, il serait sacrifié sur-le-champ à Nergal. Son sang couvrirait l'autel et son cœur encore palpitant grésillerait dans le brasero, tout près.

Il ouvrit la porte d'un coup sec. Devant lui se tenaient une vingtaine de Nergalii. Vêtus de leur longue robe noire à capuchon, tous avaient le même regard brillant dans lequel le grand prêtre pouvait lire de l'excitation et quelque chose d'autre, plus diffus. De l'anxiété ? De la peur ?

— Qu'y a-t-il ?

— Marga-rit, répondit en tremblant de tous ses membres l'homme qui avait frappé. Elle est revenue.

— Quoi ? s'écria Mathupolazzar en écartant sans ménagement ses disciples pour se frayer un passage. Où est-elle ? Ramène-t-elle des nouvelles de l'Élu ?

— C'est que…, balbutia un des Nergalii, elle…

Sans attendre la réponse, le grand prêtre surgit au centre du temple rectangulaire. Un peu plus loin, devant l'autel, une forme ensanglantée et affreusement mutilée gisait, recroquevillée sur le sol. Il se précipita vers elle, s'accroupit et lui soutint la nuque en se demandant comment elle avait pu trouver la force de revenir.

— Marga-rit, murmura-t-il, la voix étranglée de colère.

La vue du visage défiguré de la Nergali lui causa un mouvement de recul involontaire. Marga-rit n'avait jamais été aussi belle qu'Arianath, même dans sa jeunesse. Bien au contraire. Mais la détermination placide qui formait son expression habituelle, ses yeux noirs, ses cheveux d'ébène, sa posture altière et sa grande taille avaient toujours formé un ensemble bizarrement attirant qui n'avait pas laissé le grand prêtre indifférent. Depuis la mort d'Arianath, il avait même considéré en faire sa femme, lorsque le Nouvel Ordre adviendrait enfin.

Mais de Marga-rit, il ne restait rien. Le visage de la Nergali n'était plus qu'un amas de chair déchiquetée et suintante. Un de ses yeux avait été arraché et la peau lacérée pendait en lambeaux. Ce qui formait les lèvres sévères était désormais relevé en une grimace obscène.

Mathupolazzar était figé d'horreur lorsqu'une main tremblante se posa sur son bras et le serra.

— M… Maître ? fit une voix qui n'avait pas changé.

— Je suis là, Marga-rit, répondit le grand prêtre avec une douceur inhabituelle. Tes frères et sœurs te vengeront, je te le jure par Nergal. L'Élu d'Ishtar endurera des souffrances mille fois pires que les tiennes.

La Nergali râla et toussa, un jet de sang mouilla la robe du prêtre.

— Pas… lui, haleta-t-elle. Une sorcière… La Centaine… Avec une fillette… Les loups lui obéissent… Elles aident l'Élu…

— Et Han-ora ? questionna Mathupolazzar même s'il connaissait déjà la réponse.

— Mort… Dévoré…

Le prêtre de Nergal ferma les yeux et secoua la tête, dépité. Noroboam. Arianath. Pylus. Jubelo. Shamaël. Balaamech. Zirthu. Tous les autres encore, morts dans le *kan* de Londres. Et maintenant, Han-ora et Marga-rit. Leurs visages défilaient dans son esprit tourmenté. Tous ces Nergalii sacrifiés à cause de ce damné Ashurat…

Il fut tiré de ses pensées par la main de Marga-rit qui agrippait sa robe et le tirait vers elle. Dans un filet de voix, elle lui décrivit l'endroit précis du *kan* d'où elle venait. L'Élu était tout près de là. Il entendit à peine le dernier souffle de la Nergali avant de s'apercevoir que son corps était devenu flasque. Il déposa la tête inerte sur le sol et se releva. Il savait au moins que l'Élu se trouvait bien dans le *kan* irrégulier.

— Préparez-vous à partir, ordonna-t-il aux cinq Nergalii qui l'entouraient, aussi furieux que lui.

Les fidèles obéirent et se placèrent les uns à côté des autres. Mathupolazzar s'éloigna, pénétra dans la pièce interdite et en ressortit avec une sacoche de cuir sur l'épaule. Il rejoignit ses disciples, qui attendaient toujours son ordre de départ. Il se joignit à eux et jeta un coup d'œil à ceux qui étaient restés près de la dépouille de Marga-rit.

— Vous autres, gardez le temple au prix de votre vie, ordonna-t-il. L'Élu a déjà fait irruption ici. Il pourrait revenir.

— Maître ? Vous… Vous venez avec nous ? balbutia l'un des fidèles qui se préparait à partir.

— Oui, rétorqua Mathupolazzar. Tout cela suffit. Je m'occuperai moi-même de l'Élu. Si Nergal le veut, je le tuerai de mes propres mains. Lentement.

— Gloire à Nergal ! répondirent en chœur les Nergalii enthousiasmés par la détermination de leur maître.

Après avoir reçu du grand prêtre les dernières instructions laissées par leur sœur, les Nergalii étendirent les bras, relevèrent le visage vers le plafond, fermèrent les yeux et se concentrèrent. Autour d'eux, l'air se mit à vibrer. Un à un, ils se dématérialisèrent et cessèrent d'exister dans le *kan* qui les avait vus naître.

LE CHOIX DE L'ÉLU

La nuit, sombre et sans lune, était tombée sur la forêt qui enveloppait Ville-Marie. Seule la lumière de la torche qu'il tenait dans sa main droite permettait à Manaïl de voir où il mettait les pieds. Il ignorait où il allait, mais ses jambes, elles, semblaient le savoir. Il avançait d'un pas sûr et rapide, évitant avec aisance les racines, les pierres et les autres obstacles. Il faisait froid et, à chaque expiration, son haleine se transformait en brume humide devant son visage.

Soudain, ses pieds s'arrêtèrent et il comprit. Quelqu'un gisait devant lui. Ermeline ? Comment pouvait-il en être certain ? Il appela. Pas de réponse. Il avança de quelques pas et s'accroupit. Sans les toucher, il examina les objets éparpillés sur le sol humide. Un pied. Une main. Là, une jambe. Un peu plus loin, l'autre pied. Tout à côté, le pendentif fait d'une pièce de monnaie et d'un lacet de cuir.

Il se remit debout et, les jambes flageolantes, se dirigea tant bien que mal vers le tronc d'un arbre contre lequel était appuyé un torse encore vêtu d'une chemise. Il releva les yeux et se sentit défaillir. Attachée à une branche par ses longs cheveux noirs pendait la tête exsangue d'Ermeline, la bouche ouverte en un cri silencieux, les yeux révulsés dont seul le blanc était visible et la chair mutilée.

Un déchirant cri de désespoir retentit dans la nuit. Au loin, l'un après l'autre, des loups lui répondirent.

◆

Ville-Marie, en l'an de Dieu 1665

Manaïl sentit qu'on lui secouait l'épaule, mais le cauchemar dont il était prisonnier refusait de relâcher son emprise.

— Réveille-toi, Fils de la veuve, caqueta La Centaine. Ils reviennent.

Ils ? songea le garçon tout en continuant à hurler dans son rêve. De qui parlait cette voix ? La brume qui enveloppait son esprit s'estompa peu à peu et, avec elle, l'image atroce de la tête de la gitane suspendue à sa branche.

Manaïl ouvrit les yeux et s'assit brusquement, désorienté et en sueur. La vieillarde était à ses côtés et lui souriait — pour autant que l'on pût considérer comme un sourire la grimace qui déformait son visage.

— Ils reviennent, répéta-t-elle. Avec la fille.

— Ermeline ? s'exclama Manaïl, tout à fait réveillé. Est-elle saine et sauve ?

En guise de réponse à sa question, des pas retentirent à l'autre extrémité de la caverne, leur écho résonnant sur les hautes parois de pierre. Le garçon se retourna et vit Angélique qui approchait, le visage toujours dénué d'expression. Elle était suivie d'un géant aux cheveux blonds dont les yeux bleus brillaient dans la lumière des torches. Manaïl reconnut Toussaint Perrault. Dans ses bras gisait Ermeline, inerte.

— Toussaint, dit La Centaine en le saluant solennellement de la tête.

— Centaine, répondit celui-ci en lui rendant son geste.

Le cœur de Manaïl se serra et il sentit le sang quitter son visage. Il se leva d'un bond, s'élança vers le voyageur et lui arracha la jeune fille des bras. La serrant tout contre lui, il revint près du feu et l'étendit avec délicatesse sur la peau d'ours où il avait dormi. Résistant avec peine à la panique, il l'examina.

Elle était méconnaissable. Son visage, d'une pâleur de mort, était bouffi et ses yeux avaient tellement enflé qu'elle aurait été incapable de les ouvrir. Ses lèvres étaient hachurées de coupures couvertes de sang séché. Mais tout cela n'était rien en comparaison de l'état de son corps couvert de plaies sanglantes et de brûlures suintantes. À la hauteur du tibia, une pointe d'os déchirait la peau de sa jambe droite.

Manaïl colla son oreille contre la bouche de la gitane et décela un râle faible et irrégulier. Il releva la tête, le regard éperdu. À cet instant précis, il sut dans sa chair qu'Ermeline ne survivrait pas. On l'avait torturée à mort. Comme sa mère avant elle. Comme Ashurat. Tous ceux que l'Élu avait eu la témérité d'aimer mouraient dans de terribles souffrances.

Une fois de plus, l'avertissement onirique d'Ishtar résonna dans sa tête. *Les Pouvoirs Interdits sont capricieux, Élu. Tu dois les maîtriser entièrement. Si tu réussis, Ermeline aura la vie sauve et la destruction du talisman sera à ta portée. Si tu échoues, elle mourra et, sans elle, ton avenir n'est que ténèbres.*

Pour que la quête soit accomplie, la gitane devait vivre. Ishtar avait été formelle. Mais en ce moment précis, Manaïl n'avait cure de la mission qu'on lui avait confiée. Il mesurait tout à coup l'ampleur de sa perte s'il se retrouvait privé de la gitane. Sans elle, la vie même ne vaudrait plus la peine d'être vécue. Sans son intelligence vive et insolente, sans son caractère belliqueux, sans sa beauté féline, tout ne serait que vide. En si peu de temps, ils avaient tant partagé, tant subi ensemble qu'ils en étaient devenus indissociables. Il devait sauver Ermeline. Pour lui-même. La quête pouvait aller au diable. Et Ishtar aussi, s'il le fallait.

Une colère terrible monta en Manaïl et il ferma les poings, qui se mirent à trembler contre ses cuisses.

— Ermeline! hurla-t-il. Noooonnnnn!

Son cri sembla mourir longtemps dans l'écho de la cathédrale naturelle. Ignorant Angélique et Toussaint Perrault, dont il ne s'expliquait pas la présence, il se retourna vers La Centaine.

— Donnez-moi un couteau, vite! ordonna-t-il.

Elle écarquilla les yeux et hésita.

— Tout de suite! insista-t-il.

La Centaine fit un signe de la tête à Angélique. La fillette se dirigea vers la table bancale près de la paroi et y ramassa un objet, puis revint et le tendit Manaïl. Le garçon le reconnut sans surprise : une dague templière.

Sans hésiter, il empoigna l'arme et l'appuya, lame vers le bas, contre le creux de sa main gauche, là où le dernier fragment du talisman de Nergal s'était logé. *Fils du Bien, il combattra le Mal par le Mal*, annonçait la prophétie des Anciens. La conjonction de la marque de YHWH et de cet objet damné en était l'accomplissement, il en avait la conviction. Mais cela n'avait plus d'importance. De tout son être, il rejetait la prophétie. Seule Ermeline comptait. Elle vivrait, dût-il ensuite assister à la destruction de tout ce qui avait jamais été. S'ils devaient finir par n'avoir jamais existé, ils disparaîtraient ensemble.

— Non ! s'écria La Centaine en comprenant ce qu'il s'apprêtait à faire. Le frère Enguerrand a dit que, pour vaincre, tu devrais combattre le Mal par le Mal !

— Alors, tant pis ! Je serai vaincu, voilà tout ! répondit l'Élu, la détermination durcissant les traits de son visage.

Toussaint s'élança vers lui, mais le garçon fut plus rapide. Il tendit la main gauche vers son assaillant, paume vers l'avant, et, pour la dernière fois, fit appel au Mal. L'homme sembla frapper un mur et s'affala comme une poupée de chiffon.

— Toussaint ! s'écria Angélique en accourant vers lui.

Sans se préoccuper de ce qui se passait autour de lui, Manaïl lança du regard un ultime avertissement à La Centaine, qui l'observait par en dessous, dépitée.

— Mphrmmmm. Fais-en à ta tête, soupira-t-elle.

Il retira sa chemise, appuya l'arme sur une des pointes du pentagramme inversé qui se trouvait sur sa poitrine et y ouvrit une entaille d'un pouce[1]. Le sang coula paresseusement. Puis il ouvrit la main gauche et, les dents serrées par la douleur, y enfonça la lame, qu'il utilisa comme levier pour extirper le fragment. Lorsqu'il y fut parvenu, il laissa tomber la dague et prit l'objet maudit entre le pouce et l'index. Aussitôt, la pénombre s'épaissit notablement dans la caverne.

Une grimace de dégoût sur les lèvres, le garçon inspira, écarta les pans de la plaie sur sa poitrine et y inséra le fragment. Il y posa la marque de YHWH, mais rien ne se produisit. Il ne ressentit aucun soulagement. Perplexe, il examina sa main gauche. La blessure était toujours ouverte et ne donnait aucun signe de guérison. L'angoisse lui serra le ventre. La magie de Hanokh avait-elle disparu ? Dans le creux de sa main, l'entaille ensanglantée qui séparait en deux la marque de YHWH semblait lui adresser un sourire ironique en refusant obstinément de se refermer.

Si sa décision avait été la mauvaise, les conséquences seraient funestes. L'Élu ne

---

1. Un pouce vaut 2,7 centimètres.

posséderait plus aucun pouvoir. Ni celui du Bien, ni celui du Mal. Et il serait quand même privé d'Ermeline.

Voyant que le Fils de la veuve était en difficulté, La Centaine se retourna vers Angélique.

— L'eau bénite! s'écria-t-elle. Vite!

Angélique abandonna Toussaint, qui commençait à reprendre ses esprits, et se précipita vers la table. Elle en revint avec une petite fiole de verre qu'elle tendit à sa maîtresse. La Centaine retira le bouchon de liège, l'inclina au-dessus de la main de l'Élu et y laissa tomber quelques gouttes d'eau.

— *Et benedictio beatæ Mariæ descendat super vos et maneat semper*[1], marmonnat-elle, les yeux fermés et les lèvres tremblantes.

Manaïl sentit une brûlure intense envelopper l'entaille, comme si on y avait versé du vinaigre. L'eau se mêla au sang, qui se mit à bouillonner et à s'évaporer en une buée sombre et nauséabonde. Lorsque le phénomène cessa, la plaie était propre. Sous les yeux du garçon, les pans se collèrent l'un à l'autre et s'effacèrent, laissant derrière eux la marque de YHWH, à nouveau intacte.

---

1. En latin: Que la bénédiction de la bienheureuse Marie descende sur toi et y demeure à jamais.

Il jeta un regard ébahi à la vieille.

— Dans cet endroit conçu pour Elle, le pouvoir d'Ishtar est encore grand, expliqua-t-elle. Grmphhh. Dans certains cas, plus grand que le Mal lui-même.

Sans attendre, l'Élu appliqua à nouveau la main sur sa poitrine et, cette fois, avec un soulagement infini, il sentit une sensation de chaleur familière envahir sa blessure. Après quelques secondes, tout cessa. Une des pointes du pentagramme était soulevée par le fragment qui se trouvait dessous. Comme il se devait.

Manaïl soupira. Tout n'était pas perdu. Il était encore possible de sauver Ermeline. Il se pencha vers la gitane et hésita. Par où devait-il commencer? Tout le corps de son amie n'était que blessures. Il appliqua la marque de YHWH sur le front de la jeune fille, ferma les yeux et attendit. Longtemps. Très longtemps. Il sentit son corps se vider, la vie le quitter. Pourtant, il persévéra. Dans le *kan* de Paris, n'avait-il pas sauvé de la mort Clothilde LeMoyne et ses enfants? Ermeline, elle, était agonisante, certes, mais en vie.

— Tu vas m'écraser la tête, cornebouc…, gémit soudain une très faible voix.

Manaïl ouvrit les yeux et retira sa main. Ermeline le regardait, un petit rictus sur les lèvres. Elle était toujours pâle, mais elle était vivante. Éperdu, l'Élu se mit à l'examiner, essayant de tout voir en même temps. Les plaies avaient disparu. La fracture de sa jambe était guérie. Çà et là, des égratignures et des ecchymoses subsistaient, mais le temps en viendrait à bout.

Malgré lui, des larmes de bonheur se mirent à couler sur ses joues. Il empoigna brusquement la gitane par les épaules, l'attira à lui et la serra fort dans ses bras. Pour ce qu'il restait de temps avant le début du règne de Nergal, il ne serait pas seul. Ermeline l'accompagnerait.

L'étreinte dura longtemps et Manaïl finit par s'apercevoir que la gitane, épuisée, s'était endormie contre son épaule et ronflait doucement. Il sourit, la déposa sur la peau d'ours, la recouvrit d'une autre puis lui caressa les cheveux.

— Hrmpphhh, grommela La Centaine derrière lui.

Il se retourna. La vieille avait l'air abattu, égaré. En pompant sa pipe, elle le regardait avec une infinie tristesse.

— Grmmmppphhh. Il est tard, Fils de la veuve. La petite a besoin de repos et toi aussi. Le jour va se lever dans quelques heures. Dormons un peu. Mrmph… Demain, nous verrons s'il est possible de faire quelque chose avec ce gâchis.

Sans rien ajouter, elle s'allongea près du feu et s'enroula dans la montagne de fourrures d'où le garçon l'avait vue émerger lorsqu'il avait fait sa connaissance. À l'écart, Angélique et Toussaint en avaient déjà fait autant et dormaient à poings fermés.

Épuisé, Manaïl s'allongea assez près d'Ermeline pour pouvoir veiller sur elle. Mais bizarrement, le sommeil fut long à venir. En refusant le pouvoir du Mal pour sauver la vie de la gitane, il avait pleinement conscience d'avoir rejeté la prophétie des Anciens. Il ne combattrait pas le Mal par le Mal. Il était le Fils du Bien et le resterait, sans égard aux conséquences. Depuis le jour où il l'avait rencontrée, il avait senti que le moment viendrait où il devrait choisir entre la quête et la gitane. Il avait toujours eu le sombre sentiment que la quête devrait prévaloir. Pourtant, il venait de faire le choix contraire. Le prix à payer serait sans doute considérable, mais pour le moment, seule comptait la gitane. Il aurait toujours le temps d'évaluer la suite des choses. Et Ishtar comprendrait. Après tout, Elle lui avait laissé entendre qu'il devait protéger Ermeline et la garder auprès de lui. C'était ce qu'il avait fait.

Plusieurs fois au cours de la courte nuit, il s'éveilla pour poser la marque de YHWH sur Ermeline, lui donnant la force du Dieu d'Israël auquel Hanokh le magicien l'avait irrémédiablement lié.

Lorsqu'il rêva, ce fut d'Ermeline. Elle lui souriait.

✦

Le lendemain matin, Manaïl fut réveillé par une odeur alléchante de viande grillée. Il ouvrit les yeux. Lorsqu'il aperçut Ermeline, assise près du feu, qui dévorait une cuisse de lièvre au-dessus d'une écuelle de métal remplie d'os, des souvenirs lui revinrent à l'esprit. Sur le feu, un autre lièvre embroché attendait d'être soumis à son appétit. Devant elle, La Centaine, sa pipe à la bouche, parlait. Angélique, à ses côtés, l'écoutait respectueusement.

— … et c'est ainsi que, depuis ce temps, les Gardiens veillent, cachés dans le Nouveau Monde, et attendent celui que la Sainte Vierge — Ishtar pour toi — a annoncé au frère Enguerrand de Montségur, expliquait-elle sous le regard attentif de la gitane.

En entendant le garçon se redresser lentement, elle se retourna.

— Bonjour, Fils de la veuve. Tu as beaucoup dormi. Tu en avais bien besoin.

Mrrrrmmmmpphhhh. Tu as faim ? demanda La Centaine en lui désignant le lièvre en train de rôtir. Il y en a pour tout le monde.

En guise de réponse, l'estomac du garçon se manifesta bruyamment.

— Hrmphhh... On dirait bien que oui, ricana la vieille avec un sourire édenté en arrachant une cuisse de lièvre qu'elle mit dans une vieille écuelle toute bosselée avant de la lui tendre.

Manaïl s'assit, accepta la nourriture et se tourna vers Ermeline.

— Tu te sens mieux ? lui demanda-t-il avec inquiétude.

La bouche pleine, elle hocha joyeusement la tête en lui souriant. Le garçon lui rendit son sourire et avala quelques bouchées qu'il rinça avec de l'eau qu'Angélique lui versa. Lorsqu'il parut un peu rassasié, La Centaine désigna Ermeline de la main.

— Pendant que tu dormais, je lui ai raconté l'histoire des Gardiens, l'informa-t-elle. Maintenant, il est temps de la compléter.

Elle regarda soudain en direction de l'entrée et fit un signe de la tête. Une silhouette émergea de la pénombre. Les cheveux blonds, les yeux bleus scintillant dans la lumière des flammes, les épaules presque aussi larges que l'ouverture, Toussaint Perrault s'approcha d'un pas ferme mais prudent.

Ermeline se figea sur place, une bouchée à demi mastiquée dans sa bouche entrouverte, et laissa tomber la cuisse de lièvre sur le sol.

— C'est... C'est lui!

LE GARDIEN

Ermeline se leva d'un bond en empoignant le tisonnier laissé près des flammes et brandit son arme improvisée en direction de Toussaint. Son regard devint noir et son visage ne fut plus qu'un masque de haine.

— Approche, si tu l'oses, maintenant que je peux me défendre ! rugit-elle, rouge de colère et la mâchoire serrée. Je vais te faire griller les génitoires à petit feu avant de te les couper, canaille !

Stupéfait, Manaïl observa alternativement la gitane et le voyageur. D'avance, il n'éprouvait guère de sympathie pour Toussaint, qui avait beaucoup trop fait danser Ermeline la nuit de la Saint-Jean et la réaction étonnante de sa compagne ne faisait qu'accroître sa méfiance. Pourtant, c'était ce géant qui, en compagnie d'Angélique, l'avait ramenée, à demi morte. Pourquoi, alors, agissait-elle ainsi ? Il se leva et la rejoignit.

— Allons, dit-il en lui passant un bras sur l'épaule pour la réconforter. Tu fais erreur. Ce n'est que Toussaint. Tu le connais…

— Je ne le connais que trop bien ! Il était là avec les deux autres ! C'est lui qui nous a guidés vers le coin perdu où ils m'ont torturée ! Il m'a regardée souffrir sans lever le petit doigt ! C'est un Nergali !

Manaïl hésita. On s'était si souvent joué de lui depuis le début de sa quête. Pourquoi pas cette fois-ci ? Avait-il eu tort de faire si spontanément confiance à La Centaine ? D'un geste alerte, il se pencha pour ramasser par terre le couteau avec lequel il s'était tailladé la peau quelques heures plus tôt, se plaça aux côtés d'Ermeline et le tendit devant lui.

— Explique-toi, intima-t-il à Toussaint.

Le colosse interrogea calmement la vieille du regard. Celle-ci se leva à son tour et posa la main sur l'avant-bras de l'Élu.

— Brrrmmmph… Toussaint est mon arrière-petit-fils. Il n'a rien fait de mal, je te l'assure. Sans lui, la fille serait morte.

Elle adressa un regard compréhensif à Ermeline.

— Je comprends que tu sois perdue, petite. Mrrrrpppphhhhh… Nous allons vous expliquer. Assoyez-vous, tous les deux. Et pour l'amour de la Sainte Vierge, rangez-moi ces armes avant que quelqu'un ne se blesse.

La gitane et l'Élu obtempérèrent lentement en ne quittant pas des yeux le voyageur qui, pour ne pas attiser leur méfiance, s'assit face à eux, de l'autre côté du feu. Ermeline saisit la main de Manaïl et, sans décolérer, fit un effort pour redonner un rythme régulier à sa respiration.

— Angélique, va le chercher, ordonna mystérieusement la vieille.

La fillette acquiesça de la tête et quitta aussitôt la caverne. La Centaine s'assit en grimaçant près de son arrière-petit-fils et le laissa parler.

— Comme tous les Gardiens, j'ai été initié selon les rites des Templiers, déclara Toussaint. Tu n'as rien à craindre de moi, Michel. Nous sommes frères, en quelque sorte. Et je ne récolte pas dans les champs labourés par d'autres, ajouta-t-il en jetant vers la gitane un regard entendu.

— Toi ? Un templier ? s'exclama le garçon, incrédule.

— Sans le manteau ni les armes, évidemment, répondit le colosse, une pointe de nostalgie dans les yeux. Je suis... ce qu'il reste d'un templier : l'esprit de l'Ordre, la foi, le courage... La mission des Gardiens n'a peut-être pas le lustre des combats d'antan en Terre sainte, mais elle est mille fois plus importante. .

— Tu les as laissés me malementer[1], menteur ! Filou ! Mécréant ! s'écria la gitane, frémissante de colère. Comment peux-tu ?...

— Patience, Ermeline, coupa le géant blond en levant la main. Tout deviendra clair bientôt. Voyez.

Il remonta la manche de sa chemise et découvrit un biceps impressionnant sur lequel était tatoué un symbole identique à celui qui ornait le dos de la main de la vieillarde.

— Ce signe identifie les Gardiens, déclara-t-il. Il est formé de trois lettres « T » qui nous rappellent le temple de Salomon, où tout a commencé, la templerie de Paris, où le frère Enguerrand fut visité par la Vierge, et la vieille église du Temple, à Londres, où il laissa pour toi un message. Notre légende dit que tu lui découvriras une autre signification.

Le visage écarlate, la gitane fixait toujours sur Toussaint des yeux qui scintillaient de colère. N'y tenant plus, elle explosa.

---

1. Maltraiter.

— Cornebouc ! Je devrais te croire simplement parce qu'on a barbouillé un symbole sur tes gros muscles de bête stupide ? Si tu étais celui que tu dis, tu aurais empêché les Nergalii de me mettre les chairs en lambeaux ! J'en suis presque trépassée ! Quel superbe Gardien tu fais ! s'écria-t-elle avec mépris en postillonnant de furie. Pleutre ! Foimenteur[1] ! Putie[2] !

Manaïl dévisagea l'homme. Embarrassé, la honte lui faisant rougir le cou et les oreilles, Toussaint fixa le sol en se mordillant la lèvre inférieure.

— Je le regrette, crois-moi, murmura-t-il d'une voix à peine audible. Te regarder te faire torturer ainsi sans pouvoir intervenir a été la chose la plus difficile que j'ai eu à supporter de toute ma vie et j'en emporterai l'infamie dans la tombe. Mais je ne pouvais pas faire autrement.

De l'autre côté du feu, Toussaint se pencha en direction d'Ermeline. Perplexe, la respiration encore saccadée sous l'effet de la colère, celle-ci eut un mouvement de recul et lui cracha au visage.

— Tu as été si courageuse, Ermeline, poursuivit le Gardien en essuyant distraitement la glaire sur sa joue. Tu étais résolue à donner ta

---

1. Traître !
2. Ordure !

vie pour préserver celle de ton ami. C'est la marque d'une âme noble. *POTIUS MORI QUAM FŒDARI*[1]...

— Tu peux t'enfouir ton latin dans le crépion[2]! s'écria la gitane, outrée. Je la préfère en vie, mon âme noble, si ça ne te fait rien! Pffttttt!

Toussaint passa une main dans ses longs cheveux et grimaça comme s'il avait été giflé. Manaïl le regardait, hésitant entre la colère et la compassion. Considérant La Centaine, il choisit de laisser l'homme s'expliquer davantage.

— Il reste deux Gardiens dans le Nouveau Monde, reprit le colosse. La Centaine et moi. Elle veille sur Ville-Marie, moi sur Québec. Je m'y trouvais lorsque Marguerite et Honoré Martel sont arrivés, un jour, sans que personne sache d'où ils venaient. Ils prétendaient être frère et sœur, mais les bonnes gens soupçonnaient plutôt quelque relation incestueuse. Et puis, comme ils ne fréquentaient pas les sacrements, on s'en méfiait. Ils allaient d'auberge en cabaret en posant des questions bizarres au sujet d'un garçon qu'ils recherchaient. Ils disaient être de sa famille. Cela m'a suffisamment intrigué pour

---

1. En latin: Plutôt la mort que le déshonneur.
2. Cul.

que je les approche. Petit à petit, j'ai gagné leur confiance et, au fil des voyages qu'ils faisaient, parcourant la colonie en prétendant commercer, mais surtout pour te chercher, ils ont fini par me raconter une partie de leur histoire et me révéler leur identité. Voyant que je pouvais les aider, ils m'ont promis que lorsque leur mission serait accomplie, ils me ramèneraient avec eux là d'où ils venaient et me donneraient une place de choix dans ce qu'ils appelaient le « Nouvel Ordre ».

L'air écœuré, Toussaint cracha dans le feu avant de poursuivre.

— Cela dure ainsi depuis des années et chaque journée a été marquée par le dégoût. J'ai dû le ravaler comme on ravale la bile quand on a vomi tout ce qu'on avait dans la panse.

Il laissa alors échapper un petit rire cynique.

— Évidemment, je ne les ai jamais crus, mais je me suis bien gardé de le leur dire. Ils ignoraient que nous attendions la même personne. En restant près d'eux, j'ai pu les garder à l'œil. Lorsqu'ils ont senti ton arrivée, Michel, ils sont entrés dans une telle frénésie que nous nous sommes mis en chemin vers Ville-Marie le jour même et que nous avons pagayé comme des esclaves. Vous connaissez la suite.

Il posa sur Ermeline un regard plaidant la compréhension.

— J'aurais tant voulu te venir en aide, pauvre Ermeline, reprit le géant blond d'une voix cassée par l'émotion. Crois-moi, j'aurais trucidé sans difficulté ces deux fripons de mes mains nues. Mais les Gardiens doivent protéger le Fils de la veuve et lui seul. Si Honoré et Marguerite étaient parvenus à t'arracher le secret qu'ils convoitaient, je devais pouvoir continuer à les accompagner pour les surveiller. En les empêchant de te torturer, je me serais révélé à eux et si d'aventure ils m'avaient vaincu, je n'aurais pas été en mesure de protéger Michel par la suite.

Les regards d'Ermeline et de Toussaint restèrent longuement prisonniers l'un de l'autre. Depuis quelques minutes, la respiration de la gitane s'était calmée sans qu'elle s'en soit aperçue et son regard s'était adouci.

— Je n'ai pas l'audace de demander ton pardon, mais je t'en supplie, dis-moi au moins que tu comprends, plaida le Gardien.

Lentement, presque à regret, la gitane hocha la tête, les lèvres serrées.

— Je comprends, murmura-t-elle.

Toussaint laissa échapper un soupir de soulagement. Parcourue par un frisson, la gitane se frotta les bras avec ses mains. Ses yeux se remplirent de larmes, mais elle se fit violence pour les empêcher de couler. Manaïl lui passa un bras autour des épaules et l'attira tendrement contre lui.

— Ce qui est fait est fait, fit La Centaine d'un ton autoritaire. Puisque tu es bien le Fils de la veuve annoncé par le frère Enguerrand, nous allons faire pour toi ce que notre mission commande. Grmmmph… Mais j'ai peur que tu aies causé un bien grand trouble, cette nuit, en choisissant de sauver la vie de cette petite, dit-elle en désignant Ermeline de la tête.

— Ce choix m'appartenait! clama brusquement l'Élu. À moi et à personne d'autre! Et s'il cause l'échec de ma quête, tant pis! Au moins, Ermeline est vivante. La récompense est amplement à la hauteur du prix payé.

Ermeline rougit et lui sourit timidement.

— Mgn mgn mgn. Je ne suis qu'une humble Gardienne. Je ne sais que ce que la Vierge a révélé au frère Enguerrand et ce qu'il avait découvert par lui-même, rétorqua La Centaine en posant sur lui un regard pénétrant. Rien de plus. Mais si je suis vieille, je ne suis pas encore sotte. Cette nuit, tu as choisi de te priver d'un pouvoir immense. Pour un premier émoi de puceau, ajouta-t-elle avec un certain mépris. Hrrrmmmmpphhhh….

Manaïl soupira. La Centaine avait peut-être raison, mais il ne regrettait rien. Et, confusément, il était loin d'être certain que son choix avait été une erreur.

— Les Anciens ont laissé une prophétie, dit-il avec un calme qui l'étonna lui-même. *L'Élu se lèvera, rassemblera le talisman et le détruira. Fils d'Uanna, il sera mi-homme, mi-poisson. Fils d'Ishtar, il reniera sa mère. Fils d'un homme, d'une femme et d'un Mage, il sera sans parents. Fils de la Lumière, il portera la marque des Ténèbres. Fils du Bien, il combattra le Mal par le Mal.* J'ai choisi de suivre ma vraie nature et de demeurer le Fils du Bien. Crois-moi, Centaine, il y a plus d'une façon de faire le Mal. Je l'ai assez vu pour le savoir. Je l'ai assez *fait* pour le savoir...

— Nous connaissons cette prophétie, clama Toussaint. Elle fait partie des traditions des Gardiens.

Le colosse se tourna vers son arrière-grand-mère.

— Ce garçon a choisi la Lumière, déclara-t-il d'un air entendu. Comme l'espérait le frère Enguerrand. Livre-lui le message. Il décidera lui-même de ce qu'il doit en faire.

La Centaine fouilla sous les multiples couches de fourrures qui lui tenaient lieu de manteau et en sortit un parchemin plié en quatre. Elle le déplia et le tendit à Manaïl.

— Grrrmmmph... Au cours de ses recher-ches, après l'apparition de la Vierge, le frère Enguerrand a découvert de nombreux docu-ments, certains très anciens, qui parlaient de toi à mots couverts. Cette prophétie, écrite par Jean de Jérusalem, un templier, en l'an de Dieu 1099, en fait partie. Lis. Tu y entreverras le monde qui nous attend tous si tu échoues.

Le garçon prit le parchemin et l'examina. L'écriture serrée, à l'encre délavée, était cha-peautée par le symbole des Gardiens. Il gri-maça, embarrassé, et le tendit à Ermeline, qui s'y attendait. La gitane fronça les sourcils, étudia un moment le contenu, puis le lut à voix haute.

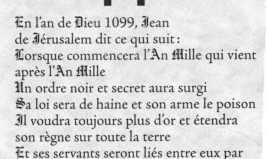

En l'an de Dieu 1099, Jean
de Jérusalem dit ce qui suit :
Lorsque commencera l'An Mille qui vient
après l'An Mille
Un ordre noir et secret aura surgi
Sa loi sera de haine et son arme le poison
Il voudra toujours plus d'or et étendra
son règne sur toute la terre
Et ses servants seront liés entre eux par
un baiser de sang

Les hommes justes et les faibles subiront sa règle
Les Puissants se mettront à son service
La seule loi sera celle qu'il dictera dans l'ombre
Il vendra le poison jusque dans les églises
Et le monde marchera avec ce scorpion sous son talon
Et viendra celui qui, seul, pourra chasser les ténèbres
La lumière il choisira, ou rien ne sera
Lorsque ce sera plein de l'An Mille qui vient après l'An Mille
L'homme saura que tous les vivants sont porteurs de lumière
Et qu'ils sont créatures à respecter
Il aura construit les nouvelles cités
Dans le ciel sur la terre et sur la mer
Il aura la mémoire de ce qui fut
Et il saura lire ce qui sera
Il n'aura plus peur de sa propre mort
Car il aura dans sa vie vécu plusieurs vies
Et la Lumière il le saura ne sera jamais éteinte

La gitane replia le parchemin et le rendit à La Centaine.

— Mrmph. Tu as choisi la Lumière, dont tu es le Fils, dit la vieillarde. Je crois que c'était ce qu'espérait le commandeur.

— Soit, soupira Manaïl, ému à l'idée que, d'outre-tombe, le commandeur avait souhaité qu'il reste un homme de bien. Mais que dois-je faire ?

La vieille haussa les épaules et grimaça.

— Toi seul le sais. Depuis l'an de Dieu 1398, les Gardiens exilés veillent sur un secret destiné au Fils de la veuve. Les Iroquois le connaissent et le craignent depuis longtemps. Nous allons maintenant te le livrer. Le reste t'appartiendra.

Elle regarda son arrière-petit-fils.

— Toussaint va te conduire à la Chambre du Milieu, annonça-t-elle. Là, tu devras faire face à ton destin. Seul.

Toussaint acquiesça de la tête et se leva.

— Viens, dit-il en tendant la main à Manaïl.

Le garçon accepta la main tendue qui l'aida à se remettre sur pied.

— Oh non ! s'écria Ermeline, tu n'iras nulle part sans moi ! La dernière fois que tu t'es enfui ainsi, je me suis retrouvée attachée à un arbre à me faire tourmenter par deux bourreaux ! Cornebouc !

Sans attendre l'assentiment des deux autres, elle s'élança vers Manaïl, qui l'attendit avec un sourire tolérant et lui tendit la main. Plus jamais il ne se séparerait d'Ermeline.

Avant de sortir de la caverne, Toussaint s'immobilisa et se retourna vers La Centaine.

— Adieu, grand-mère, dit-il d'une voix presque inaudible.

La vieillarde, qui ne l'avait pas quitté du regard, hocha gravement la tête sans répondre. De loin, ses yeux semblaient briller de larmes contenues.

Lorsqu'ils émergèrent du rocher au milieu de la clairière, Karahotan était là, qui les attendait en compagnie d'Angélique. Sans dire un mot, le guerrier hocha la tête à l'intention de Toussaint, qui en fit autant. Ils se mirent en marche dans la forêt, laissant derrière La Centaine et la petite fille.

✦

Mathupolazzar et ses cinq Nergalii étaient entrés dans le *kan* où se trouvait l'Élu, à l'endroit indiqué par Marga-rit. Ils avaient aisément trouvé la petite colonie située à quelques heures de marche de là. Mathupolazzar et ses fidèles avaient eu tout le loisir d'attendre la nuit pour chaparder des vêtements, qui s'étaient révélés fort inconfortables, et se changer dans les bois. Ils étaient ensuite revenus en plein jour parmi les colons.

Ses longs cheveux gris noués sur la nuque à la mode de ce *kan*, Mathupolazzar avait guidé ses troupes. Prétextant être porteurs d'un message important pour eux, ils avaient pu apprendre auprès des habitants le bref passage de l'Élu et de sa compagne. La veuve Fezeret avait été particulièrement volubile. Il avait suffi de quelques gorgées de vin pour qu'elle leur raconte comment Manaïl était parti dans la forêt avec une fillette, puis comment sa sœur et les trois voyageurs les avaient suivis pour le retrouver. Les Nergalii s'étaient par la suite procuré des armes à feu auprès de l'armurier de Ville-Marie et avaient pris deux ou trois heures pour se familiariser avec leur utilisation.

De retour en pleine nature, loin des habitations, il ne leur fallut que quelques minutes pour retrouver des traces de pas qui s'enfonçaient dans une forêt dont ils ne connaissaient pas la végétation. Ils les suivirent sans prendre le temps d'admirer ce monde nouveau. L'oracle leur avait indiqué l'endroit où se trouvait l'Élu et ils devaient se hâter.

✦

Le quatuor formé de Toussaint, de Manaïl, d'Ermeline et du taciturne Karahotan chemina pendant un peu plus d'une heure en suivant d'étroits sentiers, louvoyant souvent entre les arbres. Le voyageur et l'Iroquois semblaient savoir exactement où ils allaient et étaient aussi infatigables l'un que l'autre, mais ils s'arrêtèrent de temps à autre pour permettre à l'Élu et à la gitane, encore un peu faible, de reprendre leur souffle.

— Où nous conduis-tu ? s'enquit le garçon.

— Au cœur du mont Royal, répondit Toussaint d'un ton énigmatique.

Le colosse s'arrêta et montra l'horizon du doigt.

— Tu vois cette croix de bois au sommet de la montagne ? En 1643, Monsieur de Maisonneuve l'a portée lui-même jusqu'au sommet et l'a plantée pour remercier la Vierge d'avoir épargné la colonie d'une inondation. Il l'ignorait, mais ce que préservent les Gardiens depuis l'an 1398 se trouve dessous.

— De quoi s'agit-il exactement ? insista Manaïl.

— Je l'ignore, répondit Toussaint. Les Gardiens ne sont jamais allés plus loin que la Chambre du Milieu. C'est là que je dois te mener. Ensuite, le frère Enguerrand a annoncé que tu saurais quoi faire.

Karahotan, qui n'avait pas dit un mot depuis leur départ, s'anima soudain et sa voix chaude fit sursauter les autres.

— Il existe une très vieille légende iroquoise, que racontait déjà le père du père du père du père de mon arrière-grand-père, fit-il.

Elle dit qu'un jour, un héros retrouvera le ventre de Gendenwitha. Il devra y entrer et mourir pour que la déesse accouche de lui et lui redonne la vie.

Outrée, Ermeline regarda l'Iroquois de son regard franc.

— Quel affreux vicieux, marmonna-t-elle pour elle-même. Copuler avec la déesse ! Et quoi encore ? Boire à sa mamelle ? Débauché !

— Ce n'est rien de très rassurant, se contenta d'ajouter Manaïl.

Ils gravirent en silence la montagne. Malgré la pente douce et le temps clément, ils étaient en nage quand ils atteignirent le sommet. Préoccupés et sur leurs gardes, ni l'Élu ni la gitane ne s'attardèrent au paysage.

— Voilà. C'est ici, déclara Toussaint en désignant une grosse pierre.

D'un signe de la tête, il appela Karahotan, qui vint le rejoindre. Ensemble, ils s'appuyèrent contre la pierre et, bandant leurs muscles puissants, grognant comme des bêtes de somme, la firent rouler d'une demi-toise. Perplexe, Manaïl et Ermeline observaient le manège sans comprendre. Après avoir repris son souffle, Toussaint s'accroupit et balaya le sol avec sa main, faisant lever un nuage de poussière et d'humus.

— Voilà, déclara-t-il en désignant l'anneau de fer qu'il avait dégagé.

Aidé de Karahotan, il saisit le cercle de métal et tira. Une lourde trappe de bois émergea de la terre et s'ouvrit en faisant grincer des ferrures rouillées, découvrant une ouverture rectangulaire qui donnait sur un escalier taillé dans le roc. Le colosse ouvrit le havresac qu'il portait en bandoulière et en sortit une torche, qu'il alluma avec une braise conservée dans une boîte de métal.

— Après vous, dit-il lorsque la torche fut enflammée.

Manaïl s'approcha. L'escalier semblait s'enfoncer dans les profondeurs de la terre et la flamme n'en éclairait que les premières marches. La pierre du tunnel étroit et bas suintait d'humidité. La gorge nouée, il s'engagea dans les marches rendues glissantes par l'eau, Ermeline sur ses talons. Toussaint entra en dernier. Ils n'avaient descendu que quelques marches lorsqu'un bruit sourd les fit frémir. La lumière du jour venait de disparaître.

— Karahotan a refermé la trappe et va la recouvrir de terre. Cet homme est fort comme un cheval. Il saura replacer la pierre par-dessus avant de repartir, expliqua le Gardien. La Chambre du Milieu doit demeurer secrète.

— Mais comment allons-nous sortir d'ici ? demanda la gitane.

— Chaque chose en son temps, Ermeline, répondit Toussaint d'un air énigmatique.

L'escalier s'étendait sur une trentaine de marches. Lorsqu'ils parvinrent au bas, leur progression fut arrêtée par une porte de bois au sommet arrondi. Toussaint posa son havresac sur le sol humide et en sortit une grosse clé de fer qu'il introduisit dans la serrure. Il la tourna et la retira, puis poussa la porte, qui produisit un grincement sinistre. Avec la flamme de la torche, il fit brûler les toiles d'araignées qui en obstruaient le haut.

Le Gardien tendit ensuite le flambeau devant lui, se pencha un peu vers l'avant et franchit la porte. Une fois de l'autre côté, il pivota sur lui-même et, de la main, invita Manaïl et Ermeline à le rejoindre.

Avec prudence, l'Élu et la gitane entrèrent en tentant de discerner la pièce dans la pénombre. Aussitôt, derrière eux, un grand fracas retentit. La lourde porte venait de se refermer d'elle-même.

Avant que Manaïl et Ermeline n'aient pu réagir à leur emprisonnement soudain, Toussaint, qui semblait s'y attendre, tendit calmement sa torche et en toucha le sommet de la porte. Aussitôt, la flamme se mit à courir au sommet des murs et se communiqua à des vasques sculptées à même la pierre grise, à intervalles réguliers. En quelques secondes, une lumière éclatante illumina l'endroit le plus improbable qui fût.

— La Chambre du Milieu, déclara le Gardien d'une voix solennelle en balayant les lieux de la main.

— Cornebouc…, murmura la gitane, sidérée.

LA CHAMBRE DU MILIEU

Manaïl sentit à peine la main d'Ermeline serrer la sienne. Il avait le souffle coupé par la vision qui s'offrait à lui. Au fil de sa quête, l'Élu d'Ishtar avait vu plus que sa part d'endroits sinistres. La pile de cadavres parmi lesquels il avait dû se cacher à Babylone ; la voûte secrète remplie de serpents où il était arrivé face à face avec le corps de maître Hiram, qu'il avait ensuite dû se résoudre à manipuler ; la maison de Paris où des morts étaient attablés, le charnier du cimetière des Innocents où il avait dû dormir ; le temple ensanglanté des satanistes, à Londres… Mais jamais encore il ne s'était trouvé face à quelque chose de semblable à ce qui se déployait devant ses yeux.

La petite pièce octogonale avait été taillée à même le roc. Ses dimensions étaient comparables à celles de la chapelle de la templerie de Jérusalem et de Temple Church, à Londres.

Sur les parois, on pouvait encore apercevoir les marques des ciseaux qui avaient été patiemment frappés à coups de maillets. Le plafond formait une voûte basse aux proportions parfaites qui rappelait, à une échelle infiniment plus modeste, celle de Notre-Dame de Paris.

Des briques enduites de laque, certaines blanches et d'autres rouges, étaient savamment encastrées dans la pierre, au sol. Elles formaient une croix templière sur fond blanc dont les quatre branches rejoignaient quatre des huit côtés de l'octogone. Au centre de la croix trônait un pentagramme blanc qui semblait scintiller dans la lumière des flammes et dont Manaïl ne doutait pas que la tête était orientée vers l'est.

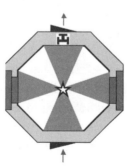

Sur les parois de gauche et de droite, deux rangées de sièges superposées avaient été taillées dans la pierre. Presque toutes les places étaient occupées par des individus immobiles, alignés les uns à côté des autres tels des moines en prière.

La scène était à la fois macabre et empreinte d'une grande noblesse. Tous les cadavres, desséchés et couverts de poussière, étaient assis bien droits. Ceux qui se trouvaient à proximité de l'entrée, près de Manaïl, portaient le vêtement des Templiers. Sur le tissu en lambeaux de leur manteau blanc, on devinait encore la croix pattée. Coiffés de heaumes piqués de rouille, ils avaient posé leurs mains gantées de fer sur le manche de leur épée, dont la pointe était appuyée sur la pierre, entre leurs pieds. Malgré leurs lèvres retroussées en une grimace éternelle, leur visage à la peau parcheminée et aux paupières closes avait conservé une expression proche du recueillement. Leur longue barbe blanche trahissait le grand âge de chacun de ces chevaliers de l'ordre du Temple lorsqu'il s'était assis pour la dernière fois dans cet endroit.

Manaïl lâcha la main d'Ermeline et défila lentement devant eux, rendant silencieusement hommage aux frères de l'ordre au sein duquel il avait été initié voilà quelques mois, mais aussi depuis plus de quatre siècles. À mesure qu'il avançait, les morts, parmi lesquels se trouvaient quelques femmes, perdirent uniforme et arme. Mais tous avaient la même posture digne et sobre, et donnaient l'impression d'attendre l'arrivée d'un invité important.

— Depuis l'exil de 1398, c'est ici que tous les Gardiens ont terminé leur vie, déclara Toussaint, comme s'il avait lu dans les pensées du garçon. Dans la mort comme dans la vie, ils attendent le Fils de la veuve et gardent l'endroit où il doit venir.

Restée derrière, Ermeline pivota sur elle-même et examina la porte. Elle était dépourvue de poignée.

— C'est verrouillé de l'extérieur, dit-elle, une pointe d'anxiété dans la voix.

Manaïl ne l'entendait plus. À l'autre extrémité de la pièce octogonale, en face de la première, se trouvait une autre porte. Contrairement à celle par laquelle ils étaient entrés, il s'agissait d'une dalle de pierre grise, massive et encastrée dans de solides linteaux de maçonnerie. Elle semblait inviolable. Manaïl appuya la main dessus et poussa, sans le moindre résultat, puis en traça les contours. La maçonnerie était si parfaite qu'il n'arrivait pas à sentir le joint.

— Comment allons-nous ressortir d'ici ? demanda la gitane derrière lui. Je n'ai aucune intention de me joindre à la fête de ces joyeux trépassés, moi !

La main de l'Élu s'attarda sur la surface de pierre parfaitement lisse, balayant la poussière que les siècles y avaient déposée. Du bout des doigts, il sentit des caractères gravés. Il s'arrêta et souffla pour les dévoiler.

— Ermeline ? appela-t-il d'une voix pressante.

— Quoi ?

— Viens ici, tu veux ?

La gitane s'approcha en maugréant. Suivant la direction du regard de Manaïl, elle remarqua ce qu'il venait de mettre au jour : le symbole des Gardiens surmontant deux phrases gravées dans la pierre.

Theca ubi res pretiosa deponitur
i tatlia jungere possis sit tibi scire posse

En dessous, un point au centre d'un cercle était accompagné d'une troisième phrase.

Nil nisi clavis deest

— Qu'est-ce que ça dit ? s'enquit Manaïl.

— C'est en latin.

190

— Je sais…, ronchonna-t-il.

La gitane se pencha, puis se retourna vers Toussaint.

— Donne-moi la torche, ordonna-t-elle. J'ai besoin de plus de lumière.

Le Gardien traversa la Chambre du Milieu et lui tendit l'objet. Elle approcha la flamme de la dalle de pierre, traçant les mots du bout des doigts à mesure qu'elle les déchiffrait. Lorsqu'elle fut certaine d'avoir bien décodé chaque mot, elle lut le texte à voix haute.

— Ça dit : « Le dépôt où repose la chose sacrée » et « Si tu comprends ceci, tu en sais assez. »

— Et l'autre phrase ?

— « Rien ne manque que la clé. »

Ermeline dévisagea Manaïl. Celui-ci scrutait toujours la porte. La flamme de la torche se reflétait dans ses yeux noirs.

— La clé de quoi ? demanda-t-elle, perplexe.

Après quelques secondes, Manaïl se contenta de hausser les épaules. L'Élu et la gitane se regardèrent, interdits. D'un même mouvement, ils se retournèrent vers Toussaint, qui était resté un peu en retrait et les observait d'un air intéressé.

— Qu'est-ce qui se trouve de l'autre côté de cette porte ? interrogea le garçon.

— Le temple des Anciens, répondit le colosse. Notre tradition raconte qu'il a été construit voilà très longtemps, quand Ville-Marie était encore enfouie sous des lieues de glaces. La Vierge Marie en a révélé l'emplacement au frère Enguerrand. Lorsque les Gardiens exilés sont arrivés, ils se sont mis à sa recherche, guidés par les indications du commandeur. Il faut croire que ceux qui l'ont construit savaient qu'un jour, des templiers prépareraient la venue du Fils de la veuve. Ce sont eux qui ont aménagé la Chambre du Milieu, comme s'ils avaient pu nous connaître des milliers d'années avant que nous existions.

— Sais-tu comment y entrer ? s'enquit Manaïl.

Le Gardien croisa les bras sur sa poitrine et fit une moue en signe d'impuissance.

— On dit que seul le Fils de la veuve aura le pouvoir d'y pénétrer. La mission sacrée des Gardiens, fixée jadis par le frère Enguerrand de Montségur, était de veiller sur la Chambre du Milieu et d'y mener celui qui en percerait le secret. Rien de plus. Si tu es vraiment celui-là, tu sauras atteindre le temple.

Il désigna du chef les cadavres desséchés.

— Sinon, ajouta-t-il d'un ton lugubre, nous monterons tous la garde. Pour l'éternité.

◆

L'oracle les avait guidés au bon endroit, mais ils étaient arrivés trop tard. L'Élu était reparti. La vieille avait semblé prendre un malin plaisir à le leur rappeler et à ânonner que celui qu'elle avait appelé « Fils de la veuve » était en route vers sa destinée. Elle avait obstinément refusé de leur dire où il était allé. Les coups et la torture n'avaient rien changé. Quant à la petite dont la pauvre Marga-rit avait révélé l'existence, ils avaient eu beau la chercher, elle était introuvable.

Mathupolazzar n'avait pas insisté. Il n'avait pas de temps à perdre et possédait un autre moyen de retrouver la piste du garçon. Il s'était installé à la table bancale et avait sorti de sa sacoche de cuir l'oracle. Il l'avait respectueusement posé et avait tenté de se recueillir sans y parvenir. Les gémissements de la vieille l'en avaient empêché.

— Faites taire cette maudite truie ! avait-il ordonné avant de mettre les doigts sur le disque de pierre.

La détonation d'un pistolet avait éclaté dans la caverne, assourdissante, et la vieille s'était tue. Une fois le silence revenu, le grand prêtre avait fermé les yeux et s'était concentré. Cette fois, les filaments multicolores étaient apparus et avaient entrepris leur danse habituelle. Il localisa le filament incolore qui représentait le *kan* si mystérieux dans lequel il se trouvait et y porta toute son attention.

Tout à coup, dans le noir derrière ses paupières closes, l'univers de l'oracle implosa dans un éclair aveuglant auquel succéda une scène aussi claire que s'il s'y était trouvé en personne. L'Élu se trouvait au cœur d'une montagne, dans une pièce octogonale au plancher recouvert d'une grande croix rouge. Près de lui se tenaient cette fille qui ne le quittait pas et un colosse aux cheveux blonds. Des cadavres. Partout, des cadavres. Un pouvoir immense émanait de cet endroit. Les Pouvoirs Interdits.

Mathupolazzar rompit brusquement le contact avec l'oracle. Il inspira comme un noyé qui manque d'air et, vacillant sur le petit tabouret où il était assis, s'agrippa à la table pour ne pas tomber. Il secoua la tête, remit respectueusement l'objet sacré dans sa sacoche et se leva.

— Venez, ordonna-t-il. Le temps presse.

À la tête des Nergalii encore en vie, il sortit de la caverne et se mit en route. L'Élu ne devait pas avoir accès aux pouvoirs des Anciens.

✦

Dans la caverne de La Centaine, la mort régnait en maître. Sur le sol froid, la vieille baignait dans le sang qui s'écoulait de ses nombreuses blessures. Sa gorge ouverte laissait échapper le peu de vie qui lui restait après une si longue existence et la chose ne l'effrayait aucunement. La mort n'était que l'ultime étape de la vie. Une porte qui s'ouvrait sur autre chose. La fin d'un cycle et le début d'un nouveau.

Autour d'elle, tout était renversé et détruit. Le feu n'était plus que braises et émettait une lumière blafarde et rougeâtre. Elle observait la scène avec détachement. Grâce à Dieu, Angélique s'était échappée. Comme elle le devait, lorsque les étrangers avaient fait irruption dans la caverne, elle s'était éclipsée sans tenter de lui venir en aide. Une fois en sécurité, elle avait envoyé ses loups. Plusieurs d'entre eux étaient maintenant allongés, sans vie, autour de la vieille. Ils avaient combattu jusqu'à leur dernier souffle. Deux des intrus avaient été abandonnés par leurs complices, déchiquetés, victimes des crocs de la meute.

La vieille avait toujours pressenti que les choses se termineraient ainsi. Les Gardiens n'étaient que des serviteurs de passage et, avec le départ du Fils de la veuve, leur mission était achevée. Après plus d'un siècle d'attente, elle pouvait mourir en paix. Elle enviait seulement Toussaint. Elle aurait voulu voir, elle aussi, l'endroit qu'elle avait gardé pendant si longtemps et s'y recueillir, juste une fois. Mais tel n'était pas son destin. Elle ne regrettait qu'une chose : elle serait la seule de tous les Gardiens à ne pas reposer dans la Chambre du Milieu. Elle tira satisfaction du fait qu'en ce moment même, le Fils de la veuve devait déjà être dans le temple des Anciens.

Elle posa les doigts sur le tatouage qu'on lui avait fait le jour de son initiation, il y avait bien longtemps, et ferma les yeux pour la dernière fois, certaine que Dieu, dans son infinie bonté, saurait reconnaître les sacrifices auxquels elle avait consenti. Elle pria en espérant que Toussaint l'attendrait au paradis.

Maintenant, tout était entre les mains du garçon. Il devait faire vite. Il était en danger.

24

LA CLÉ DU TEMPLE

Perplexe et frustré, Manaïl soupira. Il se mit à errer dans la Chambre du Milieu en l'examinant plus attentivement. L'idée de rester ici jusqu'au trépas en compagnie de tous ces cadavres ne lui souriait guère. *Les Anciens n'ont rien laissé au hasard, mon enfant*, lui avait affirmé Ishtar. *Tu dois avoir confiance en ce qui reste de leur sagesse. Suis le chemin tracé pour toi. Il te mènera à ton but.* Jusqu'ici, les conseils de la déesse avaient porté leurs fruits. Karahotan, l'émissaire de l'incarnation d'Ishtar dans ce *kan*, l'avait arraché à la mort et l'avait orienté vers La Centaine. La vieille femme lui avait révélé l'existence des Gardiens qui, par l'entremise de Toussaint, l'avaient conduit dans cette sinistre chambre souterraine. Tout cela malgré la présence de Nergalii que seule l'intervention d'Angélique avait empêchés de tuer Ermeline.

Pourtant, quelque chose clochait. Pourquoi avait-on nommé cette pièce « Chambre du Milieu » ? Était-ce parce qu'elle se trouvait au cœur d'une montagne ? Après avoir grimpé pendant des heures pour atteindre le sommet, ils n'avaient redescendu qu'une trentaine de marches. La montagne était bien plus haute que cela.

Son regard erra au hasard et s'arrêta sur l'étoile au centre de la croix templière. Au *milieu* de la croix, réalisa-t-il soudain. La déesse placée au centre des templiers… Ishtar au milieu du temple. Instinctivement, il leva les yeux vers la voûte et fronça les sourcils. Dans la lumière des flammes, il lui sembla apercevoir quelque chose. Il arracha brusquement la torche à la gitane.

— Ho ! En voilà des façons ! Qu'est-ce qui te prend ? s'exclama-t-elle.

Sans faire attention aux jérémiades indignées, il étira le bras vers la voûte, une toise au-dessus, et l'éclaira. Au centre, exactement au-dessus de celle du plancher, se trouvait une seconde étoile, à peine surélevée, pas plus grande qu'une main ouverte, gravée dans la pierre.

Manaïl regarda Ermeline et, avec un sourire entendu, lui rendit la torche. Il se plaça sur l'étoile, au centre de la croix rouge, leva son poing fermé, la bague des Mages d'Ishtar pointant vers la voûte. Sur la mystérieuse pierre noire sertie dans l'anneau d'or, la forme humaine se mit à scintiller de teintes orangées, bras et jambes tendus. Tout autour, le pentagramme d'un bleu glacial brilla, sa lumière se mêlant à celle des flammes.

Pendant plusieurs secondes, rien ne se produisit. L'Élu adressa à la déesse une fervente prière silencieuse.

— Oh…, fit Ermeline, les yeux écarquillés, en désignant la voûte. Regarde.

Manaïl suivit des yeux la direction qu'elle désignait. Sur la voûte de la Chambre du Milieu, la bague projetait le pentagramme bleu et orangé, dont les dimensions épousaient celles du motif étoilé.

Sous les yeux ébahis de Toussaint, l'étoile se rétracta dans la voûte, pivota légèrement vers la droite puis retomba en place. Presque aussitôt, un grondement fit trembler la pièce. La dalle de pierre qui portait les deux phrases latines se mit à remonter à l'intérieur de la paroi. Lorsqu'elle eut tout à fait disparu, remplacée par une ouverture sombre, Manaïl abaissa le bras.

— Tu es vraiment le Fils de la veuve, dit Toussaint, pantois, en se signant solennellement.

Manaïl prit la torche que tenait toujours la gitane et s'avança en direction de la porte ouverte. Lorsqu'il se retourna, il trouva Ermeline, tout près de lui. Toussaint était demeuré en arrière.

— Viens, dit-il au Gardien.

Celui-ci hocha lentement la tête et sourit avec tristesse et résignation. Il prit la direction du banc où reposaient les Gardiens morts et s'assit au bout, où quelques places étaient encore libres.

— Mais que fais-tu ? s'enquit le garçon en revenant sur ses pas pour s'approcher de lui. Viens. Cette porte pourrait se refermer à tout moment.

— Jamais un Gardien n'est sorti d'ici, Fils de la veuve. Mon heure est venue, expliqua sereinement le colosse. Avec moi s'achève la mission sacrée. Je dois maintenant prendre ma place parmi mes frères. Mais avant de partir, je requiers de toi une dernière faveur.

Toussaint tira de sa ceinture une dague templière et la lui tendit sans rien dire. Il n'avait pas besoin de parler. La supplique que lançait son regard était cristalline. D'une main tremblante, Manaïl prit l'arme. Puis l'homme redressa le dos, posa ses mains sur ses cuisses et inspira profondément.

— Adieu, Fils de la veuve, dit-il. Va et accomplis ton destin.

Il ferma les yeux et ne bougea plus. Il attendait et semblait pratiquement déjà mort. La gorge serrée, Manaïl déglutit avec difficulté. Devrait-il faire couler le sang encore une fois ? Il aurait voulu empoigner Toussaint, le secouer, lui faire entendre raison. Cet homme était dans la force de l'âge. Il avait toute la vie devant lui et pouvait encore faire tant de choses. Mais il n'en fit rien. Dans son for intérieur, il savait que le sort du Gardien avait été fixé depuis le début des temps. Toussaint en était conscient, lui aussi, et l'acceptait avec sérénité.

Seul Manaïl avait le pouvoir de lui éviter ce terrible sort. Il considéra la dague dans le creux de sa main et prit sa décision.

— Adieu, Gardien, dit-il d'une voix étouffée. Et merci. Qu'Ishtar t'accueille parmi les siens.

En guise de réponse, Toussaint hocha lentement la tête, une seule fois, sans ouvrir les yeux. Sur son visage, un pâle sourire se dessina.

Les lèvres serrées, Manaïl empoigna l'arme à deux mains et l'enfonça d'un coup sec dans le cœur du Gardien, qui broncha à peine. Son visage se crispa légèrement, un léger souffle s'échappa de ses lèvres et sa poitrine s'affaissa. Puis, plus rien.

Le garçon retira la dague du corps du Gardien, essuya la lame sur son pantalon et la passa dans sa ceinture. Puis il essuya les larmes qui lui mouillaient les joues.

Près de la porte, Ermeline était livide, la main sur la bouche, les yeux agrandis par l'horreur.

— Cornebouc…, murmura-t-elle, sidérée. Qu'as-tu donc fait ?…

— C'est ce qu'il désirait, répliqua l'Élu, la voix tremblante. C'est ce qui devait être.

Ermeline passa ses mains dans ses longs cheveux noirs.

— Tout cela cessera-t-il jamais ? murmura-t-elle d'une voix brisée.

— Je l'espère, Ermeline, rétorqua Manaïl avec lassitude. Plus que tu ne pourras jamais l'imaginer.

Il s'approcha et, reprenant la torche, pénétra dans l'inconnu. Encore sous le choc, la gitane jeta un dernier regard à la dépouille de Toussaint. Voilà quelques jours encore, ce jeune titan l'avait fait danser et rire à gorge déployée, plein de joie de vivre, une lumière espiègle valsant dans ses beaux yeux bleus.

Cette nuit-là avait été une des plus amusantes de sa vie. Et maintenant, il n'était plus.

— Repose en paix, mon pauvre ami, chuchota-t-elle tristement.

Elle fit volte-face et avisa Manaïl, qui se tenait de l'autre côté de l'ouverture, l'air ahuri. Dans cet endroit, la torche n'était plus nécessaire et, sans s'en rendre compte, le garçon l'avait laissée tomber sur le sol. Perplexe, elle le rejoignit et comprit ce qui l'ébranlait de la sorte.

Elle n'eut pas le temps de lui parler. À peine avait-elle franchi la porte que la dalle de pierre retomba lourdement en place derrière elle, faisant trembler le sol et scellant l'ouverture.

Ermeline et Manaïl étaient prisonniers du temple des Anciens.

LE TEMPLE DES ANCIENS

Entre le temple du Temps, d'où l'Élu était parti pour chacun des *kan* qu'il avait fouillés à la recherche d'un fragment du talisman, et celui des Anciens, la ressemblance était frappante. Manaïl sentit son cœur se gonfler d'espoir. Aucun doute n'était possible. Cet endroit ne pouvait être que l'œuvre des Anciens.

Comme le temple du Temps, qui gisait maintenant, en ruine, quelque part hors des *kan*, celui-ci était circulaire. Il était éclairé par des torches, disposées à intervalles réguliers sur les murs de brique recouverts de glaçure blanche, dont la flamme semblait éternelle. Son plancher était couvert d'un damier de dalles noires et blanches. Sur sa voûte bleue, couleur du firmament, figuraient six étoiles dorées, une grande encadrée par cinq petites, qui scintillaient dans la lumière des flammes. Ishtar et ses Mages...

Mais les deux endroits n'étaient pas pour autant identiques. Hormis la porte que Manaïl venait de franchir, la paroi circulaire était exempte d'ouvertures.

— Nous voilà bien pris, déclara Ermeline, frustrée, en poussant en vain sur la dalle de pierre qui venait de se refermer avec fracas. Je commence à en avoir assez, moi, d'être emmurée dès que je franchis une porte. Cornebouc !

Laissant éclater sa colère, elle donna un coup de pied contre la pierre et en fut quitte pour une vive douleur aux orteils qui la fit grimacer et accrut encore sa mauvaise humeur.

— Patience. Chaque chose en son temps, dit l'Élu, distrait, en examinant les lieux.

— Tu vois une sortie quelque part ? demanda la gitane, les poings sur les hanches et le visage empourpré.

— Non. Mais je fais confiance à Ishtar, rétorqua le garçon avec un calme étonnant. Et aux Anciens. Ils n'ont pas construit cet endroit pour qu'il devienne mon tombeau. Si j'ai pu y entrer, je pourrai en sortir.

Au centre du temple se trouvait, encastré dans le plancher, un bassin en forme d'étoile, rempli d'eau et dont les dimensions étaient tout juste suffisantes pour permettre à un homme de s'y allonger. À la tête du pentagramme se dressait une statue grandeur nature de la déesse. L'air altier, elle était en tout point identique à celle qu'avait vue un jeune vagabond sans avenir à Babylone, un jour du mois de Nisanu[1], alors que s'amorçait le festival de la nouvelle année. Une statue qui s'était miraculeusement animée, qui lui avait fait entrevoir un avenir terrible s'il refusait la mission qu'Elle lui réservait, et aux pieds de laquelle cette folle aventure avait commencé. Tout cela lui semblait s'être passé dans une autre vie, voilà dix éternités. Depuis, Manaïl, le « poisson », était devenu quelqu'un d'autre.

Impassible, la grande Ishtar était parée de sa robe, de sa tiare et de son collier de joyaux. Elle tenait dans ses mains une cruche inclinée, du bec de laquelle l'eau s'écoulait en un mince filet dans le bassin, dans un agréable clapotis dont l'écho se répercutait contre les parois.

Le garçon s'avança et s'agenouilla respectueusement devant celle qui lui avait imposé la terrible quête. Il joignit les mains sous la cruche et laissa l'eau s'y accumuler, humecta son visage puis se désaltéra. Il se recueillit ensuite et murmura une prière fervente pendant qu'Ermeline, par scrupule, restait à l'écart pour ne pas troubler son intimité. Il

---

1. Un des mois du calendrier babylonien, qui débute vers la mi-mars.

remercia Ishtar de l'avoir mené jusque-là et l'implora de lui indiquer la voie à suivre alors qu'il semblait avoir atteint un point tournant de sa quête. Il espérait secrètement que la statue s'anime, comme cela s'était produit à Babylone puis, sous la forme de la Vierge, dans l'infirmerie de la templerie de Jérusalem et sur l'un des vitraux de Temple Church, à Londres. Il souhaitait qu'Elle se manifeste et le guide. Mais il n'en fut rien. Ishtar rivait sur lui un regard de pierre froid et détaché.

Manaïl ravala sa déception et, sa prière achevée, s'accroupit près du bassin. Laissant ses pensées vagabonder, il plongea distraitement les doigts dans l'eau, aussi pure que des diamants liquides, en faisant des clapotis. Il admira le pentagramme parfaitement sculpté. L'étoile d'Ishtar... Remplie de l'eau dont la déesse l'abreuvait pour lui rendre vigueur et santé. Les Anciens s'étaient attendus à ce que l'Élu d'Ishtar se retrouve un jour auprès de ce bassin. Ils semblaient avoir tout prévu. Qui étaient donc ces êtres tout-puissants ? Avaient-ils seulement maîtrisé le temps ? Parfois, Manaïl se surprenait à imaginer qu'ils l'avaient peut-être fabriqué... Peut-être Ishtar Elle-même n'était-Elle que leur créature ? Étaient-ils les dieux des dieux ?

Après le grand cataclysme, lorsque les glaces recouvraient la terre, ils avaient construit un temple au cœur d'une montagne dans un monde qui resterait longtemps inconnu de tous. Une montagne qui semblait maintenant veiller sur une jeune colonie consacrée à la Vierge Marie. À Ishtar. Mais avant l'arrivée des Blancs, la déesse avait eu une autre incarnation dans ce *kan* : Gendenwitha. En gravissant la montagne, Karahotan avait mentionné le ventre de Gendenwitha. Un héros devait y mourir pour renaître, accouché par la déesse. Mourir pour revivre… *Fils de la Lumière, il portera la marque des Ténèbres*, disait la prophétie des Anciens. Ishtar n'était-Elle pas l'Étoile du matin, la première lumière du jour ? L'Élu n'était-il pas son Fils ? Pour entrer dans la vie, un fils ne devait-il pas émerger, sanglant mais pur et immaculé, des entrailles de sa mère ? Ne devait-il pas quitter les ténèbres de son ventre pour émerger dans la lumière du monde ?

Dans l'esprit de Manaïl, tous les éléments disparates se mirent en place et prirent leur sens. Sa quête s'était déroulée sous le signe de l'étoile, symbole d'Ishtar. Chaque étape en avait été déclenchée par le pentagramme qui apparaissait sur la bague du Mage. Cette puissante figure lui avait ouvert les portes des *kan* et l'avait ramené dans le temple du Temps. Elle lui avait donné accès au temple des Anciens et l'avait défendu. Depuis le début,

Manaïl avait tenu pour acquis que le penta-gramme sur le bijou était une représentation des Pouvoirs Interdits légués par les Anciens. Un rappel de la mission sacrée des Mages et de l'Élu d'Ishtar. Au mieux, une image de l'Élu enveloppé par la protection d'Ishtar.

Ce n'était là que la surface des choses. Par une science ou une sorcellerie qui le dépassait, il saisissait maintenant que le pentagramme de la bague était tout cela, et beaucoup plus. Par le biais du pentagramme, les Anciens lui avaient laissé une marche à suivre ! Les Mages d'Ishtar ne lui en avaient transmis que la connaissance incomplète qu'ils en possédaient. Sa compréhension entière ne concernait que l'Élu.

Dès lors, Manaïl sut exactement ce qu'on attendait de lui. Ce qu'il devait faire pour que tous les efforts investis dans sa quête depuis Babylone ne se révèlent pas vains, pour que les échecs subis prennent un sens. Le temps était venu pour lui de quitter l'enfance pour devenir un homme. Depuis l'époque lointaine des Anciens, il était prévu qu'un jour, l'Élu s'allongerait dans ce pentagramme, imitant la silhouette sur sa bague, et se laisserait enva-hir par les Pouvoirs Interdits. Il devait *devenir* le pentagramme. Et pour cela, il lui fallait mourir avant de renaître à la vie.

Voilà. Le moment annoncé par l'avertissement d'Ishtar était venu. *Les Pouvoirs Interdits sont capricieux, Élu. Tu dois les dominer entièrement. Si tu réussis, Ermeline aura la vie sauve et la destruction du talisman sera à ta portée. Si tu échoues, elle mourra et, sans elle, ton avenir n'est que ténèbres…* Ce qu'il trouverait dans ce bassin déciderait du sort de la gitane.

Étouffé par une angoisse et une peur qu'il désirait absolument cacher, il déglutit avec difficulté et releva les yeux vers Ermeline, qui le regardait intensément et qui semblait avoir deviné ce à quoi il devait se prêter. Dans la pièce, la tension était palpable et le silence, étouffant. Ce fut la gitane qui le rompit finalement.

— Tu vas t'allonger dans cette chose, n'est-ce pas ? demanda-t-elle.

Le garçon se contenta, dans une calme détermination, de le confirmer par un signe de la tête. Il se releva lentement, s'approcha de sa compagne, retira la dague templière de sa ceinture et la lui tendit.

— Si jamais je ne me réveille pas et que tu ne peux pas sortir d'ici…, dit-il avec une grimace embarrassée. Rien ne servirait de languir jusqu'à la mort…

Ermeline, ébranlée, hocha la tête et accepta l'arme.

Cédant à un désir irrépressible, Manaïl prit la main de la jeune fille dans les siennes et la regarda gravement dans les yeux. Ses joues se colorèrent aussitôt d'une teinte écarlate. Peut-être ne la reverrait-il plus jamais. Il inspira profondément et constata que son souffle tremblait.

— Ermeline…, balbutia-t-il, embarrassé, au cas où… il m'arriverait quelque chose… Je… Je voulais te dire que… que… depuis le premier moment où je t'ai vue… je… je…

La gitane mit un index sur ses lèvres.

— Shhhhhh. Je sais, dit-elle, les yeux emplis de larmes. Moi aussi. Dès que j'ai lu les lignes de ta main, à Paris, je l'ai su.

Elle s'approcha de lui et posa un long baiser sur ses lèvres. Pendant un instant, qu'il goûta comme une éternité, Manaïl la serra dans ses bras et se perdit dans l'étreinte dont il avait si souvent rêvé sans jamais se l'admettre.

Puis Ermeline se détacha de lui et la magie cessa. Elle luttait visiblement pour ne pas céder à la panique.

— Tu sortiras de là bien vivant et je serai la première chose que tu verras, dit-elle d'une voix tremblante avec un optimisme forcé, les joues mouillées. Je te le jure sur la mémoire de ma mère.

Au comble du bonheur aussi bien que de la terreur, Manaïl essaya de sourire mais n'y parvint pas.

— Reviens, je t'en prie, supplia la gitane en tentant de lui rendre la pareille. En un seul morceau, si la chose est possible.

Le garçon haussa les sourcils en signe d'impuissance. Son sort n'était plus entre ses mains. Il reviendrait si Ishtar le voulait bien. Si les Anciens l'avaient prévu ainsi. S'il en avait la force. Ou s'il ne faisait pas erreur. Mais il ne servait à rien de partager tout cela avec Ermeline.

Résigné, il retira sa veste, ses souliers de cuir, ses chaussettes de laine et sa chemise de toile grossière. Vêtu de sa seule culotte, il s'assit dans le bassin. L'eau était tiède et agréable sur sa peau. Le cœur serré par la peur, il prit quelques grandes inspirations pour se calmer et regarda Ermeline.

— Quoi qu'il arrive, ne me sors pas d'ici, ordonna-t-il. Même si tu me crois mort. Tu comprends ?

Ermeline fit oui de la tête, les yeux rivés au sol. Manaïl ferma les yeux, adressa une ultime prière à la déesse et eut une pensée pour ses parents, sa sœur, maître Ashurat et le frère Enguerrand, qu'il rejoindrait peut-être sous peu dans le Royaume d'En-Bas. Puis il s'allongea de tout son long et étendit les jambes et les bras dans les branches de l'étoile. Seul son visage perçait la surface. Au même instant, l'eau cessa de s'écouler de la cruche de la statue de pierre. Oscillant entre l'angoisse de la mort et la résignation, l'Élu d'Ishtar ferma les yeux et s'abandonna à la volonté des Anciens.

La gitane s'assit près de lui et regarda la dague en se demandant si elle aurait le courage de l'utiliser si Manaïl ne revenait pas, ou si elle attendrait placidement la mort.

LE GRAND ÉCRIVAIN

Montréal, en l'an de Dieu 1842

Assis dans la troisième rangée de sièges du Théâtre Royal, le grand écrivain observait distraitement les comédiens qui répétaient. Parmi les nombreuses pièces qu'il avait écrites, il en avait choisi trois. À ses yeux, elles étaient courtes et peu exigeantes. Pourtant, les comédiens amateurs avec lesquels il devait travailler, tous des officiers britanniques et leurs épouses, membres du théâtre de la Garnison, peinaient à apprendre leur texte. Ils avaient au moins la décence de ne pas bégayer, mais leur mérite s'arrêtait là. À plusieurs reprises, le grand auteur s'était dit qu'il vaudrait mieux qu'il interprète lui-même tous les personnages, comme il le faisait souvent dans ses lectures publiques. Mais on lui avait demandé de monter ses pièces, pas de les jouer. La première représentation était prévue trois jours plus tard. La performance des acteurs serait sans doute médiocre, mais il n'y pouvait rien – à part prier beaucoup et désespérer un peu. Près de lui, la moue mal dissimulée de son épouse, Catherine, montrait qu'elle partageait son avis, mais elle lui tapota affectueusement la main pour le rassurer.

À trente ans, l'homme était devenu ce qu'il avait toujours désiré : le plus grand écrivain du monde. Comédien et metteur en scène, en plus. Ses œuvres connaissaient un succès à nul autre pareil en Angleterre et la tournée qu'il avait entreprise dans dix-sept villes d'Amérique du Nord, où on s'arrachait ses livres, lui confirmait que sa célébrité avait traversé l'Atlantique. Il lui suffisait de monter une de ses pièces pour que la foule se bouscule aux portes du théâtre. La qualité de l'interprétation importait peu. C'était lui, et lui seul, qu'on voulait voir. Le grand auteur.

Il lissa ses longs cheveux bruns et ondulés, se leva et frappa trois coups secs dans ses mains. Les comédiens s'interrompirent docilement.

— Merci, mesdames et messieurs, dit-il d'une voix forte qui résonna dans le théâtre. Ce sera tout. Nous reprendrons demain. Je suis certain que vous serez remarquables. Maintenant, je suggère que nous allions tous nous reposer un peu.

Les acteurs, épuisés, se dispersèrent aussitôt. Catherine se pencha vers lui avec une tendresse évidente.

— Et toi ? Tu devrais te reposer aussi, non ? Tu travailles trop.

— Je crois que je vais aller marcher un peu, répondit-il. Je te retrouverai pour le thé dans le hall de l'hôtel Rasco.

— Promis ? Tu ne perdras pas la notion du temps comme tu le fais si souvent ?

— Promis. Je serai là à seize heures.

Il baisa tendrement la main de son épouse, lui sourit et se dirigea vers la sortie du théâtre. La marche lui avait toujours fait du bien. Elle lui permettait de clarifier ses idées. Des pans entiers de ses romans s'étaient écrits ainsi, en route vers nulle part, sans plume ni papier. S'il ne dormait que quelques heures par nuit, c'était parce que ses longues heures de promenade le reposaient autant que le sommeil.

Il s'engagea dans la rue Saint-Paul de ce pas vif qui le caractérisait, laissant ses pensées errer et appréciant le soleil de mai. Avec ses rues pavées, ses édifices en pierre grise, ses boutiques variées, son bourdonnement d'activités et son marché public, cet endroit lui rappelait beaucoup Londres. Malgré ce qu'on lui en avait dit, on y parlait presque autant anglais que français. Il eut tout à coup la nostalgie de la ville qu'il aimait tant, mais il se raisonna. Sous peu, il y retournerait.

Au fil des détours improvisés et de ses longues enjambées dynamiques qui faisaient parfois rigoler les passants, il se retrouva rue Notre-Dame et s'arrêta un moment pour admirer une vaste basilique. L'édifice encore en construction était presque achevé. Il ne restait qu'à compléter une des deux tours et Montréal pourrait s'enorgueillir d'une église aussi majestueuse et impressionnante que celles qu'on retrouvait en Europe. Bizarrement, la tour de l'ancienne église, qui s'était trouvée juste devant, de l'autre côté de la rue, et qui était déjà partiellement démolie, était toujours debout. Seule devant la construction toute neuve et presque terminée, elle avait l'air bien triste.

Le grand écrivain était un homme infiniment curieux. Avec son imagination débridée, son amour pour les petits détails était en partie responsable du succès de ses histoires. Il aimait à décrire avec minutie les décors, les vêtements, les bâtiments, les petites choses qui donnaient à un récit une tournure humaine.

Intrigué par la présence du clocher solitaire, il interpella un passant.

— Excusez-moi, mon brave, dit-il dans un français hésitant. Cette tour… Que fait-elle là, toute seule ?

— Vous êtes pas de Montréal, m'sieur ! s'es-claffa l'homme. C'est tout ce qu'il reste de l'ancienne église Notre-Dame. Les Sulpiciens ont décidé qu'elle serait pas démolie avant l'an prochain, quand les tours de la nouvelle église vont être finies. Ils veulent pas qu'on puisse dire qu'ils ont plus de clocher, je suppose ! Ils sont bien à cheval sur leur réputation, les messieurs de Saint-Sulpice ! Et un brin orgueilleux, aussi. En attendant, ça a l'air un peu fou…

— Hmmm… Moui, mais bon… Enfin… Pourquoi pas ? balbutia l'écrivain. Merci, mon brave. Merci bien.

— De rien, m'sieur ! dit l'homme en reprenant son chemin.

Amusé par l'étrange pratique architecturale qu'il se jura de retenir pour l'utiliser un jour dans un de ses romans, le grand écrivain s'approcha de la relique incongrue. La tour était carrée et pas très haute, en comparaison des clochers des églises londoniennes. À sa base se trouvaient encore quelques fenêtres. La porte qui donnait accès à l'intérieur était encore en place. Sur son linteau en pierre grise se trouvait une inscription en hébreu :

L'écrivain connaissait bien ce mot. Il s'agissait des quatre lettres qui composaient le nom sacré de Dieu, qu'aucun juif ne devait jamais prononcer à haute voix. La plupart des églises chrétiennes étaient d'ailleurs ornées de ce même tétragramme.

Du reste de l'ancienne Notre-Dame, on n'apercevait plus que les fondations. Le grand écrivain aimait les vieilles pierres. Ses romans étaient bourrés d'édifices anciens patinés, noircis par la fumée des usines et chargés d'histoire. Songeur, il passa affectueusement la main sur la pierre brunâtre du vieux clocher abandonné.

Soudain, son regard fut attiré par trois symboles maladroitement gravés, presque égratignés l'un près de l'autre dans la pierre, et que le passage du temps avait à moitié effacés. Il s'arrêta net, comme frappé de plein fouet.

Un frisson lui traversa le dos. Le premier symbole lui rappelait un cauchemar délirant qui, depuis sa jeunesse, habitait un coin sombre de sa mémoire où il ne se rendait plus jamais. Une aventure qui avait sans doute été le fruit de l'imagination débordante de l'enfant qu'il avait été et qui n'avait pas encore trouvé son exutoire dans l'écriture. Dans son rêve, un garçon un peu plus âgé que lui gisait sur un sol de pierre, ensanglanté. Il secoua la tête pour chasser les images qu'il refoulait toujours et se concentra sur le second symbole. Une étoile de David. Banal. Quant au troisième, il représentait trois «T» joints par la base. Il en ignorait le sens, mais il lui semblait l'avoir déjà vu, associé aux anciennes religions égyptiennes, dans un quelconque livre feuilleté distraitement. Sous les trois symboles, on avait gravé un chiffre : 1673. L'année de construction de cet édifice maintenant presque détruit, supposa-t-il.

Il porta son attention sur la majestueuse montagne qui, au loin, semblait veiller sur la ville. Le mont Royal, lui avait-on dit. Il admirait la masse de verdure lorsqu'un étourdissement le saisit. L'espace d'un instant, le monde sembla osciller et perdre sa consistance. Les édifices du quartier des affaires devinrent translucides et, à travers eux, une autre ville, à peine plus qu'un village ancien et rudimentaire, lui apparut. Le phénomène cessa aussi subitement qu'il s'était manifesté. Le grand écrivain secoua la tête et sortit de sa poche un grand mouchoir rouge avec lequel il épongea la sueur qui lui mouillait le visage. Catherine avait peut-être raison. Il travaillait trop. Il était fatigué et son imagination lui jouait des tours.

Il fit demi-tour, descendit la rue Saint-Sulpice et reprit Saint-Paul, en direction de l'hôtel Rasco. Il prendrait le thé avec Catherine, se reposerait un peu, puis travaillerait quelques heures. Il voulait noter ce qu'il avait vu durant sa promenade.

MALACHI FRANKS

Malachi Franks n'était qu'un simple marchand de tissus avec pour toute clientèle les habitants du ghetto juif de Montréal. Deux cents personnes, tout au plus. Les cinquante mille autres habitants de la ville, pratiquement tous chrétiens, n'achetaient jamais rien chez lui. Malachi parlait leur langue de façon approximative, mais ne communiquait guère avec eux. De toute façon, ces derniers préféraient ignorer son existence. Il aurait pu en concevoir de l'amertume, mais il n'en était rien. Il menait sa vie avec humilité, dans la crainte de Dieu.

Dans son modeste logement de la rue Saint-Laurent, Malachi était penché sur son petit bureau de travail. Dans la pièce d'à côté, ses quatre enfants jouaient en riant, mais il les entendait à peine. Il n'arrivait pas à arracher son regard de la Torah[1], du Talmud[2], des livres ainsi que des papiers gribouillés qui y étaient éparpillés. Au cours des deux derniers mois, il n'avait fait que cela, négligeant le petit commerce dont il avait pourtant besoin pour nourrir sa famille. C'était plus fort que lui.

Malachi avait toujours été préoccupé par ce que Dieu attendait de lui. Dès le lendemain de sa *bar-mitsvah*[3], alors qu'il n'avait que treize ans, il s'était lancé dans l'étude de la *Qabalah*[4], la loi secrète que YHWH avait confiée à Moïse sur le mont Sinaï en même temps qu'Il lui remettait les Tables de la Loi. Il était dit qu'en étudiant la kabbale, l'homme persévérant parviendrait à percer les secrets de la volonté divine et à comprendre sa place dans la Création.

Depuis, Malachi avait consacré tout son temps libre à déchiffrer les mystères enfouis sous les caractères hébraïques de la Torah, à les convertir en chiffres et à en extraire les messages secrets que le Dieu des Hébreux avait réservés à son peuple. Il n'était pas assez

---

1. Le livre saint des Hébreux, composé des cinq premiers livres de la Bible.
2. La compilation des discussions rabbiniques sur la loi, la morale, les coutumes et l'histoire juives.
3. En hébreu : fête au cours de laquelle le garçon atteint sa majorité religieuse.
4. En hébreu : Kabbale.

vaniteux pour croire qu'il y était parvenu, mais, vingt-deux ans plus tard, il avait le sentiment d'avoir fait de modestes progrès.

Tout avait commencé par une des légendes chéries comme des trésors et transmises sans interruption dans sa famille. Malachi avait toujours aimé ces récits appris sur les genoux de son père lorsqu'il était enfant. Il appréciait particulièrement celui qui racontait que chaque fois que le Mal se manifesterait sur terre, un *Mishpat* et un *Tsedeq* se révéleraient et uniraient leur courage et leur foi pour le repousser provisoirement. Il y trouvait une certaine sérénité face à la nature humaine toujours portée au Mal et à l'infinie miséricorde de Dieu pour ses créatures.

Deux mois auparavant, le monde de Malachi Franks avait chaviré et depuis, le petit homme était habité par un effroi glacial qui ne le quittait plus. Même dans ses cauchemars les plus fous, jamais il n'aurait cru qu'on pût avoir si peur. Ses mains en tremblaient sans cesse et il avait perdu l'appétit et le sommeil. Lui qui avait toujours été maigre, il était maintenant émacié. Sa barbe cachait ses joues creuses, mais il ne pouvait rien faire contre les cernes sombres qui lui soulignaient les yeux.

Il n'oublierait jamais ce moment. Il lisait la Torah, ses doigts parcourant avidement les lignes de droite à gauche, lorsque le petit réduit où il s'enfermait pour étudier s'était illuminé. Il s'était retourné et avait aperçu le *serafim* Yehuyah, resplendissant dans une apothéose de lumière. Cet ange était celui qui, parmi les envoyés de YHWH, apportait le courage et la persévérance. C'était aussi lui qui appelait au service de Dieu. Terrorisé, Malachi était aussitôt tombé à genoux, renversant sa chaise sans s'en rendre compte, et s'était couvert le visage de ses mains.

— Relève-toi, Malachi Franks, avait ordonné l'ange d'une voix qui résonnait comme mille roulements de tonnerre. Le temps est venu pour toi de faire face à la destinée que Dieu t'a tracée.

Malachi avait obéi et s'était remis debout, tremblant de tous ses membres et incapable de soutenir le regard de feu de celui qui l'interpellait.

— Le Mal émerge à nouveau, avait tonné Yehuyah. Le *Mishpat* va bientôt se manifester. Ici, dans cette ville. Et c'est toi, dont le prénom signifie « messager de Dieu », que YHWH a choisi pour lui venir en aide. Tu es le prochain *Tsedeq*. Tu lui prêteras ta foi, ta sagesse et ton savoir. Sans toi, le *Mishpat* mourra et le Mal triomphera pour l'éternité. Sois prêt et fais honneur à ton Dieu.

— Mais… Mais… Je ne suis qu'un humble marchand de tissus…, avait gémi Malachi, terrifié jusqu'à la moelle de ses os. Je ne suis rien. Je ne sais rien. Comment pourrais-je ?…

— Ne discute pas la volonté de Dieu ! Ta vie durant, Il t'a préparé à ce rôle. Tu connais sa parole et ses secrets. Tu les as étudiés. Maintenant, le moment est venu d'en faire usage, car telle est Sa volonté.

— Mais…

— Silence !

Le cri de l'ange fit trembler les murs de la pièce.

— Lorsque viendra le jour de ton jugement, reprit Yehuyah, tu marcheras parmi les chrétiens et tu te rendras à ce qu'il reste de leur ancien temple. Là, tu prieras ton Dieu et tu attendras le *Mishpat*. Quoi qu'il arrive, tu ne bougeras pas jusqu'à ce qu'il vienne. Tu le reconnaîtras à l'étoile de Salomon et de David qu'il porte dans sa chair. Tu le protégeras de toutes tes forces, au prix de ta vie s'il le faut, en rendant grâces à YHWH de l'honneur qu'Il te fait.

— Le protéger ? Mais… contre quoi ?

Yehuyah lui avait répondu un seul mot, terrible entre tous, puis il lui avait révélé le moment durant lequel le *Mishpat* se manifesterait avant de disparaître dans une explosion de lumière. Malachi s'était effondré sur le sol, gémissant de terreur, et était resté prostré jusqu'à ce que son épouse le découvre.

Maintenant, assis devant sa Torah ouverte, il observait pour la dix millième fois le mot prononcé par Yehuyah et qui le terrorisait jusqu'au tréfonds de son âme. *Golem...* Étouffé par l'angoisse, Malachi tenta sans succès de contrôler les tremblements de ses mains. Quatre jours... C'était tout le temps qui lui restait.

Il se leva et, pour se calmer, se mit à marcher de long en large dans la petite pièce, les mains jointes derrière le dos. Il tenta de prier, sans succès. Depuis deux mois, les mots ne lui venaient plus. YHWH semblait l'avoir abandonné comme Il l'avait fait jadis pour Job. Après quelques minutes de ce manège, il s'attarda à la fenêtre. Dehors, la rue Saint-Laurent grouillait d'activité. Marchands et clients négociaient avec enthousiasme. Le cœur de Malachi se serra. Et s'il ne revenait pas ? Se pouvait-il que, bientôt, cette rue existât sans lui ? Il soupira de lassitude. Il se sentait exténué et écrasé par le poids que Dieu avait placé sur ses épaules bien trop frêles. Mais il ne se déroberait pas à la volonté de YHWH.

Soudain, il fut pris d'un étrange étourdissement et dut s'appuyer au rebord de la fenêtre. Dehors, le monde parut se troubler. Les bâtiments à plusieurs étages devinrent translucides et, l'espace d'un instant, Montréal disparut. À sa place se trouvait une forêt dans laquelle une petite bande d'Amérindiens chassaient.

Malachi secoua la tête et ferma les yeux. Lorsqu'il les rouvrit, tout était comme avant. Les enfants jouaient dans la rue en riant et les marchands tentaient d'attirer la clientèle. Il tituba jusqu'à un vieux fauteuil où il se laissa tomber et se frotta énergiquement le visage. Il était vraiment en train de perdre la tête.

DANS LE VENTRE
DE GENDENWITHA

Ville-Marie, en l'an de Dieu 1665

Après avoir quitté la caverne de La Centaine, les Nergalii avaient traversé la forêt et gravi le mont Royal aussi vite qu'ils en étaient capables. Lorsqu'ils en eurent atteint le sommet, ils étaient essoufflés et en nage. Affaibli par ses récents efforts avec l'oracle et ayant depuis longtemps passé l'âge de semblables exercices, Mathupolazzar s'essuya le visage de sa manche. Il se sentait malade et vieux. Il parvenait avec peine à cacher les tremblements de ses mains, mais rien ne pouvait masquer la pâleur cadavérique de son visage. Son souffle soulevait sa poitrine par petits coups secs qui n'auguraient rien de bon et une douleur sourde lui traversait la poitrine.

Il fallut un moment au grand prêtre de Nergal pour repérer l'endroit précis que lui avait montré l'oracle. Une fois sur place, un des Nergalii désigna silencieusement, à travers les branches, un homme étrange qui montait la garde. Il y avait dans son physique quelque chose de vaguement sumérien. La peau d'un rouge cuivré, les cheveux si noirs que le soleil leur donnait une teinte bleutée, le port altier, il était assis près d'une grosse pierre et paraissait perdu dans une profonde méditation.

Mathupolazzar fit un signe de la tête et un Nergali dégaina un poignard. Il empoigna l'arme par la pointe, la soupesa un peu pour en trouver le point d'équilibre, le ramena vers l'arrière, visa le cœur et la lança. L'arme traversa l'air en sifflant. Alerté par le léger bruissement des feuilles, Karahotan tourna la tête juste à temps pour apercevoir le projectile qui se dirigeait vers lui. Il se coucha sur le côté et l'arme se fracassa sur la pierre à l'endroit exact où il s'était trouvé l'instant d'avant. Bondissant sur ses pieds, il dégaina son propre poignard, prêt à combattre. Trois hommes émergèrent de la forêt et s'avancèrent vers lui. Étrangement, le plus vieux, le visage à demi masqué par de longs cheveux gris et sales, ricanait.

C'était ainsi que sa vie se terminerait. Karahotan avait toujours su que la mort l'attendrait près de la roche sacrée de Gendenwhita.

La déesse le lui avait révélé alors qu'il n'était qu'un jeune garçon. C'était pour cette raison qu'il n'était pas reparti après avoir recouvert l'entrée du temple. Toussaint l'ignorait, mais celui qui l'accompagnait était en danger. Il devait être protégé.

Le guerrier évalua la situation. Le vieil homme ne présentait aucun danger immédiat. Il semblait faible et à demi fou. Les deux qui l'accompagnaient étaient nettement plus vigou-reux, mais un seul d'entre eux était encore armé. Le couteau de l'autre gisait, brisé en deux, dans l'herbe. Karahotan sourit. Trois adversaires, dont un avait passé l'âge du com-bat singulier. Il en fallait bien plus pour lui faire peur. Une lueur sauvage dans les yeux, il s'avança vers les intrus en faisant tourner son poignard avec agilité dans sa main, prêt à frapper sans avertissement. Il leur ferait leur affaire. La mort annoncée par la déesse n'était peut-être pas pour aujourd'hui. Toussaint et les deux jeunes étrangers pouvaient être tranquilles.

Le voyant avancer, les deux jeunes hommes se séparèrent aussitôt et firent mine de l'encer-cler, tournant lentement autour de lui, celui qui était armé faisant siffler son couteau près de son visage pour distraire son attention pendant que l'autre guettait sa chance de lui tomber dessus.

Un froissement de feuillages, quelque part derrière, parvint aux oreilles de Karahotan. Un sifflement qu'il reconnut trop tard retentit. Une seconde plus tard, le manche d'un poignard émergeait de sa nuque.

Il n'aperçut pas le troisième Nergali surgir d'entre les arbres où il s'était posté pour le prendre à revers, pas plus qu'il ne vit ses agresseurs se diriger vers la roche sacrée. Sa dernière pensée fut pour Gendenwitha, à qui il avait consacré sa vie et dans les bras de laquelle il allait maintenant se réfugier pour toujours.

✦

Les trois Nergalii qui avaient survécu aux loups, dans la caverne de la vieille, étaient jeunes et vigoureux. À force d'efforts, ils étaient parvenus à déplacer la roche que l'homme à la peau cuivrée semblait garder. Dessous, ils avaient découvert une trappe recouverte d'une mince couche de terre, qu'ils avaient ouverte sans hésiter. Puis ils s'étaient engagés dans l'escalier taillé à même le roc, s'enfonçant dans les profondeurs de la montagne. Mathupolazzar fermait la marche, prenant grand soin de s'appuyer à la paroi humide pour ne pas perdre pied. Un rictus anxieux ne quittait plus son visage. Il devait empêcher l'Élu d'avoir accès aux Pouvoirs Interdits. Sinon, il deviendrait un adversaire infiniment plus dangereux.

Une fois devant la porte de bois, le grand prêtre de Nergal se mit à rager. Ses hommes avaient beau tenter d'enfoncer l'entrée, rien n'y faisait. Ils avaient même déchargé leurs armes à feu sur les ferrures, sans plus d'effet. L'ouvrage semblait indestructible. Et l'Élu maudit était de l'autre côté.

Le grand prêtre était à court de solutions lorsqu'il fut pris d'un malaise. Autour de lui, le couloir et l'escalier se mirent à tourner. Il s'appuya contre la paroi de pierre et tenta de garder son équilibre, mais finit par s'asseoir sur l'une des dernières marches.

— Maître ? Vous vous sentez mal ? s'enquit un de ses disciples en s'empressant auprès de lui.

— L'avez-vous ressenti, vous aussi ?

Un à un, les Nergalii hochèrent la tête.

— Une fluctuation du temps, affirma l'un d'eux. J'en suis sûr.

C'était la sensation qu'il avait eue, lui aussi. Fébrile, Mathupolazzar fouilla dans sa sacoche et en sortit l'oracle. Le disque de pierre était brûlant et il dut le poser sur la pierre près de lui avant qu'il ne lui grille la chair. Lorsque l'objet eut suffisamment refroidi, il posa les doigts dessus et ferma les yeux.

✦

Dans le temple des Anciens, éclairé par ses torches éternelles, le temps ne semblait pas s'écouler. Les membres écartés, le visage serein, Manaïl était allongé dans le pentagramme depuis un bon moment déjà. Ermeline n'aurait pu dire combien d'heures avaient passé. Près du bassin, elle veillait sur son compagnon en se mordillant nerveusement la lèvre inférieure, retenant avec peine les larmes qui tentaient de déborder de ses paupières.

Dès le moment où Manaïl avait fermé les yeux, la gitane avait posé la main sur sa poitrine et ne l'avait pas retirée depuis. Au début, les battements du cœur de l'Élu avaient été forts et réguliers, et sa respiration profonde. Puis, petit à petit, tout le rythme de son corps avait ralenti au point où son cœur semblait maintenant ne plus battre du tout et son souffle était devenu imperceptible. Selon toute vraisemblance, celui qu'elle avait connu sous les noms de Martin Deville, Mark Mills et Michel Delisle était mort.

Ermeline refusait cependant de perdre espoir. Elle luttait désespérément contre elle-même. Toutes les fibres de son être lui hurlaient de sortir son compagnon de ce maudit bain pour l'arracher à la mort. Mais ce dernier avait été formel : quoi qu'il arrive, elle ne devait pas intervenir. *Même si tu me crois mort*, avait-il averti. De sa main libre, elle jouait nerveusement avec son médaillon en sachant fort bien que, cette fois, il était inutile. Dans le silence absolu du temple, ses lèvres murmuraient machinalement une prière. À Dieu, à Ishtar, à la Vierge ou au diable lui-même, s'il le fallait. Elle s'en fichait. Tant qu'une de ces divinités lui ramenait son ami sain et sauf, elle lui en serait reconnaissante.

— Ne meurs pas, sanglota-t-elle, la main toujours posée sur la poitrine immobile. Je t'en supplie, ne meurs pas…

✦

Au début, rien ne se produisit. Puis, une à une, les sensations de Manaïl semblèrent se dissoudre et il eut l'impression étrange de s'enfoncer dans l'eau d'Ishtar. L'odeur d'humidité et de renfermé qui saturait le temple des Anciens se dissipa. Les teintes rougeâtre et orangée que la lumière des torches donnait à l'espace sous ses paupières closes disparurent. Les battements de son propre cœur s'estompèrent. Puis, plus rien ne fut que l'essence de l'Élu d'Ishtar.

Manaïl existait, hors de lui-même, dans un néant d'une blancheur immaculée. Dans l'univers où le pentagramme l'avait fait entrer, rien n'était et tout était. La durée, la hauteur, la profondeur, la largeur s'entremêlaient pour former un ensemble. Une infinité d'univers étaient accessibles et tout était compréhensible. Une Vérité, une seule, existait, intelligence suprême, infinie et immanente, qui animait tout ce qui était dans l'univers ; qui *était* l'univers.

Soudain, une silhouette émergea du néant. D'abord un pied qui avançait vers lui, puis un torse, puis un visage. Maître Ashurat. Il souriait, dégageant une incomparable plénitude. Ses deux yeux étaient sains et sa face avait perdu ses rides. Il était jeune, comme lorsqu'il avait bravé les adorateurs de Nergal pour leur voler le talisman maudit.

— Maître ! s'écria le garçon, rempli de joie. Vous êtes vivant !

— On ne meurt jamais tout à fait, mon garçon, répondit le Mage d'Ishtar. Une parcelle de chacun de nous existe toujours quelque part. La mort est un *kan* comme un autre.

Le vieux potier tendit les mains à son apprenti, qui, constatant qu'il avait retrouvé son aspect humain, les saisit et les serra avec affection.

— Vois la fibre de la Création et fais-la tienne, dit Ashurat d'une voix douce.

L'esprit de l'Élu fut envahi par une infinité de filaments multicolores qui frétillaient gaiement dans tous les sens et qui l'enveloppèrent. Manaïl réalisa qu'il touchait à l'unité la plus fondamentale de l'univers. Chacun de ces filaments était une combinaison complexe de temps et d'espace, autonome mais irrémédiablement lié à tous les autres, à la fois cause et effet, dans la plus complète harmonie. Un moment existant de tout temps et pour l'éternité, parallèlement à une infinité d'autres. Un *kan*. Il se laissa envahir par sa connaissance nouvelle, qui passait par son être plutôt que par son intelligence, si parfaite dans sa simplicité. En riant, il les fit tournoyer devant lui, leur fit faire des pirouettes. Il les ordonna, les mit bout à bout, les sépara, les associa et les dissocia. Il les croisa, puis les défit.

— Le temps n'est pas linéaire, dit Ashurat en utilisant les mots exacts qu'il avait employés un soir, à Babylone. Il ne se déroule pas du passé vers le futur en un flot continu et régulier. Tout existe simultanément. Tout a déjà été, est et sera. Tu comprends, maintenant ?

Manaïl sourit. Jadis, son maître lui avait enseigné que les nombres étaient le langage sacré des dieux et que celui qui en comprenait l'essence avait le pouvoir de percer les secrets de l'univers. À l'époque, il était si jeune, si inexpérimenté. Mais maintenant, il comprenait ce qu'il avait voulu lui dire. Les nombres eux-mêmes n'étaient qu'une approximation ; une pâle représentation humaine qui exprimaient de manière incomplète l'essence de l'univers, à la fois très simple et infiniment complexe.

L'Élu d'Ishtar flottait parmi les filaments multicolores. Il se tenait au cœur du temps. Il *était* le temps, une parcelle de la Création et toute la Création à la fois. Il admirait le ballet gracieux des *kan* lorsqu'il nota que certains s'étaient arrêtés. Une silhouette se formait lentement. Curieux, le garçon concentra son attention sur le phénomène.

— Nous ne sommes pas seuls, l'avertit Ashurat, la voix tendue. Tu dois partir. Vite.

Au même moment, la silhouette se solidifia. Manaïl se raidit lorsqu'il la reconnut. Mathupolazzar. Le grand prêtre de Nergal se tenait à quelques toises de lui, dans la blancheur sans dimension, à travers les filaments. Les yeux écarquillés, il semblait aussi surpris de l'apercevoir que Manaïl l'était de voir se matérialiser devant lui son pire ennemi.

— Si tu comprends ceci, tu en sais assez, dit le potier avec empressement. Et souviens-toi : rien ne manque que la clé. Maintenant, pars.

Manaïl reconnut les phrases gravées sur la porte du temple des Anciens. Avant qu'il ne puisse s'enquérir de leur sens auprès de son maître retrouvé, Mathupolazzar s'élança dans sa direction, les mains tendues vers l'avant telles des serres d'aigle. Le grand prêtre fondit sur lui et lui serra la gorge.

— Donne-moi le dernier fragment, fils de hyène! vociféra le grand prêtre en postillonnant comme un dément.

Ashurat tenta de le libérer et tira de toutes ses forces sur les bras de Mathupolazzar. Sans relâcher son emprise, celui-ci plongea ses dents dans le bras du vieux potier et mordit avec rage. Comme une bête féroce, il hocha la tête d'un côté et de l'autre jusqu'à ce que la chair cède. Un sourire dément sur les lèvres, il recracha la bouchée de peau qu'il venait d'arracher. Ashurat hurla et devint diaphane. Il fut enveloppé par la blancheur qui était tout et rien à la fois.

— Retourne au temple! résonna sa voix lointaine avant qu'il ne disparaisse.

Manaïl résistait désespérément mais sentait la vie le quitter à mesure que sa gorge était écrasée. Le temple. Il y serait en sécurité. Au prix d'un immense effort, il se concentra. Bientôt, les filaments s'estompèrent autour de lui. La dernière chose dont il eut conscience fut le cri de frustration de Mathupolazzar qu'il emporta avec lui dans le noir.

✦

Pendant quelques minutes, les fidèles de Mathupolazzar attendirent dans un silence chargé d'anxiété. Le grand prêtre sembla émerger d'une nuit intérieure. Il ouvrit grand les yeux et inspira comme s'il avait été privé d'air jusqu'à la limite de ses forces. Tremblant, il les regarda, le visage pâle et en sueur malgré la fraîcheur qui régnait dans le tunnel souterrain.

— Venez, ordonna-t-il. Vite.

Mathupolazzar se leva et, vacillant sur ses jambes flageolantes, gravit la trentaine de marches de pierre pour retourner à l'extérieur, les Nergalii sur ses talons.

L'Élu avait découvert les Pouvoirs Interdits. Jamais il n'avait été aussi dangereux.

✦

Manaïl s'assit brusquement et prit une inspiration qui se transforma en râle. La bouche ouverte, les yeux écarquillés, il regardait tout autour, l'air hébété, mais ne semblait rien voir. Ses mains tremblantes trouvèrent le rebord du bassin, puis les épaules d'Ermeline. Il s'y accrocha désespérément. Ne sachant que faire, la gitane le prit dans ses bras et le blottit contre elle. L'anxiété faisant peu à peu place à une joie infinie, elle laissa les larmes glisser sur ses joues.

— Voilà, chuchota-t-elle en lui cajolant les cheveux. Voilà. C'est fini. Tu es de retour.

Après quelques instants, l'Élu retrouva l'usage de ses facultés. Ébranlé et affaibli, il s'arracha à l'étreinte de la gitane et se releva. Il s'habilla à toute vitesse. Lorsqu'il eut terminé, il passa dans sa ceinture la dague templière qu'Ermeline fut trop heureuse de lui rendre.

— Mathupolazzar, haleta-t-il. Il sait que… je suis ici. Nous… Nous devons partir… tout de suite.

— Partir ? Mais par où ? s'enquit la gitane en désignant la dalle de pierre qui les empêchait toujours de rebrousser chemin.

Un grondement sourd secoua alors le temple des Anciens. Il fut suivi du bruit assourdissant d'une partie d'un mur qui s'effondrait.

✦

Porté par l'angoisse, la folie meurtrière et l'énergie du désespoir, Mathupolazzar poussait ses forces bien au-delà de leur limite. Aux yeux de ses disciples, il semblait avoir retrouvé les jambes de sa jeunesse, bondissant avec frénésie par-dessus les obstacles et courant comme une gazelle à travers les arbres. Les trois Nergalii, essoufflés, peinaient à le suivre. La frénésie du grand prêtre était telle qu'aucun d'eux n'osait demander où ils se rendaient avec tant d'empressement. Ils avaient appris depuis longtemps que, pour leur maître, la vie d'un adorateur de Nergal n'avait d'autre valeur que son utilité dans la préparation du Nouvel Ordre.

— Plus vite, fils de chiennes ! hurla Mathupolazzar, ses longs cheveux gris flottant au vent. Il va bientôt sortir ! Plus vite !

Ils descendirent la montagne à un train d'enfer, évitant les arbres, les pierres et les racines, risquant à tout moment de chuter et de se casser le cou. Puis ils traversèrent la forêt sans jamais ralentir. En moins d'une heure, ils atteignirent la périphérie de Ville-Marie et s'affalèrent sur le sol, haletants et trempés de sueur.

— C'est ici, souffla Mathupolazzar. Il va sortir à cet endroit, mais dans un autre *kan*. Levez-vous ! ordonna Mathupolazzar. Il n'y a pas de temps à perdre !

À contrecœur, les Nergalii obéirent.

— Suivez-moi, dit le grand prêtre.

Un à un, les quatre hommes étendirent les bras, levèrent le visage vers le ciel, fermèrent les yeux et se concentrèrent. Autour du groupe, l'air se mit à vibrer en émettant un bourdonnement de plus en plus puissant.

Puis ils disparurent à l'unisson.

29

LA STRUCTURE DES *KAN*

Convaincus que le temple des Anciens s'écroulait et que leur dernière heure était arrivée, l'Élu et la gitane se réfugièrent de l'autre côté de la pièce, contre la porte de pierre, espérant que le solide linteau survivrait à l'effondrement et les protégerait. Toussant à s'en cracher les poumons, les yeux brûlants, ils furent étonnés, lorsque les tremblements cessèrent, de constater que la paroi circulaire était toujours debout. La poussière retomba peu à peu et l'air devint plus respirable.

— Cornebouc…, dit Ermeline. Regarde ça.

— On dirait bien que les Anciens avaient tout prévu, répondit Manaïl. Une fois encore…

Face à eux, seule une section du mur était tombée. Les briques de terre cuite laquées de blanc s'étaient détachées et gisaient pêle-mêle sur le sol, révélant une porte en bois. Dénuée de poignée, elle était identique aux six portes du temple du Temps.

Manaïl s'approcha avec prudence. La bague des Mages lui avait toujours permis d'ouvrir ces portes. N'ayant aucune raison de croire qu'il en irait autrement dans un autre temple construit par les Anciens, il tendit son joyau vers le bois massif et fut soulagé en apercevant le pentagramme se former sur la pierre noire. Une lumière bleue et froide apparut sur le bois, puis un symbole s'y matérialisa. Le même dont La Centaine et Toussaint étaient tatoués, et qui figurait aussi sur la porte de la Chambre du Milieu.

L'explication lui apparut évidente. Les Anciens avaient prévu dans quel *kan* il devait poursuivre sa quête. Encouragé, il poussa la porte, mais elle ne s'ouvrit pas. Perplexe, il la poussa de nouveau, plus fort, sans plus d'effet.

— La belle affaire. Elle est coincée..., remarqua la gitane, déçue.

— Je le vois bien, lâcha l'Élu avec impatience. Il doit y avoir une explication. Les

Anciens n'auraient pas installé une porte là juste pour le plaisir.

Le garçon posa les mains à plat sur la surface de bois et les fit glisser, à la recherche d'un quelconque mécanisme, inspectant le joint entre la porte et la paroi, mais ne découvrit rien. Il soupira, en proie au désespoir. S'ils existaient encore quelque part, les Anciens devaient bien s'amuser de le voir planté ainsi devant cette porte. Il retira ses mains en se demandant à quoi servait la vision qu'il avait eue lors de son immersion dans le pentagramme si c'était pour rester coincé dans la pièce. À quoi bon comprendre l'essence des filaments du temps si ce savoir demeurait stérile ?

À cette pensée, le monde s'éclipsa autour de lui. Devant ses yeux, sans prévenir, les filaments multicolores réapparurent et remplacèrent la réalité. Ils l'entouraient, dansant, frétillant et virevoltant en un ballet en apparence aléatoire au sein duquel régnait un ordre qui tenait plus de l'instinct que de la raison. Les *kan*.

Le temps n'avait plus d'importance. Il n'aurait pu dire s'il se trouvait parmi les filaments depuis une seconde ou une heure. Il les observait avec curiosité, écartant mentalement ceux qui ne présentaient aucun intérêt sans qu'il eût pu expliquer pourquoi. L'un d'eux retint son attention. Il était incolore, à peine visible au milieu des autres. Il l'attrapa au passage pour l'examiner de plus près. Le *kan* frétilla un peu, puis se tint tranquille, comme un oiseau apprivoisé. Manaïl le reconnut et sourit. C'était celui où il se trouvait avec Ermeline — le refuge que les Anciens avaient aménagé pour l'Élu et qu'on avait consacré à Ishtar, anonyme sous le voile de la Vierge Marie.

Une voix pénétra l'univers parallèle où les Pouvoirs Interdits l'avaient emmené. Elle semblait provenir de très loin.

— Martin ? s'enquit la gitane. Martin ? Qu'est-ce que tu as ? Qu'est-ce que tu regardes comme ça ? Pourquoi tu ne bouges pas ? Martin ?

Il sentit qu'on l'agrippait par un bras et qu'on le secouait. Les filaments perdirent un peu de leur substance.

— Martin ! retentit la voix de la gitane, beaucoup plus insistante. Réveille-toi, Cornebouc ! On t'a maléficié !

De très loin, on le secoua à nouveau. Il regarda le filament qu'il tenait entre le pouce et l'index. C'était dans cette chose fragile qu'Ermeline et lui vivaient et respiraient. Ils pouvaient aussi y mourir. Il regarda les autres filaments se tortiller devant ses yeux. Il reconnut le *kan* de Babylone. Et là, ceux de Jérusalem, de Paris et de Londres. Dans chacun d'eux, il avait existé. Une parcelle de lui-même s'y trouvait-elle toujours ? Il l'ignorait.

Tout à coup, le *kan* de Londres se mit à danser joyeusement, s'approcha de celui qu'il tenait, devint raide comme une épée et s'y appuya pour former un « T ». Puis, ceux de Babylone et de Jérusalem se rejoignirent et en firent autant, imités presque aussitôt par le *kan* de Paris et celui d'Éridou. D'instinct, il laissa le *kan* de Ville-Marie s'envoler. Les trois « T » se touchèrent pour former un triple « T ».

L'Élu sourit en constatant la simplicité du message. Ce symbole, qu'il avait croisé à plusieurs reprises depuis son arrivée dans ce qu'on appelait le « Nouveau Monde », représentait les six *kan* où il était entré. Les cinq premiers étaient irrémédiablement liés à celui de Ville-Marie. *Si tu comprends ceci, tu en sais assez*, résonna la voix de maître Ashurat. *Rien ne manque que la clé.*

Il concentra son attention sur une portion plus brillante du *kan* de Ville-Marie. Au même instant, il était de retour auprès d'Ermeline, dans le temple des Anciens.

— Te revoilà ! s'écria-t-elle, le visage ravagé par l'inquiétude. Tu es resté planté devant la porte, un sourire niais sur le visage, à tripoter quelque chose d'invisible avec tes doigts ! Je croyais que tu avais perdu l'esprit. Tout va bien ?

— Comme tu vois, répondit-il en désignant la porte.

Sur la surface de bois, le triple « T » scintillait maintenant d'une lumière orangée. Il poussa la porte, qui s'ouvrit en grinçant.

Derrière elle, les *kan* défilaient à une vitesse vertigineuse devant leurs yeux, mille fois plus vite que lorsqu'ils s'étaient apprêtés à entrer dans celui de Londres. Les images se succédaient dans une telle agitation qu'il leur était impossible d'en saisir les détails. Tout n'était qu'ombres et taches colorées, impression de profondeur et odeurs fugitives.

— Cornebouc…, murmura Ermeline. Qu'est-ce qui se passe encore ?

— Je n'en suis pas certain, rétorqua l'Élu, interdit. On dirait que… que la porte cherche le bon *kan*.

Comme si les Anciens avaient voulu lui donner raison, les images ralentirent. Peu à peu, elles défilèrent assez lentement pour que des scènes deviennent perceptibles. Certaines d'entre elles étaient familières et suscitèrent chez les deux observateurs une certaine nostalgie. Les rues de Paris à une époque proche de celle d'Ermeline... Les sables du désert égyptien, où s'élevaient des pyramides monumentales qui rappelaient les temples de Babylone... Des villes parsemées de clochers d'églises... D'autres scènes étaient parfaitement étrangères. Des cités bruyantes au mouvement étourdissant, colorées et gracieuses, où circulaient des hommes et des femmes à la peau jaune et aux yeux mystérieux... Un navire à l'équipage de colosses blonds et barbus qui affrontait une mer déchaînée... Des légions de soldats portant l'armure, le bouclier et le glaive, s'avançant vers l'ennemi... Un étrange véhicule posé dans un paysage dénudé et gris avec, à l'horizon, un astre bleu qui ne ressemblait pas à la lune et un homme qui, vêtu d'un costume blanc et la tête enfermée dans un drôle de casque rond et reluisant, faisait de grands bonds dans les airs...

Les images cessèrent bientôt et un couloir se matérialisa lentement, sa substance semblant être tirée du néant. La solidité des parois fluctua à quelques reprises et parut se stabiliser.

Le couloir était identique à ceux sur lesquels s'était ouverte chacune des portes du temple du Temps. Les parois étaient éclairées par la lumière blafarde des quelques torches qui s'y trouvaient enfoncées. La pierre suintait et il y régnait une humidité froide et oppressante.

Manaïl sourit. Il comprenait, maintenant, que ces corridors étaient la représentation matérielle de la traversée du temps. Chaque pas équivalait à des minutes, des années, des siècles, des millénaires ou à l'infini. Les Anciens, dans leur grande sagesse, avaient jugé plus sûr de donner une substance à ce qui n'en avait pas.

Il franchit le seuil et invita Ermeline à le suivre. Elle pesta un peu avant de lui emboîter le pas. Il referma la porte, qui émit un petit déclic, puis tendit ensuite la main à la gitane, qui la prit.

— Où allons-nous, cette fois ?

— Je ne sais pas. On verra bien.

Ensemble, ils se mirent en marche. Pas très loin de là, l'extrémité du corridor était visible.

— Regarde ça, dit la gitane, perplexe, en la désignant.

Manaïl aperçut lui aussi une autre porte sur le mur du fond. Elle n'était pas rectangulaire, comme toutes les autres, mais ronde et à peine assez grande pour laisser le passage à un homme de taille moyenne. Ils étaient à mi-chemin lorsqu'une voix familière retentit derrière eux et se répercuta, sinistre, sur les parois de pierre.

— C'est lui ! Il est là ! Saisissez-le !

30

LA SÉPARATION

Au son de la voix, Manaïl pivota sur lui-même en dégainant la dague, mais la surprise le paralysa. Devant lui, au milieu du couloir, se tenait à nouveau Mathupolazzar, en personne cette fois. Sa chevelure ébouriffée couvrait en partie son visage d'une pâleur de mort et ruisselant de sueur. Dans le regard du grand prêtre, le garçon vit scintiller une haine si intense et primaire qu'elle allait bien au-delà de l'opposition fondamentale entre Nergal et Ishtar. Cette haine était personnelle : Mathupolazzar souhaitait le tuer au moins autant qu'il désirait l'avènement du Nouvel Ordre. Ce désir, né de l'humiliation qu'il avait subie dans le temple de Nergal devant tous ses fidèles, alors qu'il avait dû supplier piteusement Manaïl de lui laisser la vie, n'avait depuis lors cessé de le tarauder.

Le grand prêtre de Nergal précédait trois hommes qui fixaient le garçon avec intensité,

tendus comme des fauves prêts à bondir.
Chacun d'eux pointait vers lui un long fusil.

— Attrapez-le ! hurla Mathupolazzar d'une
voix éraillée par l'épuisement. Ne le tuez pas !
Prenez-le vivant !

Manaïl saisit Ermeline par la main et l'entraîna à toute vitesse vers la porte, à l'autre
extrémité du couloir, espérant l'atteindre
avant que les Nergalii ne les rattrapent. Au
même moment, deux détonations retentirent
et résonnèrent de manière assourdissante
dans l'espace clos. À la hauteur de ses genoux,
des éclats de pierre volèrent dans toutes les
directions, lui confirmant que, si les Nergalii
ne cherchaient pas à le tuer mais à le prendre
vivant, rien ne leur interdisait de le blesser,
tant qu'ils pourraient lui arracher le secret
du dernier fragment. S'il tombait entre leurs
mains, il ne leur faudrait pas beaucoup de
temps pour découvrir que l'objet était tout
bonnement incrusté dans la marque des
Ténèbres, comme il se devait. Mais il y avait
aussi Ermeline. Elle n'était d'aucune utilité
aux Nergalii et ils n'hésiteraient pas à l'assassiner froidement. Manaïl devait la protéger.

— Saisissez-vous de lui ! criait le grand
prêtre. Ne le laissez pas s'échapper !

Un autre coup de feu éclata. Presque simultanément, le garçon sentit une douleur brûlante lui déchirer le mollet gauche. Il trébucha

presque, mais parvint à rester debout et poursuivit sa course en claudiquant, une grimace de souffrance sur le visage. La blessure n'avait pas d'importance. Il devait à tout prix atteindre la sécurité du *kan* désigné par les Anciens. Une fois qu'il y serait entré, la marque de YHWH s'occuperait de sa blessure. Seuls importaient le fragment et Ermeline. Les deux devaient être préservés coûte que coûte.

Des pas retentirent derrière eux, mais il était trop tard. L'Élu et la gitane avaient déjà atteint la fin du couloir. Sans ralentir sa course, Manaïl percuta violemment la porte ronde avec son épaule et l'ouvrit avec fracas. Au même moment, il entendit un petit couinement mêlé de surprise et de douleur. La main d'Ermeline lâcha la sienne. Il se retourna et aperçut la gitane qui se débattait comme une furie, cherchant à échapper à l'emprise de deux des Nergalii qui l'avaient saisie. L'un d'eux l'empoignait par la taille et tentait de la ramener vers l'arrière alors que l'autre essayait vainement de la contenir en lui tirant les cheveux.

D'un geste vif, Manaïl saisit l'avant-bras de la gitane de sa main libre et la tira vers lui. Le deuxième Nergali lui asséna plusieurs coups de poing au visage, mais, malgré les étoiles qui scintillaient devant ses yeux, il refusa de lâcher prise. Il répliqua par trois puissants coups avec le pommeau de sa dague, qui fendirent la lèvre supérieure de son adversaire, puis lui administra un solide coup de pied en plein ventre qui le fit atterrir sur les fesses, le souffle court, une poignée de cheveux noirs dans une main. Avant qu'il ne puisse se retourner, Manaïl reçut un violent coup de poing derrière l'oreille et se retrouva sur les genoux, sonné.

L'autre ravisseur entraîna Ermeline vers le fond du couloir, où le rejoignit son collègue, plié en deux et cherchant son souffle. La gitane luttait toujours et jurait comme une possédée, mais n'arrivait pas à se dépêtrer de sa fâcheuse position.

— Bougre de bric[1] ! hurla-t-elle en s'agitant de toutes ses forces, les cheveux dans le visage et les yeux remplis de feu. Merdaille ! Fumier ! Châtron ! Tu vas me lâcher, oui ? Bâtard ! Fils de puterelle !

Mathupolazzar et le troisième Nergali surgirent derrière eux. Dans l'esprit de Manaïl, le visage du grand prêtre de Nergal, tordu par la haine et la folie, occupa toute la place. Cet être cruel, sans scrupules et lâche voulait s'emparer d'Ermeline. De *son* Ermeline. Ishtar seule savait ce que ce monstre lui ferait subir s'il y parvenait.

---

1. Coquin.

— Non…, murmura-t-il pour lui-même, abasourdi. Non.

Il se releva. Un rictus de rancœur sur les lèvres, il fit tournoyer la dague dans les airs, la rattrapa par la pointe et la ramena vers l'arrière, par-dessus son épaule.

— Non! cracha-t-il, les dents serrées par la colère. Lâche-la, sale porc!

D'un petit geste sec du poignet, il lança la dague. L'arme avait été parfaitement équilibrée, jadis, par un maître armurier au service des Templiers. En sifflant, elle fendit l'air, se dirigeant directement vers Mathupolazzar. Au même moment, Ermeline, qui se débattait toujours furieusement, frappa l'arrière de la jambe du grand prêtre. Ce dernier plia involontairement le genou et perdit l'équilibre. Au lieu d'atteindre son front, le projectile lui fendit profondément l'épaule et se planta dans l'œil du Nergali qui se trouvait derrière lui. L'homme s'écroula sur le sol de pierre, fut secoué par quelques frémissements, puis retomba, inerte.

Armé de sa seule colère, Manaïl fonça dans le corridor pour voler au secours de la gitane. Il enjamba le Nergali mort et, sans lui accorder la moindre attention, contourna Mathupolazzar, qui geignait misérablement, terrifié par la mort qui était passée si près. Il empoigna le col de chemise d'un des deux hommes qui retenaient Ermeline, le tira vers lui et lui flanqua un solide coup de tête. Il sentit le nez de son adversaire s'écraser sous son front. Lorsqu'il rouvrit les yeux, l'homme se tordait de douleur, les deux mains sur son nez réduit en bouillie, le bas du visage ensanglanté.

Manaïl voyait rouge et son champ de vision n'était plus qu'un étroit tunnel de haine au milieu duquel se trouvait le dernier Nergali encore debout. À travers ses longs cheveux, à la hauteur de la lèvre écarlate et boursouflée, un anneau d'argent pendait à chacune de ses oreilles. Il tenta de l'attraper et y parvint presque, mais ce dernier se réfugia derrière la gitane, qu'il utilisa comme bouclier en lui plaçant son couteau sur la gorge.

— Encore un pas et je l'égorge comme une truie, menaça-t-il.

Soufflant comme un taureau en colère, Manaïl s'arrêta.

— Laisse-la, ordonna-t-il d'une voix caverneuse.

— Martin ! Attention ! s'écria Ermeline. Derrière toi !

Avant que Manaïl ne puisse réagir, deux mains se fermèrent sur sa gorge et serrèrent. L'air cessa de pénétrer dans ses poumons. Il enfonça son coude dans le ventre de l'homme au nez déformé, qui s'affala sur le sol.

— Martin ! hurla Ermeline.

Manaïl se retourna brusquement. Le Nergali à la lèvre fendue, Ermeline et Mathupolazzar semblaient se dissoudre dans l'air. Leur substance se mêlait à la pierre froide et humide qui se trouvait derrière eux. Et le grand prêtre souriait. Incrédule, l'Élu hésita puis comprit. Les Nergalii quittaient le couloir.

Profitant de sa stupeur, le Nergali au nez en bouillie se releva et courut rejoindre son maître. Manaïl s'élança, la main tendue vers l'avant pour les retenir. Mathupolazzar, ses deux disciples et Ermeline disparurent au moment même où ses doigts se refermaient sur quelque chose.

— Noooooooon ! Ermeline !

Le garçon se laissa lourdement tomber à genoux. Incrédule, les mains tremblantes, à bout de souffle, il s'appuya le front contre la paroi froide, là où Ermeline venait de cesser d'être. La panique lui serrait la gorge et il sentit des larmes monter à ses yeux. Il avait l'impression qu'on venait de lui arracher un membre et se sentait sans force. Où Mathupolazzar l'avait-il emportée ? Dans quel *kan* ? Qu'allait-on lui faire ? Il ravala son sanglot puis, de colère et de désespoir, frappa la paroi de pierre de son poing à plusieurs reprises.

Découragé, il se laissa glisser contre la paroi et s'assit, ouvrit la main et y trouva un des anneaux d'argent. Il l'avait sans doute arraché de l'oreille du Nergali pendant qu'il disparaissait. Il secoua la tête de plus en plus violemment, incapable d'accepter la réalité. Ermeline avait disparu. Elle pouvait être n'importe où. N'importe quand. La tête se mit à lui tourner et une froide angoisse l'envahit jusqu'au creux des os et le fit frissonner. À la lumière des torches éternelles, il examina avec un sinistre détachement la blessure à son mollet. La balle avait traversé de part en part la chair et le muscle, ouvrant un passage sanglant. La jambe souillée de son pantalon révélait qu'il avait perdu beaucoup de sang, mais, déjà, l'hémorragie semblait avoir diminué. La douleur était atroce, mais il la ressentait à peine. Elle n'était rien en comparaison de celle d'avoir perdu Ermeline. Distraitement, il posa la marque de YHWH sur sa jambe. En peu de temps, la chair se referma sans qu'il en éprouve la moindre satisfaction. Le garçon aurait préféré donner sa vie que de savoir la gitane égarée quelque part, avec les Nergalii et leur grand prêtre pour seule compagnie. Il devait la retrouver, et vite. Déjà, Ishtar seule savait combien de temps s'était écoulé dans le *kan* où on l'avait emmenée. Quelles tortures avait-elle déjà subies ? Sans elle, ni sa quête ni sa vie n'avaient de sens.

Aussitôt qu'il se sentit un peu mieux, il se concentra de toutes ses forces, invoquant à la fois Ishtar et les Anciens. Après quelques instants d'incertitude, les filaments se matérialisèrent devant lui, multicolores et plus brillants que le jour. Il les observa, en tentant de conserver son calme. Lequel choisir ? Comment découvrir dans quel *kan* se trouvait Ermeline ? Où trouver une piste ? Tous ces filaments... Tant de possibilités... Tout existait en même temps. Tous les passés, tous les présents, tous les avenirs. Comment savoir lequel était le bon ? Ermeline était perdue dans l'infini. Les pensées de Manaïl défilaient dans son esprit à la vitesse de l'éclair. Il pouvait sentir avec une exactitude raisonnable le moment que représentait chacun des filaments multicolores qui l'entouraient. Il était à même de saisir instinctivement les séquences qui avaient produit chacun des *kan*. Mais pas davantage. Il lui était impossible de toucher, même de loin, les innombrables objets et les individus qui composaient chacune des variantes potentielles du temps. Et pourquoi en aurait-il été autrement ? Aucun esprit humain n'était assez puissant pour accomplir un exploit semblable. Le temps était trop complexe pour qu'il fût possible à qui que ce soit d'isoler une personne, un moment précis ou même un simple objet dans la myriade des permutations. Seuls les dieux, dans leur toute-puissance, y parvenaient, et encore. Ishtar Elle-même ne semblait pas y arriver. Sinon, combien d'écueils et d'obstacles aurait-Elle pu lui éviter ? Évidemment, les Anciens avaient maîtrisé cet art. Mais ils n'étaient plus depuis longtemps. Les Nergalii eux-mêmes, pourtant maîtres des Pouvoirs Interdits, en étaient incapables. Autrement, ils auraient retrouvé sans effort les fragments du talisman de Nergal au lieu de déléguer des émissaires au hasard dans les *kan*. Ils l'auraient aussi repéré, lui, l'Élu, et auraient eu tout loisir de l'assassiner au berceau ou dans les rues de Babylone, alors qu'il ignorait encore tout d'eux et de sa quête. Mais ils ne l'avaient pas fait et cela confirmait que leur pouvoir, si grand fût-il, avait des limites.

L'Élu eut beau examiner minutieusement tous les filaments qui se contorsionnaient, il ne découvrit aucun indice qui puisse lui indiquer où se trouvait la gitane. Et sans indice, il ne savait par où commencer. Aussi bien chercher une pièce d'or dans les montagnes d'immondices accumulées hors des murailles de Jérusalem… Il y passerait sa vie sans jamais retrouver Ermeline. Il avait découvert le moyen de traverser le temps, mais il restait un aveugle qui tâtonnait parmi les filaments. Si seulement il avait eu une idée, même vague, de l'époque dans laquelle on l'avait emmenée... Mais il n'en savait rien.

Abattu, vaincu, il cessa ses efforts et se remit sur pied. À mesure que sa concentration se relâchait, les filaments s'évaporèrent. Sans y penser, il fourra l'anneau d'argent dans la poche de son pantalon. Il ne pouvait pas rester éternellement dans ce couloir, entre deux *kan*. En boitillant encore un peu, il se dirigea vers la sortie, la mort dans l'âme. La panique qui avait étouffé son cœur laissait peu à peu place au froid et à l'abandon. Jamais il ne s'était senti aussi vide. Son corps était affaibli par la perte de sang et son âme, par celle de la gitane. Il soupira, terriblement las. Cette quête lui coûtait trop cher. Il avait perdu tous ceux qu'il avait eu l'imprudence d'aimer ou même de respecter. Et quoi qu'il advienne, il se retrouvait toujours seul. Il frissonna et ravala un haut-le-cœur en songeant à la pauvre Ermeline, seule et sans défense, qui subissait sans doute, en ce moment même, quelque part dans un autre *kan*, des tortures aux mains expertes et cruelles de Mathupolazzar.

Ses mâchoires se serrèrent. Il ne devait pas céder au découragement. Il était l'Élu d'Ishtar. Il possédait un pouvoir à nul autre pareil ; un pouvoir qui ferait l'envie de quiconque. Sans doute, il saurait maintenant sauter par lui-même dans un autre *kan*. Il en avait la conviction. Il avait survécu aux pires dangers et aux ennemis les plus terribles. Il pouvait vaincre la maladie et la mort, et semblait avoir plus de vies qu'un chat. Il avait été béni par Ishtar, qui l'avait accompagné de son mieux. Mais cette bénédiction était un cadeau empoisonné. Elle ne se partageait pas. Au contraire, tous ceux qui choisissaient de le suivre en subissaient les contrecoups.

Les Pouvoirs Interdits sont capricieux, Élu. Tu dois les dominer entièrement. Si tu réussis, Ermeline aura la vie sauve et la destruction du talisman sera à ta portée. Si tu échoues, elle mourra et, sans elle, ton avenir n'est que ténèbres, avait dit la déesse. Voilà. Le sort en était jeté. Il avait eu sa chance et il avait lamentablement échoué. Ermeline avait été emportée sous ses yeux et il n'avait pas pu l'empêcher. Il ne l'avait ramenée à la vie que pour la perdre de nouveau, songea-t-il avec amertume. Pour toujours.

Il enjamba l'ouverture circulaire au bout du couloir, entra dans le *kan* et referma la porte derrière lui. Dans le jour qui s'achevait, il aperçut, un peu plus loin, une foule de silhouettes serrées les unes contre les autres devant lui, qui lui tournaient le dos. L'attention de la multitude était attirée par une petite estrade de bois illuminée sur laquelle un homme s'agitait et gesticulait devant une grande tenture sombre en haranguant la foule attentive. Personne ne semblait avoir remarqué l'arrivée inhabituelle du garçon, sorti de nulle part.

— Approchez, mesdames et messieurs! Approchez! criait l'homme. Venez voir Modeste Mailhot, le fameux géant canadien! Le plus gros homme du monde, admiré pour sa masse hors du commun partout en Europe et en Amérique! Approchez! Approchez! Venez vous ébahir devant ses six cent dix-neuf livres, ses six pieds quatre pouces et son tour de taille de sept pieds[1]! Le géant Mailhot est l'homme le plus gros de l'univers! Chacune de ses cuisses fait trois pieds dix pouces[2] de circonférence! Une *LUSUS NATURÆ*[3] unique au monde! Une véritable montagne humaine! Admirez-le pour seulement trente sous, moitié prix pour les enfants! Approchez, mesdames et messieurs! Approchez!

Épuisé et découragé, Manaïl examina presque sans le voir l'endroit d'où il avait émergé. Près de lui se dressait une petite tour de pierre, carrée à la base, puis circulaire par la suite. Elle était haute de quelques toises et

---

1. 281 kilos, 1,93 mètre et 2 mètres.
2. 1,1 mètre.
3. Erreur de la nature.

une statue semblait trôner à son sommet, dissimulée par la pénombre. Sur la base, on avait sculpté une scène de bataille navale dans un cercle de pierre où s'était matérialisée la porte ronde. Le seul lien qui lui restait avec Ermeline, si ténu fût-il...

L'Élu se laissa lentement glisser le long du monument, appuya l'arrière de sa tête contre la pierre froide et ferma les yeux, cherchant désespérément un moyen de retrouver la gitane. Mais aucun ne lui vint. Affaibli, découragé, habité par un vide indescriptible et rongé par l'échec, il finit par s'endormir malgré lui, indifférent aux « Oooohhh! », aux « Ahhhh! », aux « Bravo! » et aux applaudissements de la foule autour de lui.

◆

— *Martin! Mark! Michel!*

Ermeline hurlait ainsi depuis des heures. De temps à autre, ses cris étaient remplacés par des gémissements de douleur. Puis ils reprenaient de plus belle. Au début, Manaïl avait tenté de la secourir, mais il n'y était pas arrivé. La voix semblait provenir de partout et de nulle part. De tout près et du fond de l'univers. Elle l'assaillait de tous les côtés à la fois et il avait fini par se recroqueviller sur le sol, haletant d'angoisse.

Maintenant, il était assis dans le noir, les genoux remontés contre la poitrine, geignant d'impuissance. Ses mains étaient plaquées sur ses oreilles pour étouffer les cris de sa compagne, mais cela ne servait à rien. Les appels au secours pénétraient directement dans son crâne et y ricochaient à l'infini. Encore un peu et il en perdrait la raison.

— Martin ! Mark ! Michel !

Il ne se rendait pas compte qu'il pleurait. Si Ermeline avait été là, près de lui, il n'aurait pas eu si peur. Avec elle, il se sentait toujours plus courageux. Mais elle avait disparu. Pour toujours. Seuls restaient ses hurlements déchirants, témoins de sa souffrance et de sa mort.

— Secoue-toi, Élu ! dit une voix autoritaire près de lui.

Il sursauta et écarquilla les yeux sans rien voir.

— Déesse ? C'est vous ? demanda-t-il.

— Je ne t'ai pas choisi entre tous pour te regarder pâtir de peur dans le noir, Manaïl de Babylone ! cracha Ishtar, la voix tremblante d'une colère qu'elle parvenait mal à contenir. Lève-toi !

— Non ! rétorqua le garçon d'un ton hargneux. Je reste ici. J'abandonne ! Si vous vouliez que je poursuive votre maudite quête, vous n'aviez qu'à protéger Ermeline. Le Nouvel

Ordre peut bien arriver. Ce ne sera pas pire qu'être seul. Tenez. Je vais même donner moi-même le dernier fragment aux Nergalii. Ça leur évitera du travail!

Manaïl ouvrit sa chemise et se mit à déchirer la chair de sa poitrine avec ses ongles. Bientôt, le sang coula et il enfonça ses doigts dans la cicatrice en forme de pentagramme, à la recherche du fragment. Un violent coup de pied sur les jambes l'interrompit.

— Cesse tes enfantillages et lève-toi! gronda Ishtar. Mon Élu est un homme, pas un petit garçon pleurnichard. Debout!

— Non!

— Debout!

— Non!

— Drôle de place pour passer la nuit, mon jeune...

Il sentit qu'on lui agrippait la jambe.

LE GÉANT

Montréal, en l'an de Dieu 1842

Perdu au fond du lourd sommeil dont il émergeait avec difficulté, Manaïl sentit qu'on lui tapotait une jambe.

— Drôle de place pour passer la nuit, mon jeune! l'interpella une grosse voix près de lui.

Le garçon ouvrit les yeux, désorienté. Il faisait nuit, mais la lune s'était levée et éclairait la place que la foule avait désertée. Toujours appuyé contre la colonne de pierre, il était seul avec l'individu qui venait de le réveiller. Il secoua la tête, le toisa et crut qu'il rêvait encore. Trop stupéfait, trop triste aussi, pour même songer à se défendre, il se frotta les yeux et regarda une autre fois. L'homme était toujours là, tout à fait réel.

L'inconnu qui se tenait devant lui n'était rien de moins qu'une montagne humaine.

En comparaison, des colosses comme Pylus, le frère Enguerrand et Toussaint Perrault semblaient presque des enfants. Il était à peine plus grand que le commandeur, mais trois fois plus gros. Son ventre était énorme et chacune de ses cuisses avait le diamètre d'un tronc d'arbre. Son pantalon, d'un blanc immaculé, et sa veste noire qui laissait traîner deux pans de tissu à l'arrière auraient pu facilement accueillir quatre hommes. Le col de sa chemise, entourée de tissu fin, était assez grand pour encercler la taille de Manaïl. D'une main énorme et potelée, qui rappelait celle d'un bébé bien gras mais gigantesque, il s'appuyait sur une canne qui aurait pu servir de patte à une table de bonne dimension. Son visage, joufflu et rond comme la pleine lune, était décoré de gros favoris qui lui couvraient les joues et d'une moustache frisée. Perdus dans une mer de graisse, ses petits yeux pétillaient d'amusement et, malgré son extrême prudence, Manaïl ne pouvait y lire aucune malfaisance.

L'homme porta la main au rebord de son chapeau haut-de-forme noir et le souleva légèrement en inclinant la tête avec une élégance un peu ridicule chez quelqu'un d'aussi corpulent, découvrant un crâne complètement dégarni sur le dessus.

— Modeste Mailhot, à ton service, mon jeune, déclara-t-il d'une voix puissante mais douce. Comment tu t'appelles ?

— Michel… Michel Delisle, répondit le garçon sans enthousiasme.

Mailhot se pencha et lui tendit la main. Manaïl se projeta aussitôt sur le côté, prêt à se défendre.

— Eille ! Voyons donc, mon p'tit gars ! s'exclama l'homme en rigolant. Chu p't'être gros, mais chu pas méchant. Ma mére a toujours dit que son p'tit Modeste ferait pas de mal à une mouche sauf si y s'assoyait dessus sans faire exprès !

L'homme rit de sa propre blague, les mains sur son ventre qui rebondissait allégrement.

— Coudon, t'allais-tu passer la nuit icitte, toé, là ? Me semble que t'es ben jeune pour dormir à la belle étoile. Hmmmm… Tu te serais pas sauvé de chez vous, des fois ?

— Si on veut, oui…, répondit Manaïl avec prudence.

Le géant toisa son pantalon taché de sang.

— Pis tu t'es fait mal, en plus ! s'exclama-t-il. R'garde-moé ça ! Tu vas pas passer la nuit dehors emmanché de même ? Tu vas pogner la mort ! Viens donc avec moi. J'habite à l'hôtel Rasco, pas loin d'icitte. On va te soigner ça pis te donner un p'tit quelque chose à manger.

Après, on va te laisser te reposer. Il y a un lit de trop dans notre chambre. J'suis sûr que personne va se plaindre si tu dors dedans.

— Non merci. Je préfère rester ici, répliqua Manaïl, à la fois méfiant et réticent à quitter la porte qui menait à l'autre *kan*.

— Pour quoi faire ? T'attends-tu le Messie ? En pleine nuit, moé, j'pense pas qu'y va se montrer le nez ! Y dort comme tout l'monde, le p'tit Jésus ! Envoye, viens ! insista le géant en lui tendant à nouveau la main. La nuit est déjà pas mal avancée. Tu pourras toujours revenir demain si tu l'aimes à ce point-là, la colonne Nelson !

Manaïl posa sur l'énorme étranger un regard las et abattu. Pourquoi ne pas le suivre ? Il était seul et ignorait ce qu'il faisait dans ce *kan*, sinon que sa présence y avait été souhaitée par les Anciens. Il avait perdu quatre des fragments du talisman et ne pouvait pas imaginer comment il arriverait un jour à les récupérer. Il avait faim, il était épuisé et il ne pouvait plus rien faire pour Ermeline. Peut-être qu'après un peu de repos, il y verrait plus clair.

Il haussa les épaules avec indifférence et mit sa main gauche dans l'immense patte de Modeste Mailhot. Le géant le tira vers lui et le remit sur pied sans effort apparent. Puis, l'air perplexe, il retint un instant la main dans la sienne en toisant les membranes qui en liaient les phalanges.

— Ben coudon, t'es mal emmanché, toé aussi, on dirait, constata-t-il, une moue compatissante sur les lèvres. Moins pire que moé, mais pas normal pareil… Tu préfères vivre la nuit, toé aussi, hein ? Moé, c'est pareil. Le jour, les gens payent pour me regarder comme un animal pis rire de moé. La nuit, au moins, le monde me voit pas pis j'ai quasiment l'impression d'être comme eux autres.

Ne sachant que répondre, Manaïl resta silencieux. L'homme soupira.

— Faut prendre c'que l'bon Dieu nous donne pis faire avec, hein ? reprit-il en haussant les épaules avec résignation. Moé, chu gros pis poilu comme un ours. Toé, t'as une main de grenouille. Viens avec moé. J'vas peut-être pouvoir te faire gagner un peu d'argent. Même infirme, on vit pas d'amour pis d'eau fraîche. Y faut ben manger.

Le géant posa doucement sa grosse patte lourde et velue sur l'épaule de Manaïl et l'entraîna avec lui. La bonté naturelle du mastodonte lui réchauffa le cœur et atténua quelque peu son sentiment d'impuissance et d'échec.

— Monsieur ? demanda-t-il au géant.

— Mailhot, mon jeune ! Monsieur Mailhot. Mais tu peux m'appeler Modeste. Pis moé, j'vas t'appeler Michel.

— Euh... Sommes-nous à Ville-Marie ?

— Ville-Marie ? s'exclama Mailhot, étonné. Ben... Montréal s'appelle pus comme ça depuis longtemps, mais je suppose que oui. T'as des drôles de questions, toé !

— Euh... Et en quelle année sommes-nous ?

— En 1842, voyons ! Coudon, t'as-tu reçu un coup sur la caboche ou quoi ?

— Plusieurs..., soupira Manaïl.

— Le monde a pas été ben fin avec toé, hein ? sympathisa le géant. Cré-moé, je sais ce que ça fait.

L'an 1842... Ce n'était pas si loin de 1665. Même pas deux siècles. Pourquoi le couloir s'était-il ouvert sur ce *kan* ? Il devait y avoir une raison, mais laquelle ? Abattu, Manaïl n'avait plus la force de chercher des explications. Mais au contact du sympathique géant, il sentait faiblir un peu la résignation qui l'avait envahi. Peut-être existait-il quelque espoir de retrouver Ermeline et de poursuivre la quête ?

Dans le noir, le géant Mailhot le guida à travers les rues de Montréal jusqu'au petit hôtel où il logeait en compagnie de son gérant et des autres phénomènes de foire qui allaient ensemble de ville en ville. Une fois sur place, ils passèrent devant un comptoir abandonné semblable à celui qu'il avait vu, à l'auberge, dans le *kan* de Londres. Ils montèrent un escalier qui protesta énergiquement sous le poids du colosse et aboutirent dans une chambre d'où montait un concert de ronflements. Le géant alluma une lampe à huile et en réduisit l'intensité de manière à ce qu'elle n'éclaire qu'un tout petit peu la pièce. Manaïl y vit quatre lits dont trois seulement étaient occupés.

— Tiens. Dors, mon p'tit gars. Demain, on verra ben ce qu'on peut faire avec toé, chuchota Mailhot en lui désignant le lit du coin. Pis fais-toé z'en pas trop, hein ? La misère paraît toujours pire la nuit.

Le garçon était si épuisé qu'il s'endormit presque immédiatement en se demandant toujours ce que pouvait bien signifier le fait qu'il se trouve dans le même *kan*, mais quelque cent quatre-vingts ans plus tard.

Cette nuit-là, il rêva à nouveau qu'Ermeline l'appelait à son secours. Quelque part dans le noir, elle criait et pleurait. Son désespoir était palpable. Manaïl sentait qu'elle souffrait terriblement. Puis elle se tut et, pour l'Élu, son silence fut un cauchemar pire encore que ses hurlements.

LA PRISONNIÈRE

Ville-Marie, en l'an de Dieu 1665

Assis près d'un feu, dans la forêt, Mathupolazzar rageait en silence en frottant distraitement la plaie sur son épaule. Ce maudit Élu lui avait filé entre les doigts alors qu'il avait réussi à le surprendre et qu'il le tenait presque. Pire encore, pour une deuxième fois, le grand prêtre s'était trouvé défait et humilié devant ses disciples par un adversaire qui n'était même pas encore un homme. Le poignard du garçon l'avait raté de justesse.

Au moins, il n'était pas revenu les mains vides. Il détenait la fille et savait à quel point l'Élu tenait à elle. Comme il l'avait déjà fait souvent, il leva les yeux pour jeter un coup d'œil sur elle. Elle était assise par terre, ligotée à un arbre et bâillonnée. Ses grands yeux vairons étaient enflés, mais elle le regardait fixement et aucune peur n'y paraissait. La lumière des flammes s'y changeait plutôt en une lueur malfaisante qui donnait presque des frissons dans le dos au grand prêtre. Déjà, Assîn-na, un des Nergalii avec lesquels il s'était enfui, l'avait malmenée pendant que Mathupolazzar la questionnait. Il avait escompté, un peu naïvement sans doute, que, privée de la protection de l'Élu, elle leur révélerait sans trop résister l'emplacement du dernier fragment, espérant ainsi sauver sa vie. Il en avait été quitte pour une déception. Soit que cette diablesse fût têtue comme une mule, soit qu'elle l'ignorât vraiment. Elle n'avait ouvert la bouche que pour le couvrir d'invectives et lui cracher au visage. Cela lui avait valu quelques coups de plus qui, d'ailleurs, n'avaient en rien entamé sa détermination.

Mathupolazzar soutint le regard de la jeune furie autant qu'il le put, mais finit par céder et baisser les yeux tout en détestant sa propre faiblesse. Il couvrit tant bien que mal son malaise avec un ricanement narquois.

Cette démone ne perdait rien pour attendre. Dans l'immédiat, le grand prêtre blessé avait besoin de repos, mais demain, lorsqu'il se sentirait un peu mieux, il reprendrait l'interrogatoire et, cette fois, il ne la ménagerait pas. Il apprendrait où se trouvait le dernier fragment. Il extirperait tout ce qu'elle en savait même s'il devait pour cela lui arracher les membres un à un et lui faire avaler ses propres yeux. Et s'il s'avérait qu'elle ignorait vraiment où il se trouvait, ses restes serviraient de pâture aux bêtes sauvages de ce *kan* et il tenterait de trouver une façon de s'emparer de l'Élu.

En repensant à son ennemi, le grand prêtre eut une moue perplexe. L'Élu savait pertinemment que les quatre fragments du talisman, que lui avait arrachés Zirthu, étaient conservés dans le réceptacle de l'autel du temple de Nergal. Il avait déjà lui-même empêché une première fois qu'on y dépose celui qu'Arianath lui avait volé. Malgré cela, il n'avait rien tenté pour les récupérer. Si Mathupolazzar avait été à sa place, il n'aurait pas perdu une seconde : il se serait constitué un escadron armé jusqu'aux dents et aurait foncé droit sur le *kan* d'Éridou. Il serait entré en trombe dans le temple de Nergal, aurait massacré tous ceux qui s'y trouvaient et se serait emparé des fragments. Puis il serait reparti pour recomposer le talisman et le détruire.

Pourtant, l'Élu semblait faire tout le contraire et Mathupolazzar en était à la fois intrigué et inquiet. Qu'il se soit retrouvé dans ce *kan* par sa propre volonté ou malgré lui n'avait aucune importance. Il y avait trouvé la vieille, qui l'attendait et qui l'avait mis sur la piste de la montagne. Là, de toute évidence, il avait découvert quelque chose d'important. *In extremis*, le prêtre l'avait surpris entre les *kan*. Le garçon n'aurait jamais dû se trouver là. Seules les portes du temple du Temps lui permettaient de passer ainsi de l'un à l'autre. Et pourtant, même sans leur secours, il avait réussi. Mathupolazzar avait distinctement ressenti chez lui une maîtrise plus sûre, plus naturelle des Pouvoirs Interdits. Mais il ignorait comment il l'avait acquise et cela le préoccupait grandement. Le temple où il n'avait pas réussi à pénétrer renfermait sans doute la réponse. L'Élu lui réservait-il d'autres surprises ? Était-il devenu plus dangereux ? Il n'y avait pas pire ennemi que celui dont on ne connaissait pas les ressources.

Mathupolazzar joua distraitement dans les braises avec une branche. Assis près de lui, Occa-nahr et Assîn-na, le visage marqué par leur rencontre avec l'Élu, n'osaient pas interrompre les pensées de leur maître. Le grand prêtre soupira. Son épaule blessée le faisait souffrir. Par la grâce de Nergal, il avait échappé à la mort. Il avait réussi de peine et de misère à redescendre de la montagne et s'était installé, avec ses disciples et leur prisonnière, dans cette clairière perdue au milieu des bois. Mais le mal le rendait fou.

Il tourna brusquement la tête vers Assîn-na, qui se raidit sensiblement.

— Prends le premier tour de garde et assure-toi que cette diablesse ne trouve pas le moyen de s'échapper. Occa-nahr et moi dormirons un peu. Dans deux heures, il te relèvera.

— Oui, maître, répondit le Nergali, obséquieux. Il en sera fait selon votre volonté. Elle n'ira nulle part.

Avec prudence, Mathupolazzar s'allongea sur le dos, soucieux de ne pas rouvrir la profonde plaie de son épaule. Après s'être assuré d'envelopper de son bras valide la sacoche de cuir dans laquelle il conservait l'oracle, il ferma les yeux. Quelques secondes plus tard, il dormait d'un sommeil tourmenté. Près de lui, Occa-nahr en fit autant.

Au loin dans la nuit, un loup hurla, puis un autre, et un autre encore.

✦

Dans l'immobilité la plus totale, deux yeux kaki et une dizaine d'yeux bruns tirant sur le jaune fixaient les trois hommes. Quelques minutes plus tôt, deux d'entre eux s'étaient étendus. Déjà, la respiration profonde et les marmonnements anxieux du plus vieux emplissaient le relatif silence de la nuit.

— *OCCIDETE*, murmura une petite voix dans le noir.

Un grondement lui répondit et, dans la forêt, des bruissements de feuilles, à peine perceptibles, se firent entendre. Inexorable, la mort s'avança lentement vers les Nergalii.

✦

Bang !

Désorienté, Mathupolazzar se réveilla en sursaut. La détonation qui venait de retentir se répercutait dans la forêt. Il se redressa brusquement sur son séant et une douleur atroce lui traversa l'épaule, le rappelant cruellement à la réalité. À ses côtés, Occa-nahr était déjà sur pied, alerte, son arme en main.

— Que se passe-t-il ? s'écria-t-il en portant la main à sa blessure.

— Une bête, répondit Assîn-na en désignant de son fusil encore fumant une masse immobile sur le sol. Je crois que je l'ai tuée.

Mathupolazzar plissa les yeux et tenta de percer la pénombre. Le feu qui brûlait toujours éclairait faiblement les alentours, mais il n'arrivait pas à voir plus loin que quelques coudées[1].

— On dirait un loup, comme dans la caverne, ajouta le Nergali d'une voix tremblante en rechargeant anxieusement son arme

---

1. Une coudée babylonienne vaut 0,5 mètre.

à l'aide d'une baguette de bois avec laquelle il tassait la poudre et la balle de plomb au fond du canon.

Un grondement sinistre résonna alors derrière eux. Simultanément, Mathupolazzar, Occa-nahr et Assîn-na pivotèrent sur eux-mêmes et se figèrent sur place. Un énorme loup émergea lentement d'entre deux arbustes touffus. La tête basse, les lèvres retroussées sur des canines acérées, le poil hérissé sur le dos, il avançait, l'air menaçant, sans les quitter des yeux. Cinq autres bêtes apparurent à sa suite.

Bang! Bang!

Simultanément, les deux Nergalii venaient de décharger leur arme. Frappés de plein fouet, deux loups virevoltèrent dans les airs et retombèrent lourdement sur le sol. Ils restèrent étendus, haletants et geignants, leurs pattes décrivant de pitoyables moulinets dans le vide. D'un commun accord, les quatre autres bêtes s'élancèrent en grognant.

Oubliant sa blessure douloureuse et son extrême épuisement, Mathupolazzar fut saisi d'une énergie issue de l'instinct de survie. Vif comme l'éclair, il se réfugia derrière Assîn-na. Terrifié, celui-ci lança son fusil déchargé vers un loup, qui l'esquiva sans peine et lui sauta à la gorge, aussitôt suivi par le reste de la meute.

Sachant que sa dernière heure le fixait avec de cruels yeux jaunes, le grand prêtre ignora la plaie de son épaule, qui venait de se rouvrir et d'où il sentait s'écouler le sang chaud. Il lança un regard noir à sa prisonnière, empoigna Occa-nahr, étendit ses bras tremblants de peur puis ferma les yeux et se fit violence pour se concentrer sur le *kan* où il désirait se rendre. Après quelques instants, il y parvint. Un bourdonnement naquit dans la forêt et enfla jusqu'à rappeler le bruit d'un essaim d'abeilles.

Les silhouettes de Mathupolazzar et de son disciple commençaient à devenir floues lorsqu'un des loups occupés à déchiqueter le troisième Nergali releva la tête, son attention attirée par l'étrange phénomène. D'un bond, l'animal franchit l'espace qui le séparait des autres proies et referma ses mâchoires puissantes sur la main droite du grand prêtre. Les dents acérées s'enfoncèrent dans la chair, brisèrent les os et en séparèrent les doigts. Occa-nahr attrapa son maître par les aisselles avant qu'il ne s'écroule, étourdi par la douleur.

Pendant qu'ils cessaient d'exister dans le *kan* de Ville-Marie, l'écho des hurlements de Mathupolazzar se mêla aux plaintes faiblissantes de celui qu'ils abandonnaient lâchement dans la forêt.

✦

Ermeline s'était mise à se débattre férocement pour se défaire de ses liens, mais n'y parvenait pas. Sous ses yeux remplis d'effroi, le Nergali hurlait en proie aux crocs des bêtes féroces qui lui déchiquetaient les chairs. Bientôt, il cessa de bouger. Les loups abandonnèrent aussitôt sa dépouille. À l'unisson, ils relevèrent la tête, le sang frais s'égouttant de leur museau et de leur gueule, et jetèrent un regard froid et détaché sur la gitane. Ermeline sentit son sang se glacer dans ses veines. Son tour était arrivé. Son couinement de terreur fut étouffé par son bâillon.

Les bêtes s'approchèrent lentement. Résignée, la gitane s'immobilisa, ferma les yeux et adressa à Ishtar une ultime prière, suppliant la déesse de lui accorder la grâce d'un trépas rapide, de l'accueillir auprès d'Elle et d'apporter à l'Élu qu'elle ne reverrait plus l'aide dont il avait tant besoin. Lorsqu'elle rouvrit les yeux, prête à affronter la mort avec courage, elle trouva les quatre bêtes alignées sagement devant elle, assises, la langue pendante, l'air aussi menaçant que des chiots avides d'affection.

Derrière eux se tenait Angélique, le visage impassible, son regard indifférent posé sur elle.

— *GRATIÆ. VADITE RETRO*, dit doucement la fillette en s'adressant aux dangereux prédateurs encore couverts du sang de leur victime.

Les loups se levèrent et lui jetèrent un regard affectueux. Celui qui semblait être le meneur de la bande s'approcha d'elle. Comme on dépose une offrande aux pieds d'une divinité, il laissa tomber de sa gueule les quatre doigts de Mathupolazzar et s'assit devant elle, branlant la queue et haletant d'expectative.

— *FIDUS CANIS*[1], murmura Angélique en lui caressant affectueusement la tête.

Dans la nuit, Ermeline aurait juré que la fillette avait esquissé un sourire en ramassant les doigts offerts pour les mettre, encore chauds et sanglants, dans la poche de son tablier. Puis elle caressa encore la tête de la bête qui, satisfaite, s'éloigna, suivie des trois autres. Toutes s'enfoncèrent dans la forêt noire.

Angélique laissa traîner son regard sur les carcasses des loups qui avaient péri, soupira longuement et hocha la tête avec désolation. Sans dire un mot, elle s'avança vers Ermeline, contourna l'arbre auquel elle était attachée et s'accroupit. La gitane sentit qu'on lui arrachait son bâillon.

---

1. En latin : Bon chien.

— Merci, haleta-t-elle en crachant du sang entre ses lèvres enflées. J'ai cru que ma dernière heure était arrivée. C'est la seconde fois que tu me secoures.

— C'est ce que je dois faire, répondit laconiquement la fillette en rompant les liens de la gitane.

Ermeline se dégagea sans attendre mais, trahie par ses jambes, ne put se relever et s'écrasa sur le sol couvert de rosée. Elle frotta ses poignets endoloris pour que le sang revienne dans ses mains engourdies. Angélique revint se planter devant elle.

— Suis-moi, ordonna-t-elle.

— Ces… ces loups…, bredouilla Ermeline. Ils… Cornebouc! Je… je pourrais jurer qu'ils t'obéissent.

Sans donner le moindre signe qu'elle avait entendu la remarque, la fillette se mit en marche et s'engagea d'un pas résolu dans la forêt. Ermeline eut à peine le temps de se relever et de la suivre en boitillant avant qu'elle ne disparaisse dans la nuit.

Tout près, un loup hurla. D'autres se joignirent à lui et bientôt, la forêt fut remplie d'un sinistre concert. Ermeline eut la vague impression qu'on pleurait les bêtes tombées au combat.

CAUCHEMAR ÉVEILLÉ

Montréal, en l'an de Dieu 1842

Lorsque Manaïl s'éveilla, un soleil radieux pénétrait par une fenêtre près de son lit dans la chambre où il reposait. L'esprit embrouillé par le sommeil, il lui fallut quelques instants pour se remémorer les événements qui l'avaient conduit dans cet endroit. Le passage du temple des Anciens, dans le *kan* de Ville-Marie, qui l'avait mené de 1665 à 1842... Le monument duquel il avait émergé... Le géant Mailhot qui avait insisté pour le recueillir... Et surtout, Ermeline qui avait été capturée par cette immonde ordure de Mathupolazzar... Ermeline qui était sans doute disparue à jamais...

Soudain, le soleil ne lui semblait plus aussi brillant. À ses yeux, sa lumière était glaciale.

— Tiens ! lança une voix nasillarde et haut perchée qui provenait de l'autre côté. On dirait qu'il est réveillé !

— Oui ! acquiesça une voix presque identique. On dirait qu'il est réveillé !

Manaïl tourna la tête et crut qu'il rêvait toujours. Stupéfait, il fixa la créature cauchemardesque qui se trouvait à quelques pas de son lit. Elle se tenait tant bien que mal sur quatre jambes et était dotée de quatre bras et de deux torses. Chacun des torses portait une tête au visage étroit et élégant, à la peau jaunâtre, aux yeux en amande et aux cheveux noirs et raides. En fait, chaque moitié de la créature ressemblait à s'y méprendre à un homme normalement constitué, sinon que les deux torses étaient joints, ce qui contraignait les deux individus à se faire perpétuellement face. Élégamment vêtus de costumes sombres complétés par une chemise blanche et une boucle en tissu autour du cou, ils adressaient à l'Élu un large sourire.

Convaincu que la vision d'horreur n'était que le reliquat d'un rêve dont il n'avait pas encore complètement émergé, Manaïl se frotta les yeux. Lorsqu'il les rouvrit, la créature était toujours là, aussi souriante et non moins double. Tant bien que mal, elle s'approcha en se dandinant sur ses quatre pieds. Terrifié, le garçon se leva brusquement du lit, empoigna une cruche remplie d'eau qui se trouvait sur la table de chevet et la brisa. Recroquevillé dans le coin de la chambre, il brandit devant lui l'éclat de porcelaine tranchant qui lui resta dans la main.

— Allons, allons…, fit une voix traînante et geignarde de l'autre côté de la pièce. Vous lui faites peur, au pauvre garçon. À cause de vous, il a brisé la cruche. Maintenant, faudra la payer…

Du regard, Manaïl localisa la source de cette nouvelle voix et sentit son sang se figer. Au pied d'un des lits se tenait un homme si maigre qu'il semblait fait de bâtons. Le visage long et blême, les yeux cernés, les cheveux blonds clairsemés, il donnait l'impression d'être frappé d'une extrême fatigue et de traîner sur ses frêles épaules le poids du monde entier. Le dos voûté, les bras pendants, inertes le long du corps, il était vêtu d'un costume ajusté qui mettait en évidence son absence à peu près totale de muscles. Ce phénomène avait toutes les apparences d'un cadavre vivant qui n'était pas sans rappeler ceux que le nécromancien avait lancés contre lui dans le *kan* de Paris.

— Mais oui, acquiesça une voix de femme, douce et posée. Vous lui faites peur, à ce pauvre petit.

N'osant même pas imaginer la vision d'apocalypse qui l'attendait, le garçon tourna la tête pour apercevoir, au fond de la chambre, une jeune fille à l'allure proprement sépulcrale. Elle avait sensiblement le même âge qu'Ermeline, mais semblait en être l'image négative. Elle était entièrement blanche. La robe longue qui lui enserrait la taille et descendait jusqu'à terre était blanche. Les chaussures, dont le bout dépassait, étaient blanches. Ses cheveux étaient blancs. La peau de ses mains et de son visage était blanche. Dans cette mer sans couleur, ses iris, d'un rouge de sang, donnaient à son regard un air saisissant, presque surnaturel. Comme les deux autres phénomènes, elle lui souriait à pleines dents. Blanches, elles aussi.

Manaïl était affolé. Il s'était éveillé dans un univers de délire et de fantasme. Depuis le début de sa quête, il avait vu son lot d'horreurs. Il avait senti de près l'odeur de la mort et de la putréfaction. Il avait vu des ventres ouverts, des membres coupés, des orbites vides. Il avait affronté des morts vivants, des magiciens, des truands et des soldats. Tout cela sans compter les Nergalii, dont la brutalité, la cruauté et la perversion ne semblaient pas connaître de limites. Mais jamais encore il n'avait eu affaire à de pareilles créatures de cauchemar. Il ne pouvait s'agir que d'une nouvelle ruse de Mathupolazzar. À défaut de pouvoir le capturer, il avait trouvé le moyen de lui faire perdre la raison ou lui avait envoyé ces monstres pour le tuer. Un profond découragement le submergea telle une vague sombre. Pourquoi se défendre ? Pourquoi chercher à préserver sa vie, qui n'en valait plus la peine ? À cette heure, Ermeline avait sans doute péri. Les fragments étaient presque tous entre les mains des Nergalii. Il se retrouvait dans un monde de fous, peuplé de créatures irréelles sans la moindre idée de ce qu'il devait y faire. Il avait échoué. Pourquoi ne pas les laisser en finir avec lui ? Il trouverait enfin la paix.

Malgré les ténèbres qui enveloppaient son cœur, l'instinct de survie que Manaïl avait si vaillamment développé prit néanmoins le dessus sur le découragement.

— Éloignez-vous ! ordonna-t-il, menaçant, le regard dur, en brandissant son tesson. Je découpe en morceaux le premier qui s'approche !

La fille blanche, la créature à quatre jambes et le squelette ambulant s'esclaffèrent tous en même temps, laissant l'Élu perplexe, mais toujours sur ses gardes.

— Je vois que t'as fait la connaissance de mes compagnons de travail, fit une autre voix.

Sans abaisser son arme de fortune, Manaïl tourna la tête et aperçut le géant Mailhot, sur le seuil. Vêtu avec la même élégance que la veille, il peinait pour faire franchir la porte à son énorme carcasse. Lorsqu'il y fut arrivé, il planta solidement ses deux pieds, posa les mains sur son abondante panse et sourit.

Ahuri, le garçon laissa son regard errer du géant aux créatures, puis à nouveau au géant. Son arme s'abaissa imperceptiblement.

— Ah, fit ce dernier, on dirait ben que vous vous êtes pas présentés... C'est vrai qu'y sont pas mal surprenants, la première fois qu'on les voit, mais y sont pas méchants. Tu peux baisser ton morceau de vaisselle. Personne ici va te faire de mal, mon jeune.

Mailhot s'approcha de la créature à quatre jambes et posa amicalement sa grosse patte sur une des quatre épaules.

— Michel Delisle, j'te présente Eng et Chang, les frères siamois célèbres dans le monde entier. Y viennent de Thaïlande, ajouta-t-il, comme si cette information expliquait leur étrange apparence. C'est ben loin d'icitte, à ce qu'on dit.

— Je suis Eng, dit une moitié de la créature. Lui, c'est Chang.

— Je suis Chang, ajouta l'autre moitié. Lui, c'est Eng.

Ensemble, Eng et Chang inclinèrent la tête avec respect jusqu'à ce que leur front se touche, puis ils le regardèrent sans jamais que leur sourire faiblisse.

— Y sont nés comme ça, compléta Mailhot, attachés par la bedaine. Pas besoin de te dire qu'y font tout ensemble ! Ça doit être un peu embêtant pour les petits besoins, mais bon... C'est pas mon problème. Pis c'est du ben bon monde pareil.

Le géant se tourna vers l'homme maigre.

— Pis lui, c'est Calvin Edson, le squelette vivant ! poursuivit-il en le désignant de la main. Y pèse rien que cinquante-huit livres[1]. Paraît qu'y'a pogné une maladie à dormir à terre au frette pendant la guerre de 1812. Y combattait contre nous autres à ce moment-là, mais on l'aime ben pareil. C'est un Américain...

La filiforme créature s'inclina à son tour avec élégance, une main sur le ventre et l'autre derrière le dos.

— Je suis enchanté, dit Edson de sa voix traînante.

Le géant s'approcha enfin de la fille à la peau blanche et à l'allure spectrale.

— Et voici la jolie Mam'zelle Ida, mieux connue sous le nom de « La Belle Albinesse », termina-t-il.

L'apparition inclina coquettement la tête.

— Bonjour, dit-elle avec grâce.

---

1. 26 kilos.

Mailhot se planta au centre de la chambre et toisa tous ses occupants du regard.

— Comme tu vois, on est tous assez mal emmanchés…, dit-il en haussant les épaules avec désinvolture. Une chance qu'y'a toujours moyen de gagner sa vie. Monsieur Mulligan, le promoteur de notre p'tit spectacle, nous promène de ville en ville pis les gens payent pour nous voir. Y nous nourrit, y nous héberge pis y nous donne un peu d'argent de poche. C'est pas grand-chose. Des grenailles. Mais c'est mieux que rien.

Manaïl, bouche bée, avait tout à fait abaissé le tesson sans s'en rendre compte. Mailhot tortilla sa moustache entre ses gros doigts et hésita, un air conspirateur sur le visage.

— Écoute, mon jeune, poursuivit-il. J'ai parlé au patron à matin. T'as l'air ben mal pris, ça fait que y serait d'accord pour t'exposer, toé aussi. Au moins, de même, t'aurais trois repas par jour pis un toit au-dessus de la tête. Une main comme la tienne, on voit pas ça à tous les coins de rue. Tu pourrais être « l'enfant-poisson » ou quelque chose de même. Hein ? C'est pas une mauvaise idée. Qu'est-ce que t'en penses ?

À la mention du surnom dont on l'affublait à Babylone et que Noroboam l'Araméen avait roucoulé en ricanant pendant qu'il lui entaillait la poitrine, Manaïl grimaça. Toutefois, le géant ne le remarqua pas.

— Être un *freak*, comme y disent, c'est pas si mal, quand même. Pis en plus, on voyage en masse. On n'est jamais plus de deux, trois jours dans la même ville. Qu'est-ce que t'en penses ? Hein ? insista-t-il. Envoye donc. T'as pas l'air d'avoir grand-chose à perdre.

Une profonde tristesse envahit Manaïl. Ainsi donc, la vie avait décrit un cercle complet et le ramenait à son point d'origine. Il avait été « le poisson » à Babylone, celui dont on riait et qu'on maltraitait. Celui qu'on méprisait. Et maintenant, seul dans ce *kan*, il allait le redevenir. Un phénomène de foire, exposant son infirmité au voyeurisme cruel de ses semblables. Une erreur de la nature qu'on paierait pour admirer. Pour rire. Et cela était juste. Malgré l'illusion passagère causée par la quête, il n'avait toujours été que « le poisson ». Son échec le prouvait hors de tout doute. Ishtar avait eu tort. Maître Ashurat avait eu tort. Le frère Enguerrand avait eu tort. La Sarrasine avait eu tort. Ils avaient tous cru en lui et s'étaient tous trompés.

Subitement, sa gorge se serra. Il s'assit lourdement sur le lit et éclata en sanglots sans aucune pudeur. Il était seul. Il avait perdu Ashurat, perdu les fragments, perdu Ermeline… Il était abandonné. Il était « le poisson » que personne n'aimait. Ces étrangers difformes pouvaient bien mépriser ses larmes. Il s'en fichait.

Il renifla et s'essuya les yeux avec ses mains. Il allait accepter l'offre lorsque Modeste, mal à l'aise, prit les devants. Autour de lui, toutes les étranges créatures regardaient le sol, embarrassées.

Le géant contourna le lit et posa affectueusement sa grosse main sur son épaule.

— Ouais... J'te comprends, mon jeune..., dit-il en lui tapotant l'épaule. C'est pas tout l'monde qui est fait pour les *freak shows*... Prends le temps d'y penser, hein ? Y'a pas de presse. On part rien que dans deux jours. Tiens, pourquoi t'assisterais pas au spectacle ? Le premier est dans une heure. Tu vas voir, c'est pas si pire. Les gens sont pas vraiment méchants. Mais en attendant, faudrait ben te faire manger quelque chose. Sinon, tu vas finir maigre comme le pauvre Calvin.

— D'accord, dit Manaïl, dont l'estomac se mit à crier famine à la mention de la nourriture.

Mailhot retrouva aussitôt le sourire.

— Bon, ben viens avec moé ! On va remplir ça, ce ventre-là, pis après, tu vas voir un bon spectacle !

Ensemble, Manaïl, le géant, les frères siamois, la dame en blanc et le squelette vivant sortirent de la chambre d'hôtel, formant le cortège le plus étrange qu'on eût jamais vu.

Arrivés dans le hall d'entrée, ils durent se frayer un chemin dans une foule serrée et fébrile.

— Ils sont là pour votre spectacle ? demanda Manaïl.

— Eux autres ? Non, fit Mailhot avec une petite moue dédaigneuse. Ça, c'est des gens bien qui viennent pour rencontrer un écrivain de passage. Un grand artiste, à ce qu'il paraît, qui écrit des livres épais comme ça ! Nous autres, nos admirateurs, y sont dehors pis la plupart savent pas lire.

LE REFUGE

Éridou, en l'an 3612 avant notre ère

À son retour dans le *kan* d'Éridou, Mathupolazzar avait vacillé sur ses pieds avant de s'écrouler sur le sol du temple de Nergal, à la plus grande stupéfaction de ses fidèles. Ceux-ci s'étaient empressés autour de lui et eurent tôt fait de constater que les quatre doigts de sa main droite étaient manquants. Il ne restait à leur place que des lambeaux de chair et de muscles déchiquetés dont dépassaient des bouts d'os. Le grand prêtre avait perdu beaucoup de sang et était très affaibli. Ses longs cheveux gris étaient devenus presque blancs. Les cernes sous ses yeux étaient accentués par la pâleur sinistre de son visage.

On l'avait transporté hors du temple, vers une petite demeure de brique crue d'apparence tout à fait anodine où deux disciples âgées, familières avec les vertus des plantes médicinales, s'étaient mises à la tâche. Elles avaient lavé sa main mutilée avant d'enduire les moignons d'une crème odoriférante et de les envelopper d'un pansement propre. Elles l'avaient ensuite dévêtu pour soigner la plaie de son épaule, qui s'était infectée, et l'avaient pansée elle aussi. Les soins terminés, il avait fait mine de se relever, mais deux mains autoritaires l'en avaient empêché.

— Comment oses-tu ? avait-il haleté.

— Un grand prêtre mort n'aidera pas la cause du Nouvel Ordre, avait répliqué une des deux vieilles Nergalii sur un ton qui n'admettait pas la réplique. Dormez, maître. Vous devez guérir.

Elle lui avait tendu un gobelet rempli d'une boisson âcre qu'il avait avalée sans s'interroger, trop faible pour protester. Bientôt, la tête s'était mise à lui tourner. La potion fit son œuvre et il avait sombré dans un sommeil sans rêves pendant lequel ses fidèles avaient continué à le soigner.

Deux jours plus tard, et malgré les protestations énergiques de ses deux disciples, il était sur pied, encore très faible et affreusement pâle. Ses jambes tremblaient au moindre pas et des sueurs lui trempaient perpétuellement le dos. La douleur dans son épaule s'était atténuée, quoiqu'il eût encore peine à bouger le bras. Quant à ce qu'il restait de sa main, il pouvait y sentir chaque battement de son cœur et des élancements terribles la traversaient à intervalles réguliers. Les saignements avaient cessé, mais un liquide épais et jaunâtre suintait encore dans le pansement, qui était souvent changé par ses deux soignantes.

Il aurait tout le temps de se reposer après l'avènement du Nouvel Ordre. S'il réussissait à rassembler le talisman, Nergal lui rendrait peut-être même ses doigts. D'ici là, une seule chose comptait : retrouver la compagne de l'Élu qui lui permettrait, par la suite, d'accéder à son ennemi et de s'emparer du dernier fragment. Pour cela, il devait retourner dans le *kan* où les loups l'avaient mutilé.

Par mesure de précaution, il avait commencé par y envoyer deux Nergalii. Il leur avait confié la mission de se rendre à Ville-Marie pour y repérer la petite furie et acquérir des armes et des vêtements. Après avoir passé plus d'un mois dans l'autre *kan*, ils étaient revenus quelques heures plus tard, les bras chargés de hardes et de fusils dont ils avaient vite expliqué le fonctionnement aux autres. Mais surtout, ils avaient obtenu l'information requise. La fille se cachait dans une maison qu'ils avaient identifiée.

Maintenant, les sept Nergalii les plus forts délégués pour accompagner le grand prêtre dans le *kan* de Ville-Marie étaient correctement vêtus, coiffés, chaussés et armés pour cette époque. Ils n'attireraient pas l'attention. Parmi eux se trouvait Occa-nahr, seul survivant de la rencontre avec l'Élu.

Passant sur son épaule saine la sacoche de cuir dans laquelle se trouvait l'oracle, Mathupolazzar fit signe aux autres de l'encercler. Tous fermèrent les yeux, étendirent les bras et se concentrèrent. Le bourdonnement habituel monta dans le temple et enfla. L'air se troubla et bientôt, le groupe apparut à l'orée de la forêt, en vue de Ville-Marie.

◆

Ville-Marie, en l'an de Dieu 1665

En pleine nuit, deux silhouettes émergèrent de la forêt et entrèrent dans Ville-Marie. La plus petite marchait devant l'autre. D'un pas prudent, elles se dirigèrent vers la maisonnette de la veuve Fezeret.

Une fois arrivées, elles s'arrêtèrent, observèrent les quelques fenêtres sans lumière et se firent face.

— Ils vont revenir, déclara Angélique. Bientôt.

— Je sais, soupira Ermeline avec lassitude.

— Je ne peux pas laisser les loups aux alentours pour monter la garde, expliqua la fillette. Les habitants les abattraient.

— Je comprends, répondit la gitane. Je serai prudente.

— Ne laisse personne savoir que tu es ici. Reste à l'intérieur. J'essaierai de retrouver le Fils de la veuve.

— D'accord. Et merci.

Angélique posa sur la gitane un regard froid et la salua brusquement de la tête. Sans rien ajouter, elle fit demi-tour et s'enfonça dans la nuit. Ermeline la regarda partir entre les maisons. Avec ses loups, cette mystérieuse fillette lui avait sauvé la vie. Après l'avoir libérée de Mathupolazzar et de son Nergali, elle l'avait emmenée dans le seul endroit sûr qu'elle semblait connaître : la caverne de La Centaine. Là, elles étaient tombées sur les cadavres de la vieille Gardienne et de quelques-uns des Nergalii qui avaient surgi après que l'Élu et la gitane furent partis vers le mont Royal en compagnie de Toussaint. Pendant qu'Ermeline récupérait, installée près de l'âtre, l'étrange fillette avait enseveli sa maîtresse à l'extérieur, près du long rocher. Jamais une larme n'avait mouillé ses yeux. Quant aux Nergalii, elle les avait tirés à

l'extérieur et laissés sur le sol. Dès le lendemain matin, les loups s'en étaient chargés.

Évidemment, elles ne pouvaient pas rester
dans la caverne. Les Nergalii en connaissaient
l'existence et c'était sans doute le premier
endroit où ils chercheraient la gitane lorsqu'ils
reviendraient. Car Ermeline ne doutait nulle-
ment qu'ils la chercheraient. Ils avaient la
conviction qu'elle connaissait l'emplacement
du dernier fragment et ils avaient raison. Elle
savait aussi que, malgré tout le courage dont
elle avait hérité de Giraude, sa mère, et de son
arrière-grand-mère, la Magesse Abidda, tôt
ou tard, les adorateurs de Nergal trouveraient
le moyen de briser sa résistance. Personne
n'était indestructible. Elle devait à tout prix
éviter qu'ils ne la localisent. Et pour cela, elle
devait trouver un endroit sûr qui leur était
inconnu. La solution lui était venue tout natu-
rellement : la maison de la veuve Fezeret.
Honoré et Marguerite avaient su où elle
logeait dans la colonie, mais les chances pour
qu'ils soient morts sans avoir pu en informer
leurs complices étaient considérables.

Après une nuit de repos et une journée
entière à se terrer dans la caverne, attentives
au moindre bruit, elles s'étaient mises en
route dès que le soleil s'était couché. Elles
avaient cheminé prudemment dans la forêt,

entourées de la meute de loups qui semblait veiller sur elles.

Maintenant, la gitane devait disparaître, et vite. Elle se raidit, franchit les quelques pas qui la séparaient de la maison et frappa discrètement à la porte en observant anxieusement les alentours pour s'assurer qu'elle n'avait pas attiré l'attention. Dans le silence nocturne, les quelques petits coups discrets résonnèrent comme un marteau sur une enclume. Un chien aboya bien quelques maisons plus loin, mais, à son grand soulagement, aucune fenêtre ne s'illumina.

Elle attendit une minute sans obtenir de réponse et refrappa, cette fois avec plus d'insistance. À travers la porte, des ronchonnements étouffés se firent entendre, suivis par des pas traînants. La faible flamme d'une chandelle apparut à la fenêtre. La serrure cliqueta, la poignée de la porte se souleva et la porte s'entrouvrit. Dans l'embrasure, Ermeline aperçut le visage craintif de la veuve Fezeret, son bougeoir à la main. Une puissante odeur de vin la préceda. La femme tendit vers elle la source de lumière. Lorsqu'elle la reconnut, ses yeux s'écarquillèrent et elle se signa à plusieurs reprises avant que son visage ne soit traversé par un sourire maternel et radieux.

— Sainte Marie, mère de Dieu. C'est toi…, fit-elle d'une voix étouffée par l'émotion. Tu es vivante…

La veuve s'empressa de lui ouvrir et la fit entrer avec force prévenances. Lorsque la porte fut refermée, elle posa son bougeoir sur le coin de la table, tira le banc et invita la gitane à s'asseoir. Elle examina son visage à la lumière de la chandelle et eut un mouvement de stupeur.

— Par tous les saints du ciel…, murmura-t-elle, une main sur la bouche, les yeux écarquillés. Mais qui t'a maltraitée ainsi ?

— Je ne sais pas, mentit Ermeline. Nous avons été attaqués. Je me suis réveillée dans cet état. Une drôle de petite fille m'a ramenée ici.

— La petite Centaine…, dit la Fezeret d'un ton entendu. Il faut croire qu'elle a un cœur, après tout.

En un rien de temps, Ermeline eut devant elle une écuelle contenant une miche de pain, du beurre, du fromage, un oignon et du lard, le tout accompagné d'un gobelet de vin. En la regardant manger, la veuve avala deux bonnes rasades. Une fois le repas terminé, elle nettoya les plaies de la gitane avec un linge imbibé d'eau-de-vie et lui lava le visage avec de l'eau.

Puis, elle s'assit près d'elle et lui tapota affectueusement la main.

— Doux Jésus… Je te croyais perdue, dit-elle, des trémolos dans la voix. J'ai l'impression de voir une revenante. Deux jours après que tu es partie à la recherche de ton frère, des miliciens ont organisé une battue pour vous retrouver. Les chiens ont découvert le cadavre d'un des voyageurs qui t'accompagnaient. Il avait été dévoré par des loups et il paraît qu'il n'en restait pas grand-chose. Mais il n'y avait aucune trace de ton frère ou de toi. Tout le monde a cru que vous aviez subi le même sort.

Ermeline baissa les yeux et joua distraitement avec les pans de sa jupe.

— Tu n'as pas retrouvé ton frère, c'est ça ? demanda la veuve avec une compréhension toute maternelle.

La gitane hésita un moment.

— Si, je l'ai retrouvé, finit-elle par admettre.

— Ah ! s'exclama la veuve en se signant. *Deo gratias*[1] !

— Mais je l'ai reperdu, continua Ermeline en ravalant un sanglot. Maintenant, je ne sais plus où il est.

---

1. En latin : Gloire à Dieu.

— Et… les deux autres voyageurs ? insista la Fezeret. La femme, Marguerite, et… Comment s'appelait-il, déjà ? Toussaint ? C'est ça ?

— Ils sont morts eux aussi, répondit-elle.

La veuve posa sur Ermeline un regard inquisiteur.

— Bonté divine ! Dans quel genre d'histoire es-tu fourrée, toi ? s'enquit-elle.

Ermeline se contenta de regarder son écuelle vide et ne répondit pas. La Fezeret se leva et serra la tête de la jeune fille contre sa poitrine en lui caressant les cheveux.

— Tu dois dormir pour te remettre, suggéra-t-elle. Je vais te préparer le lit de mon René. Demain, si tu le veux, tu m'expliqueras tout ça.

Quelques minutes plus tard, la gitane était allongée dans le lit douillet et propre, entourée par la drôle de petite cabane de bois. Elle se sentait un peu mieux, plus en sécurité. Mais elle n'entretenait pas d'illusions. Les Nergalii la retrouveraient tôt ou tard. Son seul espoir était que Manaïl y arrive avant eux. S'il était encore vivant.

— Madame Fezeret ? dit-elle, à demi endormie.

— Oui, mon enfant ? répondit la veuve.

— Ne dites à personne que je suis ici. C'est très important.

— Compte sur moi, ma pauvre petite. Je serai muette comme une tombe.

La veuve referma doucement les volets et se versa un dernier gobelet de vin avant de se mettre au lit.

Enfermée dans le noir, Ermeline pensa à Manaïl. Pour la première fois depuis qu'ils avaient été surpris par Mathupolazzar et ses complices dans le couloir du temple des Anciens, elle se laissa envahir par ses pensées. Si son ami avait réussi à échapper aux Nergalii, il s'était probablement réfugié dans un *kan* qui se trouvait au bout du couloir. Mais où était-il ? *Quand* était-il ? Serait-il capable de la retrouver ? Elle l'ignorait. Jusqu'à preuve du contraire, elle était seule à Ville-Marie et rien ne lui permettait d'espérer qu'elle en repartirait jamais.

Toute sa vie, la gitane avait été forte et indépendante. Sa mère s'en était assurée. Mais c'était à Paris, dans son *kan* à elle, dans une société qu'elle comprenait, et où personne n'était à ses trousses pour la tuer. Et lorsque le danger s'était présenté, l'Élu avait été à ses côtés. Avec lui, elle se sentait invincible. Il était à la fois si fort et si tendre... Jamais il ne deviendrait un monstre comme ceux qu'il combattait. Mais maintenant, il avait disparu.

Ermeline soupira, triste à mourir. Elle était seule et elle avait peur. Elle finit par s'endormir alors que les premières lueurs de l'aube doraient le ciel. Avant de sombrer dans le sommeil, elle pria Ishtar de lui rendre son compagnon, sans oser croire que sa supplique serait entendue.

✦

La veuve Fezeret avait un grand cœur. À cinquante-sept ans bien sonnés, avec un fils toujours absent et un mari mort, les distractions se faisaient rares dans sa vie. Sa seule faiblesse était de ne pas savoir résister au plaisir d'un commérage. Elle ne confia son secret qu'à une autre habitante, mais, le lendemain, tout Ville-Marie fut au courant du retour de la mystérieuse jeune fille que les miliciens avaient capturée en compagnie de son frère peu de temps auparavant.

✦

Tourmentée, Ermeline faisait les cent pas dans l'unique pièce de la maison. Elle se sentait prisonnière et impuissante. Elle avait promis à Angélique qu'elle se ferait discrète et espérait que la fillette lui revienne avec des nouvelles de Manaïl, mais l'attente était insupportable. Cela faisait à peine deux jours qu'elle était chez la veuve et elle croyait déjà devenir folle. Maintenant que la nuit était tombée, elle résistait avec peine à la tentation de sortir pour se lancer à la recherche de la fillette.

À mi-chemin entre l'agacement et l'amusement, la veuve Fezeret l'observait en tricotant, un gobelet à moitié plein posé près d'elle. À part quelques heures passées à écosser des pois, son invitée n'avait fait que tourner en rond comme un animal en cage.

— Tu vas user le plancher si tu continues comme ça, ma pauvre petite, dit-elle d'un ton rieur. Sans parler de tes chaussures.

— Pardonnez-moi, répondit la gitane, penaude. Je m'inquiète pour… mon frère.

— Je sais, dit la femme en posant une chaussette inachevée dans un panier près de son banc. Tiens, approche. Nous allons dire un rosaire pour lui. Ça ne nuit jamais.

Elle sortit un chapelet de bois de la poche de son tablier et s'agenouilla. Ermeline, qui ne croyait guère aux simagrées des prêtres qui avaient brûlé vive sa pauvre mère, s'exécuta davantage pour ne pas décevoir son hôtesse que par conviction. Elle s'agenouilla auprès de la Fezeret, pencha la tête et ferma les yeux.

— *Credo in Deum Patrem omnipotentem, Creatorem coeli et terræ; Et in Jesum Christum Filium ejus unicum, Dominum*

NOSTRUM; QUI CONCEPTUS EST DE SPIRITU SANCTO, NATUS EX MARIA VIRGINE; PASSUS SUB PONTIO PILATO, CRUCIFIXUS, MORTUUS ET SEPULTUS; DESCENDIT AD INFEROS, TERTIA DIE RESURREXIT A MORTUIS; ASCENDIT AD CÆLOS; SEDET AD DEXTERAM DEI PATRIS OMNIPOTENTIS; INDE VENTURUS EST JUDICARE VIVOS ET MORTUOS[1], commença la vieille femme avec ferveur.

— *CREDO IN SPIRITUM SANCTUM; SANCTAM ECCLESIAM CATHOLICAM; SANCTORUM COMMUNIONEM; REMISSIONEM PECCATORUM; CARNIS RESURRECTIONEM; VITAM ÆTERNAM*[2]. *AMEN,* répondit Ermeline avec beaucoup moins d'enthousiasme.

— *PATER NOSTER, QUI ES IN CÆLIS, SANCTIFICETUR NOMEN TUUM; ADVENIAT REGNUM*

---

1. En latin : Je crois en Dieu, le Père tout-puissant, créateur du ciel et de la terre. Et en Jésus Christ, son Fils unique, notre Seigneur, qui a été conçu du Saint-Esprit, est né de la Vierge Marie, a souffert sous Ponce Pilate, a été crucifié, est mort et a été enseveli, est descendu aux enfers, le troisième jour est ressuscité des morts, est monté aux cieux, est assis à la droite de Dieu le Père tout-puissant, d'où il viendra juger les vivants et les morts.
2. En latin : Je crois en l'Esprit Saint, à la sainte Église catholique, à la communion des saints, à la rémission des péchés, à la résurrection de la chair, à la vie éternelle.

TUUM ; FIAT VOLUNTAS TUA SICUT IN CÆLO ET IN TERRA[1], psalmodia la veuve.

— *PANEM NOSTRUM QUOTIDIANUM DA NOBIS HODIE ; ET DIMITTE NOBIS DEBITA NOSTRA, SICUT ET NOS DIMITTIMUS DEBITORIBUS NOSTRIS. ET NE NOS INDUCAS IN TENTATIONEM, SED LIBERA NOS A MALO*[2]. *AMEN*, compléta la gitane.

— *AVE, MARIA GRATIA...*

Trois coups secs sur la porte rompirent leur recueillement. La veuve sursauta et, contrariée, remit son chapelet dans son tablier. Elle se releva avec quelque difficulté, ses genoux craquant un peu sous l'effort et, intriguée, se dirigea vers la porte.

— Je me demande bien qui ça peut être, dit-elle.

— N'ouvrez pas ! murmura la gitane.

— Allons, petite. Il n'y a aucun danger. À part moi et Marie Grandin, la femme de Picot, dit Labrie, personne ne sait que tu es ici.

---

1. En latin : Notre Père, qui êtes aux cieux, que votre nom soit sanctifié ; que votre règne arrive ; que votre volonté soit faite sur la terre comme au ciel.
2. En latin : Donnez-nous aujourd'hui notre pain quotidien ; et pardonnez-nous nos offenses, comme nous pardonnons à ceux qui nous ont offensés. Et ne nous laissez pas succomber à la tentation. Mais délivrez-nous du mal.

Ermeline n'eut pas le temps de s'insurger contre le fait que la veuve ait révélé sa présence. Elle devait se cacher.

Lorsqu'elle fut enfermée dans la cabane du lit, la Fezeret ouvrit la porte. Dans l'embrasure se tenait René Moreau, un des miliciens qui les avaient capturés, Manaïl et elle, quelques jours plus tôt.

— René ? s'étonna la veuve. Mais que fais-tu ici à une heure pareille ?

Le milicien retira son chapeau.

— C'est le sieur de Maisonneuve, répondit-il. Il veut savoir si votre… votre pensionnaire a besoin de quoi que ce soit.

— Non, répondit la femme. Tout va bien.

— Ah… Je vous ai dérangées pour rien, alors, soupira Moreau. Monsieur le gouverneur veut aussi que je vous dise que, maintenant que mademoiselle Ermeline est de retour, une nouvelle battue est prévue pour demain, au matin. Des fois qu'on pourrait retrouver son pauvre frère.

— Tu transmettras les remerciements de mademoiselle Ermeline à monseigneur, dit la Fezeret. Je suis certaine qu'elle appréciera.

Visiblement peu pressé de s'en aller, Moreau étira le cou par-dessus l'épaule de son interlocutrice en tortillant son chapeau.

— Elle n'est pas là, mademoiselle Ermeline ? demanda-t-il.

— Elle dort, mentit la veuve. Elle est encore toute retournée, la pauvre.

— Ah... Bien entendu... Je comprends. J'aurais voulu lui dire un petit bonsoir. Bon. Je me reprendrai une autre fois, je suppose.

— C'est ça. Tu te reprendras.

— Vous lui direz que je suis passé ?

— Oui, oui. Maintenant, ouste ! dit la veuve en souriant. Laisse une honnête femme dormir en paix !

René remit son chapeau et s'éloigna pendant que la Fezeret refermait la porte derrière lui. Elle s'approcha du lit et cogna discrètement aux volets.

— Ermeline ? Tu dors ?

— Non.

— Alors viens. On ne va pas laisser notre rosaire à moitié dit.

À contrecœur, la gitane émergea de sa cachette et se remit à genoux avec son hôtesse, qui reprit son chapelet.

— *Ave, Maria gratia plena, Dominus tecum, benedícta tu in muliéribus, et benedíctus fructus ventris tui, Jesus*[1], dit la veuve.

---

1. En latin : Je vous salue, Marie pleine de grâce ; le Seigneur est avec vous. Vous êtes bénie entre toutes les femmes et Jésus, le fruit de vos entrailles, est béni.

— *Sancta Maria, Mater Dei, ora pro nobis peccatóribus, nunc et in hora mortis nostræ*[1]. *Amen*, répondit la gitane.

On frappa encore à la porte. La Fezeret leva un regard exaspéré vers le ciel.

— Ah ! Mais quel coquebert[2], celui-là, marmonna-t-elle. Je crois qu'il aimerait bien te faire les yeux doux, le René.

Ermeline se précipita de nouveau dans la cage du lit et en referma les volets. De l'intérieur, elle entendit la veuve, un peu impatiente, ouvrir la porte.

— Qu'est-ce que tu veux encore ? demanda-t-elle.

La question fut suivie d'un cri étouffé et d'un choc sourd. Ermeline se crispa. Quelque chose n'allait pas. On referma la porte et on la verrouilla. Des pas résonnèrent. On aurait dit qu'un troupeau faisait le tour de la maison.

Quelqu'un s'approchait du lit. Luttant contre la panique, Ermeline fouilla dans son corsage et sortit son médaillon. L'étrange collier fait d'une pièce de monnaie percée qui pendait d'un lacet de cuir était la seule arme

---

1. En latin : Sainte Marie, Mère de Dieu, priez pour nous pécheurs, maintenant et à l'heure de notre mort.
2. Nigaud.

dont elle disposait. Elle le passa par-dessus sa tête, le saisit dans sa main et le fit osciller lentement dans le noir.

Les volets du lit s'ouvrirent brusquement. Un homme au teint sombre et au visage dur la toisa un instant, surpris de la trouver là. Puis son visage s'éclaira d'un sourire cruel. La gitane reconnnut avec effroi celui à qui Manaïl avait cruellement fendu la lèvre dans le couloir entre deux *kan*.

— Elle est ici, annonça-t-il.

Derrière l'intrus, Ermeline entrevit la veuve Fezeret qui gisait dans une mare de sang, la gorge tranchée. L'homme fouilla l'intérieur de la cabane pour attraper la gitane mais s'arrêta net, les yeux rivés sur le pendentif qui oscillait.

— Regarde le joli médaillon, dit Ermeline d'une voix aussi calme que le permettaient les circonstances. Regarde comme il brille. Tu vois, la lueur de la chandelle sur le métal ? C'est joli, non ?

Involontairement, les yeux de l'homme suivirent le mouvement latéral du médaillon et son visage perdit toute expression.

— Tu t'endors..., dit la gitane en sortant du lit. Tes paupières sont de plus en plus lourdes. Elles se ferment...

Du coin de l'œil, elle balaya la pièce du regard. Quatre autres hommes se trouvaient là. Tous regardaient le pendentif et se tenaient immobiles, les bras ballants. Ermeline sentit son cœur se serrer. Il était toujours difficile d'endormir tant de gens à la fois. Elle l'avait fait à Paris et à Londres, mais n'avait aucune certitude que cette fois, elle y arriverait. Et si elle échouait, elle ne donnait pas cher de sa propre peau.

Sans altérer le rythme du pendentif, elle sortit lentement du lit et se planta au milieu de ses poursuivants.

LA FIN D'UNE GITANE

Par précaution, Mathupolazzar était resté à l'extérieur de la demeure. La douleur irradiait de sa main mutilée au long de son bras et jusque dans son épaule. Des sueurs de faiblesse trempaient son visage et la tête lui tournait. Mais il n'en avait cure. Il avait retrouvé la compagne de l'Élu. Il avait suffi de tendre l'oreille aux commérages.

Dans le noir, le grand prêtre observait la scène à travers le papier ciré qui tenait lieu de carreaux de verre dans la fenêtre. Cette diablesse n'était jamais à court de ressources. Voilà maintenant qu'elle se révélait enchanteresse et avait charmé sans difficulté ses Nergalii.

Mathupolazzar regarda nerveusement autour de lui. Chaque minute perdue augmentait le risque qu'on les aperçoive, ses fidèles et lui, et que leur présence éveille les soupçons des habitants. Même de si loin, il pouvait sentir son esprit s'embrouiller sous l'influence du mystérieux pendentif au bout duquel se balançait un médaillon de métal. Il devait agir au plus vite.

Il se retourna vers le Nergali qui était resté auprès de lui.

— Approche, ordonna-t-il.

L'homme obéit. De sa main valide, Mathupolazzar tira un couteau de sa ceinture.

— Agenouille-toi.

Une fois de plus, l'homme se soumit docilement à ses ordres. Le grand prêtre lui tendit le couteau par la lame.

— Sacrifie tes yeux à Nergal et au Nouvel Ordre, ordonna-t-il.

Une ombre passa sur le visage de son disciple.

— Maître… Non…, implora-t-il, épouvanté, les lèvres tremblantes. Pas ça… Je vous en supplie…

Une expression dure sur le visage, Mathupolazzar ne broncha pas. Le Nergali cessa de supplier, sachant que cela était vain. D'une main incertaine, il prit l'arme par le manche et approcha la pointe de son œil droit. Les larmes abondantes qui s'en écoulaient étaient accompagnées de sanglots silencieux qui secouaient tout son corps. Il laissa échapper un long gémissement de désespoir, prit une profonde inspiration et, maîtrisant de son mieux les spasmes qui l'agitaient, enfonça le couteau dans son œil. Un liquide incolore et épais s'en échappa aussitôt et se mêla aux larmes. Puis il en fit autant avec son œil gauche.

Les paupières closes sur ses yeux crevés, il se releva en sanglotant. Du sang mêlé d'un liquide translucide s'écoulait de ses plaies et se perdait en rigoles sur ses joues creuses.

— Nergal te le rendra, murmura Mathupolazzar avec indifférence. Maintenant, nous allons arracher le pendentif à cette furie avant qu'elle ne nous endorme tous.

Avec prudence, le grand prêtre de Nergal entrouvrit la porte en prenant bien garde de jeter un regard directement à l'intérieur de la maison. Il y plaça son disciple désormais aveugle et lui donna une petite poussée vers l'avant. Blotti derrière lui, il le guida prudemment par les épaules.

Du coin de l'œil, Ermeline aperçut un mouvement près de la porte. Tout en maintenant l'oscillation régulière de son pendentif, elle le brandit en direction des nouveaux venus.

— Regarde le joli médaillon, dit-elle. Regarde comme il oscille. Tu t'endors…

L'homme continua à avancer et se retrouva bientôt à deux pas de la gitane, qui réalisa trop tard qu'il avait les deux yeux crevés.

Le pendentif n'aurait aucun effet sur lui. La panique l'envahit. Elle devait fuir. Mais comment? Le moindre mouvement brusque de sa part risquait de rompre son emprise sur les autres. S'ils s'éveillaient, elle n'atteindrait jamais la porte.

— Prends-lui son médaillon, ordonna le grand prêtre.

Elle allait tenter sa chance et contourner l'aveugle lorsqu'il tendit la main vers elle, tâtonna un peu et finit par lui attraper le poignet. De l'autre main, il saisit le lacet du pendentif.

— Espèce de chiabrena[1], grogna-t-elle en se débattant, les dents serrées. Cornebouc! Laisse ce pentacol tranquille.

La gitane griffa les joues de son agresseur, y laissant de profonds sillons sanglants, puis tira de toutes ses forces sur le cordon de cuir, notant au passage que les autres Nergalii commençaient à s'agiter. Elle allait lui arracher le pendentif lorsque le cordon se rompit. L'homme le lança aussitôt sur le plancher. Sortant de derrière son protecteur, Mathupolazzar frappa violemment la gitane sur la tête avec la crosse de son fusil. Elle glissa au sol, inconsciente.

---

1. Chiure de merde.

Aussitôt, les Nergalii se regardèrent les uns les autres, désorientés, et sursautèrent à la vue de leur frère, dont les yeux s'écoulaient encore sur les joues. Pendant un long moment, tous furent paralysés d'horreur.

— Ferme la porte, ordonna Mathupolazzar à l'un d'eux, secouant leur torpeur. Toi, tire les rideaux. Et toi, dit-il à un autre, bâillonne-la et attache-la. Cette fois-ci, par Nergal, elle parlera. Et ensuite, elle mourra.

✦

Pour Ermeline, les dernières heures n'avaient été que souffrance. Mais maintenant, elle était remplie d'une paix profonde. Ses yeux ne voyaient plus. Ses doigts ne touchaient plus. Son nez ne sentait plus. Son souffle ne courait plus. Son cœur ne battait plus. Devenue une simple conscience détachée du monde qui l'avait vue naître, elle était libérée. La Sarrasine, sa mère adorée, et Abidda, sa mythique arrière-grand-mère, étaient tout près. Elle pouvait sentir leur présence, bénéfique et aimante. Elles l'appelaient. Ermeline se dirigea vers elles et pénétra, sereine, dans la lumière.

Son ultime pensée fut consacrée à l'Élu. Malgré tout son courage, elle lui avait fait défaut.

✦

La fille gisait sur le lit imprégné de sang. Les doigts de ses deux mains avaient été coupés un à un et traînaient sur le plancher. Son visage déformé par l'enflure ne laissait plus voir qu'un pâle semblant d'humanité. Ses jambes et ses bras, brisés par les coups, étaient repliés dans des angles obscènes. Dans sa poitrine se trouvait un trou béant et visqueux.

Dans sa main valide, Mathupolazzar tenait un cœur, dont le sang frais et chaud s'égouttait sur le sol et imbibait les planches. Un cœur courageux, digne de Nergal. Le cœur de cette furie. Bientôt, il serait offert en sacrifice sur l'autel du temple.

La jeune fille avait bravement résisté, mais la douleur et le sentiment d'abandon avaient fini par avoir raison de sa détermination. Il savait, maintenant, où se trouvait le dernier fragment. Dans la poitrine de l'Élu, tout simplement. Il avait choisi la cachette la plus évidente. Par une sorcellerie qu'il ne s'expliquait pas, le maudit garçon était parvenu à dissimuler l'objet aux yeux de Zirthu et ne s'en était jamais départi. La simplicité de toute l'affaire le faisait rager.

Maintenant, s'il pouvait enfin retrouver l'Élu, c'en serait fini de sa quête. Ishtar et les

Anciens seraient vaincus. Le Nouvel Ordre n'avait jamais été aussi proche.

Il se dirigea vers Occa-nahr et tendit sa main valide vers lui. L'homme à la lèvre boursouflée eut un mouvement de recul instinctif.

— Ne crains rien, dit-il d'une voix empreinte d'une fausse tendresse paternelle. Je ne te veux aucun mal. Bien au contraire.

Ne sachant pourquoi il était ainsi cajolé, le Nergali regarda son maître sans comprendre. Mathupolazzar écarta les longs cheveux noirs d'Occa-nahr et dégagea son oreille gauche, au lobe de laquelle était suspendu un anneau d'argent qu'il prit délicatement entre ses doigts.

— Quel joli bijou…, minauda Mathupolazzar, un éclair de mépris dans les yeux. Dis-moi, tu sais où se trouve l'autre ?

— Je crois que l'Élu me l'a arraché lorsque nous l'avons surpris dans le couloir.

— Il te l'a arraché… Oui. C'est aussi ce que j'ai vu. Heureusement, puisque tu n'as pas cru bon de m'en informer.

Sans prévenir, Mathupolazzar remonta son genou entre les jambes du Nergali et, au même moment, lui arracha l'anneau, déchirant cruellement le lobe de son oreille. L'homme se recroquevilla sur lui-même en gémissant, ses mains enveloppant sa virilité meurtrie et un filet de sang lui mouillant le cou.

— Ta stupidité nous sera utile, grogna le grand prêtre de Nergal en observant l'anneau dans la lumière de la chandelle.

À genoux aux pieds de son maître, l'homme interrompit ses gémissements, médusé.

— Si je ne m'abuse, Occa-nahr, tu portes ces anneaux depuis très longtemps, non ? s'enquit Mathupolazzar.

— Ou… Oui, maître, gémit le Nergali, le visage pâle de douleur. Ils m'ont été donnés par mon père lorsque j'ai atteint l'âge de raison.

— Bien. Très bien, réfléchit le prêtre.

Mathupolazzar regarda un des autres Nergalii.

— Tue-le, ordonna-t-il.

Ne connaissant que trop les risques de contester un ordre du grand prêtre, l'homme tendit son fusil vers la tête de son comparse toujours agenouillé et, avant que ce dernier ne puisse faire davantage qu'émettre un couinement de terreur, il appuya sur la détente. La nuque de la victime explosa et le corps s'affala près de celui de la Fezeret. Le sang d'Occa-nahr éclaboussa la porte.

— Lui aussi, ajouta Mathupolazzar en désignant l'aveugle de la tête.

La panique envahit le visage du mutilé, qui se mit à geindre en marchant pitoyablement au hasard, les mains tendues devant lui, dans l'espoir futile d'atteindre la porte et de s'enfuir. Un second coup de feu retentit et il tomba, inanimé, près du seuil.

Un sourire de satisfaction sur le visage, Mathupolazzar se retourna vers les cinq disciples restants.

— Suivez cet anneau, ordonna-t-il en tendant l'objet à l'un d'eux. Lorsque vous aurez trouvé le garçon, tuez-le sans hésiter, peu importe les circonstances. Et ouvrez-lui la poitrine. Vous y trouverez le dernier fragment. Celui qui me le ramènera deviendra prêtre dans le Nouvel Ordre.

— Il en sera fait selon votre volonté, maître, répondit l'un d'eux.

Mathupolazzar disparut le premier. Quelques secondes plus tard, aucun des Nergalii n'existait. Ils laissaient derrière eux les traces de leur monstrueux méfait, que les habitants de Ville-Marie seraient bien en mal d'expliquer.

✦

Angélique se tenait discrètement entre deux maisons. Les habitants de Ville-Marie n'aimaient guère la voir et se méfiaient d'elle, comme ils s'étaient méfiés de La Centaine. Mais aujourd'hui, personne ne faisait attention à sa présence. Tout le monde ne parlait que de l'affreuse tragédie qui avait frappé la petite colonie durant la nuit. On avait retrouvé la veuve Fezeret morte dans sa maison. Égorgée. Pourtant, disait-on, lorsque René Moreau était passé la voir, tout avait semblé normal. Dans le lit, on avait aussi trouvé Ermeline. Ou ce qu'il en restait. Mais le plus grand mystère restait celui des deux cadavres inconnus qui jonchaient le sol et dont personne ne pouvait expliquer la présence. Ils avaient été abattus d'une balle dans la tête et leurs meurtriers n'avaient laissé aucun indice. Angélique, elle, savait de qui il s'agissait.

La fillette regarda deux hommes, le visage livide, sortir le cadavre de la gitane de la petite maison. Elle soupira et se résigna à attendre. Un jour, son chemin croiserait peut-être de nouveau celui du Fils de la veuve.

LE REVENANT

Montréal, en l'an 1842 de notre ère

Sur la place du Nouveau Marché, la foule entassée devant la scène de fortune était fébrile. Les discussions animées des centaines de personnes pressées les unes contre les autres étaient assourdissantes. Les rires, les cris, les murmures, tout se mêlait en un brouhaha informe et joyeux.

— Tiens, tonna le géant Mailhot en prenant Manaïl par les épaules pour le placer comme on dispose un bibelot. D'ici, tu manqueras rien. Moé, j'vas y aller. C'est le temps de commencer.

Le garçon aurait voulu sourire, mais sa tristesse, lourde comme une chape de plomb, l'en empêchait. Il aimait bien cet homme souriant au cœur aussi énorme que la carcasse grotesque dans laquelle il était enfermé.

Il lui avait offert un immense repas composé d'œufs, de fèves au lard et de pain beurré acheté à la petite cuisine de l'hôtel. À son grand étonnement, malgré son désespoir, il avait tout avalé. Mais sans Ermeline et avec l'échec de sa quête, l'avenir était toujours aussi noir. Ironiquement, il ne s'était jamais senti aussi abandonné d'Ishtar que dans ce *kan* qui lui était consacré. Un ressentiment profond envers la déesse s'était installé en lui. Tout cela était de sa faute.

Manaïl se retourna et laissa son regard errer avec indifférence dans la foule. Les gens étaient sensiblement vêtus comme l'avaient été ceux de Londres. Peut-être n'était-ce pas un hasard, se dit-il sans y croire. Les Anciens avaient-ils fait en sorte qu'il se retrouve dans cette époque parce qu'il y avait un lien, aussi ténu soit-il, entre Londres et cette ville qui n'était plus Ville-Marie ? Si oui, comment pourrait-il le découvrir ? Où étaient les signes, les indices ? Les chercher en valait-il même encore la peine ?

Il regarda vers l'extrémité du Nouveau Marché. Au fond, sur la colonne de laquelle il avait émergé, l'homme que le géant avait appelé « l'amiral Nelson » regardait au loin, l'air stoïque, fixé à jamais dans la pierre. La voix puissante de John Quincy Mulligan, le propriétaire du spectacle, le tira de ses pensées.

— Mesdames et messieurs! Bienvenue au spectacle le plus extraordinaire jamais présenté! Des curiosités naturelles comme vous n'en avez jamais vu!

Un tonnerre d'applaudissements éclata et Mulligan leva les bras pour demander poliment le silence.

— Parmi les merveilles les plus étranges de la Création, rien n'est plus étonnant, plus spectaculaire que des frères siamois! s'écriat-il. Mesdames et messieurs, venus tout droit d'Europe, où des monarques les ont admirés, je vous présente les fameux Eng et Chang!

D'un geste dramatique, il écarta un rideau de fortune monté en fond de scène, révélant la forme étonnante des jumeaux qui forcèrent un sourire, saluèrent de la main et se dandinèrent, malhabiles, vers l'avant de la scène pour entreprendre un numéro de jonglerie à quatre mains. À la vue de l'humiliation à laquelle ils se soumettaient de bon gré, Manaïl grimaça.

◆

Le grand écrivain était nerveux. La première représentation de son spectacle était prévue pour le soir même et, malgré les innombrables succès qu'il avait connus, il était incapable de se débarrasser du trac qui lui serrait les entrailles avant chaque première. Le léger dîner qu'il avait avalé lui était resté coincé dans l'estomac. Pour chasser l'anxiété, son seul truc était de marcher, puis marcher encore, jusqu'à ce que la fatigue calme ses nerfs. Le hasard de ses pas l'avait conduit à proximité du Nouveau Marché, où les appels d'un forain avaient attiré son attention. L'homme promettait à la foule avide de sensations fortes une collection unique d'êtres difformes et hors norme.

Il paya le modeste prix d'entrée à un préposé et se glissa dans l'assistance pour attendre le début de la représentation. Il était ambivalent face à de tels phénomènes. Une part de lui détestait l'idée que de pauvres hères que la nature, par quelque cruel travers, avait fait difformes, dussent s'exhiber aux yeux d'autrui pour gagner une maigre pitance. Aucun être humain, si ridicule fût-il, ne devait, selon lui, avoir à s'exposer à la moquerie pour arriver à manger. Mais l'autre part de lui aimait à observer les travers de la foule, la cruauté sans malice, la bêtise humaine, les physiques souvent à peine moins ingrats que ceux qui se tenaient sur la scène. Les rires, les expressions, les vêtements, les attitudes…

Tout cela se retrouvait un jour ou l'autre dans ses romans.

Sur la scène, des jumeaux siamois asiatiques liés par la poitrine et vêtus comme d'élégants gentilshommes, venait de terminer un numéro de jonglerie rudimentaire, mais non moins méritoire. Les deux pauvres créatures répondaient aux questions des spectateurs tout en faisant quelques pitreries qui déclenchaient des rires gras. Même de loin, l'écrivain pouvait lire dans leurs yeux une tristesse latente.

Un peu dégoûté, il détourna le regard et laissa ses yeux errer dans la foule, qui lui paraissait beaucoup plus intéressante. Tout à coup, son cœur se serra et eut un raté. Au loin, tout près de la scène, il lui avait semblé reconnaître quelqu'un. Une apparition. Un être sorti tout droit d'un cauchemar de son enfance.

Comme un automate, le grand écrivain se mit en marche, écartant les gens sur son passage, en direction du fantôme de son passé.

✦

Le spectacle se déroulait sans anicroche. Sur scène, la Belle Albinesse avait succédé aux jumeaux et, après avoir retiré une partie de ses vêtements pour révéler aux voyeurs sa blancheur cadavérique, elle répondait maintenant aux questions de l'assistance avec une classe et un calme étonnants. La foule enthousiaste poussait des « Oh ! » et des « Ah ! » Quelques spectateurs plus excités que les autres lançaient des commentaires désobligeants, mais, dans l'ensemble, l'assistance semblait plus émerveillée que méprisante.

La Belle Albinesse se retira avec autant de dignité que pouvait en avoir quelqu'un dans sa situation et laissa la place à Calvin Edson, qui eut tôt fait de retirer sa veste et sa chemise pour afficher sa maigreur, sous le regard sidéré des spectateurs. Au premier rang, on se bouscula lorsque Mulligan sollicita la participation d'un volontaire pour monter sur scène et tâter le pauvre squelette vivant afin de bien témoigner qu'il ne s'agissait pas d'une arnaque.

Après une quinzaine de minutes de ce triste manège, Edson quitta la scène sous les applaudissements nourris de la foule et fut remplacé par le clou de la représentation, le géant Mailhot. L'homme s'avança en ébranlant la scène à chaque pas et Manaïl crut apercevoir dans ses yeux une certaine lassitude alors que les spectateurs s'émerveillaient de son tour de taille.

Incapable de regarder davantage, l'Élu baissa les yeux, dégoûté. Il s'était presque décidé à partir lorsqu'une main se posa sur son épaule droite. Aussitôt, ses sens furent en alerte. Il se retourna vivement et se retrouva face à face avec un homme d'âge moyen.

Les cheveux longs et clairsemés de l'inconnu étaient peignés sur le côté, mais semblaient déterminés à lui retomber sur le front. Il portait un pantalon et une veste gris foncé dont l'arrière se prolongeait et lui atteignait les mollets. De la poche de son gilet beige émergeait la chaînette d'une montre. Le col de sa chemise, remonté sous son menton, était orné d'une grosse cravate rouge nouée en forme de boucle. Il tenait dans sa main gauche un chapeau haut-de-forme. Son visage dénué de moustache et de barbe était pâle et ravagé par une expression qui tenait à la fois de la stupéfaction et de la frayeur. Ses yeux étaient exorbités et ses lèvres, entrouvertes. On aurait dit que l'homme venait d'apercevoir un revenant. Il secouait mécaniquement la tête et tenta d'articuler quelque chose, mais ne parvint qu'à émettre un coassement piteux.

L'homme tendit une main hésitante vers lui. Manaïl réagit par instinct. De toutes ses forces, il enfonça son poing dans le ventre de l'individu.

— Oooooffffff…, fit l'homme en tombant à genoux.

Les mains sur le ventre, les yeux remplis d'eau, son chapeau gisant sur le pavé près de lui, la bouche ouverte lui donnant l'air d'un poisson, l'étranger regarda Manaïl avec un air d'incompréhension peint sur le visage. Autour de lui, quelques spectateurs l'observaient.

— Il a trop bu, celui-là! s'écria l'un d'eux.

— Attention à tes chaussures! dit un autre en s'esclaffant. Il porte pas la boisson! Il va vomir!

Insensible aux sarcasmes, l'inconnu, toujours à genoux, tendit la main vers Manaïl, qui s'éloignait en reculant sans le quitter des yeux.

— Mark? coassa-t-il avec difficulté. Mark Mills?

Manaïl s'immobilisa, bouche bée. Mark Mills. C'était le nom qu'il avait porté dans le *kan* de Londres.

— Comment… Comment sais-tu? balbutia-t-il.

Il eut l'impression que le rictus de douleur qui ravageait le visage de l'étranger se transformait en sourire.

— Qui es-tu? demanda l'Élu, méfiant.

L'homme fit un effort visible pour inspirer un peu d'air.

— Dickens…, râla-t-il d'une voix rauque qui eut peine à percer le murmure permanent de la foule.

Ironiquement, une salve d'applaudissements nourrie retentit après une pitrerie particulièrement appréciée du géant Mailhot.

CHARLES DICKENS

Le visage empourpré, l'homme à genoux sur les pavés peinait toujours à respirer. Ses mains étaient plaquées sur son abdomen douloureux, mais son regard embué n'avait pas quitté le garçon.

— Il a pas bu, s'écria une femme près d'eux en montrant Manaïl du doigt. C'est lui qui l'a frappé! Je l'ai vu! Un coup de poing en plein ventre!

Aussitôt, cinq ou six hommes se retournèrent vers lui et lui adressèrent un regard menaçant. Un à un, ils se détachèrent de la foule et l'encerclèrent. Le garçon avait à peine conscience du danger. Son univers s'était rétréci et ne contenait plus que l'étranger et lui. Il s'approcha de l'homme qu'il avait terrassé et lui tendit une main tremblante pour l'aider à se relever.

L'individu se redressa avec difficulté et se remit sur pied. Chancelant, il prit quelques grandes inspirations, se racla la gorge, cligna des yeux puis balaya les genoux de ses pantalons avec dignité. Il força un sourire qu'il adressa aux redresseurs de torts improvisés qui entouraient Manaïl.

— *I'm quite all right, good folks!* râla-t-il en levant les mains pour les pacifier. *I just tripped and fell, silly me! This young man was kind enough to help me back up. My most sincere thanks for your concern*[1].

Hébété, Manaïl fut à peine surpris en reconnaissant la langue du *kan* de Londres. La foule, elle, se calma aussitôt et tout le monde reporta son attention vers la scène, où le géant démontrait sa force en soulevant avec facilité d'immenses haltères de métal d'un seul bras.

L'homme et le garçon se dévisagèrent un moment, aussi incrédules l'un que l'autre. Aucun n'osait parler. Les années n'avaient pas effacé l'intelligence et la lueur espiègle qui brillait dans les yeux de l'écrivain. Dès lors, la méfiance se dissipa comme brume au vent et Manaïl sut qu'il ne rêvait pas. Que ce fût par le mystérieux pouvoir des Anciens ou par l'intervention de la divine Ishtar, Charlie

---

1. En anglais : Je n'ai rien, bonnes gens. J'ai seulement trébuché. Ce jeune homme a eu la bonté de m'aider à me relever. Merci de vous être souciés de moi.

Dickens, le petit ouvrier débrouillard de la Warren's Blacking Factory, maintenant devenu homme, recroisait son chemin...

Le garçon sentit un mince espoir naître en lui. Cette rencontre, aussi soudaine qu'incroyable, ne pouvait être que providentielle. Ishtar ne l'avait pas abandonné. Et peut-être y avait-il même encore une chance de retrouver Ermeline.

— Charlie..., parvint-il à lâcher, médusé. Je... Je...

Ébranlé, Dickens parut hésiter un instant, comme s'il débattait intérieurement de la réalité des circonstances. Il releva un sourcil et replaça nerveusement la mèche sur son front avec sa main. Puis il se remit à secouer la tête. Il ouvrit la bouche et tenta de dire quelque chose.

— *No*..., éructa-t-il en secouant la tête. *No... It can't be... You're only a dream*[1].

Manaïl fit un pas hésitant vers lui. Aussitôt, l'écrivain fit volte-face. Avec de grandes enjambées et une démarche dynamique que Manaïl reconnut aussitôt, il s'engouffra parmi les spectateurs en direction de l'extrémité du Nouveau Marché. Se secouant de son effarement, le garçon le suivit. Si son apparition

---

1. En anglais : Non... C'est impossible... Tu n'es qu'un rêve...

n'était pas le fait du hasard — et le hasard ne semblait pas exister dans sa quête —, il ne devait pas le laisser partir. À tous les trois ou quatre pas, Dickens se retournait nerveusement et le dévisageait, une expression de crainte sur le visage, comme si on le poursuivait pour lui faire un mauvais parti. Puis il accélérait le pas en constatant qu'il était toujours là. Manaïl s'empressa pour ne pas le perdre de vue dans la foule.

Après avoir contourné et écarté des dizaines et des dizaines de gens au coude à coude, il émergea de la foule et aperçut Dickens, à proximité de la colonne Nelson.

— Charlie ! s'écria-t-il sans réfléchir. Attends !

L'écrivain se raidit et parut se faire violence. Il fit encore quelques pas hésitants, puis ralentit et s'arrêta. Il se retourna et, blême de peur, attendit le garçon. Manaïl s'approcha prudemment, comme on s'approche d'un chien effrayé qu'on veut amadouer. Il constata que les mains de Dickens tremblaient. Il était midi passé et le soleil plombait, mais c'était la terreur qui mouillait de sueur le front de l'écrivain.

— Charlie ? répéta Manaïl, incrédule. C'est vraiment toi ?

Manaïl, qui comprenait les mécanismes par lesquels ils avaient pu se retrouver, pouvait compatir avec l'affolement de l'écrivain qui, lui, les ignorait. Pour l'Élu, quelques semaines à peine s'étaient écoulées depuis leur rencontre dans le *kan* de Londres. Pour Charlie Dickens, le temps avait passé à un autre rythme. Il avait vécu et était devenu un homme. Et maintenant, il se retrouvait face à face avec le garçon qu'il avait connu presque vingt ans plus tôt, sur un autre continent. Et ce dernier n'avait pas changé.

Il observa Dickens, aussi hagard qu'aphone. Pendant un moment, il eut envie de rire. Jamais il n'avait vu Charlie à court de mots… L'élégance de ses vêtements ne parvenait pas à masquer complètement la nonchalance qu'il semblait cultiver. La grosse boucle rouge autour de son cou était pareille à celle qu'il portait à Londres. Aucun doute. Il s'agissait bien de Charlie.

Dickens exhala un soupir tremblotant qui trahissait son émoi, déglutit à quelques reprises et tenta quelques mots à la cohérence approximative.

— Mark… Mark Mills. Je croyais que… mon imagination d'enfant… pour échapper à l'ambiance de la manufacture, à cet affreux Libby, à l'emprisonnement de mon père… La vie était si… difficile… La misère… Ma pauvre mère, privée de tout… La prison… J'étais convaincu que tu n'étais que… qu'un rêve... Un ami imaginaire. Et pourtant, te voilà. Inchangé. Comment... Comment est-ce possible ? Comment peux-tu être ici et avoir le même âge, alors que moi ?... Qu'es-tu donc ? Un esprit qui me hante ?

L'écrivain se tut. Pour la première fois de sa vie, les mots, les fidèles alliés qui lui avaient donné la célébrité, lui faisaient défaut. Ils se bousculaient dans sa tête et rien ne sortait correctement de sa bouche. Ses yeux étaient remplis d'eau et ses mains étaient moites. Il les essuya distraitement sur sa veste.

Sans prévenir, Charles Dickens refaisait surface. De toute évidence, il devait jouer un rôle dans la quête de l'Élu. Mais cela ne signifiait pas qu'il devait en payer le prix. Dans le *kan* de Londres, Manaïl avait volontairement choisi de tenir le jeune garçon dans le noir afin qu'il puisse avoir une vie normale. Avant leur départ, avec l'aide de son médaillon, Ermeline avait tenté d'effacer tous les souvenirs que le gamin aurait pu conserver des aventures auxquelles il s'était retrouvé mêlé. Il devait traiter de la même manière l'homme qu'il était devenu. Tout en écoutant Dickens, il cherchait désespérément une manière de lui expliquer sa présence et leur différence d'âge sans le terroriser à jamais ou l'entraîner malgré lui dans le maelström de sa dangereuse quête.

— C'est moi, oui, dit l'Élu. Je ne croyais pas te revoir, moi non plus.

Il fit quelques pas vers l'écrivain, mais s'arrêta en voyant ce dernier se crisper.

— Ça fait longtemps, n'est-ce pas ? demanda-t-il avec douceur. Tu te souviens, Charlie ? La manufacture ? Le gros Libby ?

Dickens hésita et hocha imperceptiblement la tête. Il parut se détendre un peu et son regard se perdit au loin, vers la scène où la performance du géant Mailhot se concluait sous des applaudissements enthousiastes. Au loin, la voix puissante de John Quincy Mulligan retentit.

— Merci, mesdames et messieurs ! s'écria le forain. Vous avez eu l'immense privilège d'admirer les curiosités humaines les plus remarquables, les plus fameuses, les plus rares de tout l'univers ! Ceux d'entre vous qui désirent un entretien privé avec un de ces individus exceptionnels pourront se présenter, demain matin, au chic hôtel Rasco, tout près d'ici. Pour quelques sous à peine, vous pourrez converser avec eux et leur poser toutes les questions qui vous traverseront l'esprit !

Dickens inspira profondément, rassembla ses souvenirs et répondit, les yeux toujours dans le vague comme s'il regardait à l'intérieur de lui-même.

— C'était l'époque où mon père était emprisonné à la Marshalsea pour dettes. Avec toute ma famille. Nous t'avons hébergé pendant quelques jours avec ton amie. Evelyn, c'est ça ? Une jolie fille aux cheveux noirs, avec des yeux extraordinaires. Un vert et un jaune. Tu portais déjà cette bague, ajouta-t-il en désignant du menton la main droite de Manaïl. Je vous faisais visiter Londres… Je vous aimais bien. Vous étiez mes seuls amis.

L'écrivain se prit la racine du nez entre le pouce et l'index, se massa distraitement et ferma les yeux.

— Le reste est flou, poursuivit-il. Des bribes, des images disparates… Je me souviens… d'un endroit sombre et terrifiant. Des gens autour de moi qui marmonnent… Des chants étranges… Du rouge… Beaucoup de rouge. Et du noir, aussi. Une vive douleur dans ma poitrine puis une douce chaleur… Puis, Evelyn et toi qui disparaissez, comme des esprits.

Dickens hocha la tête, incrédule.

— J'ai toujours cru qu'il s'agissait d'un mauvais rêve, dit-il d'une voix éteinte. Un de ces cauchemars d'enfant malheureux qui marquent l'âme au fer rouge pour toute la vie.

L'écrivain haussa les épaules, déconcerté.

— Peut-être suis-je fou ? ajouta-t-il avec un rire dépité. Après tout, les fous se croient toujours sains d'esprit…

Manaïl ne trouvait rien à répondre au pauvre Charlie qui, au bord des larmes, semblait attendre pitoyablement une explication à laquelle s'accrocher. Intérieurement, le garçon sourit.

— Mais que me racontes-tu là, Charlie ? s'exclama-t-il. Quel âge as-tu, exactement ?

— Euh… Trente ans, répondit l'écrivain, pris au dépourvu.

— Et moi, j'en ai trente-trois, déclara-t-il. Même si ça ne paraît pas.

— Mais… Mais…, balbutia Dickens.

Le garçon fit quelques pas de plus vers l'écrivain.

— Tu as vu ces pauvres types qu'on expose comme des bêtes ? demanda-t-il en désignant la scène de fortune au bout de la place du Nouveau Marché.

— Euh… Oui, mais…

— Eh bien, tu as devant toi le fameux « Enfant éternel », dit-il en écartant les bras d'une façon presque théâtrale. Depuis l'époque où nous nous sommes connus, je n'ai pas grandi d'un cheveu, ni changé… La nature m'a fait ainsi. J'aurai l'air d'un garçon jusqu'à ma mort. Normalement, je fais partie de ce triste spectacle, mais… euh… je ne me sentais pas bien aujourd'hui et j'ai été excusé.

Le visage de Dickens se transfigura et l'anxiété qu'il affichait disparut comme par enchantement. Son soulagement était si palpable que ses épaules s'affaissèrent. Il renversa la tête vers l'arrière et se mit à rire de bon cœur.

— *Good God*[1] ! s'écria-t-il lorsqu'il en fut enfin capable en s'essuyant les yeux. En t'apercevant dans la foule, j'ai cru que je voyais un fantôme et que j'avais perdu la raison ! Je n'ai pas pu m'empêcher d'aller te toucher pour voir si tu étais réel !

Dickens s'avança vers Manaïl et lui mit les mains sur les épaules.

— Mais… Pourquoi Evelyn et toi êtes-vous disparus ainsi sans même me dire au revoir ? Je me souviens d'avoir eu beaucoup de peine.

— Nous… Nous avons essayé, répondit le garçon. Mais tu n'étais plus à la manufacture et ta famille avait quitté la prison. Nous ne savions pas où te retrouver.

— Ah… Oui, effectivement…, fit Dickens, pensif. Le hasard est quand même bien mystérieux. Pas plus tard que voilà deux jours, j'ai aperçu des symboles qui m'ont fait penser à toi pour la première fois depuis l'année de mes douze ans. Et maintenant, te voilà, en chair et en os !

Manaïl se figea.

---

1. En anglais : Bon Dieu.

— Pourquoi des symboles te feraient-ils penser à moi ?

— Dans un de mes rêves, ta sœur et toi aviez fait apparaître une étoile qui contenait une forme humaine. C'est curieux, mais j'ai revu exactement la même avant-hier, en faisant ma promenade de santé. On construit une nouvelle église tout près d'ici et il ne reste plus que le clocher de l'ancienne. Sur les pierres, quelqu'un l'y avait gravée avec deux autres symboles. Lorsque je l'ai vue, le souvenir m'en est revenu. C'est quand même incroyable, non ?

— Montre-moi. Vite.

Manaïl s'avança, l'empoigna solidement par le bras et l'entraîna hors des limites du marché.

38

LES RUINES DE NOTRE-DAME

Médusé, Dickens guida Manaïl vers ce qu'il restait de l'ancienne église Notre-Dame. À plusieurs reprises, il faillit trébucher tant le garçon marchait vite sans jamais avoir lâché son bras. Par moments, il le tirait plus qu'il ne l'accompagnait. L'écrivain remontait sans cesse la mèche de cheveux qui lui tombait sur les yeux et le suivait de son pas alerte.

— *Good God!* s'insurgeait-il périodiquement. Mais qu'est-ce qui presse tant ?

— Tu aimes marcher, non ? Alors marche !

— Marcher oui, mais pas nécessairement courir ! Je suis un *gentleman*, tout de même !

La rue Notre-Dame défilait. Les vitrines attirantes des boutiques, les rues transversales et les trottoirs pavés, les édifices à plusieurs étages en pierre grise qui bloquaient les rayons du soleil, tout était indifférent à Manaïl. Il évita de justesse un carrosse tiré par deux chevaux sans même prêter attention aux invectives colorées que le cocher en colère lui lança avec une truculence égale en français et en anglais. Quelques passants, remarquant son air égaré, lui jetèrent des regards méfiants et s'écartèrent sur son passage. Une dame un peu rondelette, en robe longue, un châle drapé sur les épaules, se colla sur une façade et serra sa fillette contre elle pour l'empêcher d'être renversée. Rien de tout cela n'avait d'importance. Dans cette rue, Manaïl ne voyait que le visage d'Ermeline.

— C'est là-bas, dit Dickens, à bout de souffle, en pointant son index.

Le garçon suivit du regard la direction indiquée par l'écrivain. Face à face, de chaque côté de la rue, s'élevaient deux églises. Sur la gauche, la première, massive et grandiose, était encore en construction. Une seule de ses deux tours était terminée. De l'autre église, qui avait été beaucoup plus modeste, il ne restait qu'une tour carrée en brique brune, surmontée d'un clocher pointu où la cloche de bronze était toujours suspendue. Seule à l'extrémité d'une place publique, elle avait l'air de surgir de nulle part.

— Où sont les symboles ? interrogea l'Élu.

— À la base de la tour, haleta Dickens en sortant un mouchoir de sa poche pour s'éponger le front.

Manaïl empoigna à nouveau l'écrivain par le bras et l'entraîna d'un pas rapide jusqu'aux ruines de l'église.

— Je ne vois rien, déclara-t-il avec impatience. Tu es certain que ?...

— De l'autre côté, coupa Dickens, en nage.

Ce fut au tour de Charlie de lui saisir le coude pour lui faire contourner la tour solitaire. Au passage, Manaïl remarqua une porte de bois.

— Regarde. Tu vois, juste là ? insista Dickens en lui désignant les fondations.

Bouche bée, Manaïl ne lui répondit pas. Le soleil plombait sur trois petits symboles alignés sur les briques, à moins d'une coudée du sol. Ils paraissaient avoir été égratignés plutôt que gravés, avec une maladresse enfantine, mais assez profondément. Le temps les avait un peu usés, mais ils demeuraient bien visibles. Et il n'y avait aucune méprise possible.

Le symbole de droite représentait un pentagramme bénéfique dans lequel on avait inclus une figure humaine rudimentaire mais reconnaissable. Le même signe qui brillait mystérieusement sur la bague des Mages d'Ishtar. À côté se trouvait l'étoile de David... La marque de YHWH, que Hanokh avait inscrite à jamais dans le creux de sa main gauche. À l'extrême droite, le triple « T » qui ornait le temple des Anciens et dont les Gardiens étaient tatoués. Le symbole de la convergence des *kan* qu'il avait traversés... En dessous, on avait inscrit un chiffre : 1673.

Manaïl sentit l'espoir lui gonfler instantanément le cœur. Le sens de tout cela lui apparaissait évident. En l'an 1673, alors que l'église maintenant disparue était encore toute neuve, quelqu'un à Ville-Marie avait gravé à son intention, avec des moyens de fortune, un message dans la pierre. Si sa quête lui avait appris quelque chose, c'était que les églises traversaient les siècles. Et, comme son auteur l'avait espéré, le message était parvenu jusqu'à lui.

Parmi toutes celles que le garçon avait connues, une seule personne possédait les connaissances nécessaires pour associer ces trois symboles. Une seule savait que le pentagramme était associé aux Mages, que la marque de YHWH était portée par l'Élu et que le triple « T » lui avait été réservé dans le temple des Anciens. Ermeline.

Elle l'appelait. Avait-elle réussi à échapper aux griffes des Nergalii ou s'agissait-il d'un message laissé en désespoir de cause ?

— Regarde cette étoile avec une silhouette humaine à l'intérieur, fit l'écrivain avec émerveillement. C'est quand même étrange, non ?

Dickens lui indiqua ensuite le haut de la vieille porte, à droite.

— Là, il y a le tétragramme hébreu, dit-il en pointant l'inscription dans la pierre. Tu vois ? Le nom de Dieu.

יהוה

Préoccupé, l'Élu regarda distraitement les quatre lettres sans prononcer un mot. L'écrivain haussa les épaules et se mit à observer les environs. Un peu plus loin, cinq hommes se tenaient appuyés contre l'édifice. Ils discutaient entre eux, mais semblaient les observer à la dérobée, le garçon et lui. Dickens inclina avec élégance la tête pour les saluer et ne reçut aucune réponse. Il fit la moue et reporta son attention sur son compagnon.

Perdu dans ses pensées, Manaïl sentait l'urgence monter en lui comme la lave dans un volcan. Le temps pressait, il en avait la conviction. Il devait secourir Ermeline, mais était-il capable de la rejoindre ? Le bain sacré qu'il avait pris lors de son passage dans le temple des Anciens avait éveillé en lui une compréhension instinctive des *kan*. Mais hormis les déplacements courts et souvent involontaires qu'il avait vécus depuis le début de sa quête, il n'avait encore jamais tenté de voyager de lui-même dans le temps. *Si tu comprends ceci, tu en sais assez*, avait-on écrit pour lui sur la porte de la Chambre du Milieu. Et maître Ashurat le lui avait confirmé. En savait-il vraiment assez ? S'il existait une chance, aussi mince fût-elle, de retrouver Ermeline, il devait agir sans tarder. Et s'il y laissait sa peau, cela n'avait aucune importance. Mis à part un fragment caché dans sa poitrine, Ermeline était tout ce qu'il avait.

Son regard s'attarda sur l'année. La gitane avait-elle voulu lui faire comprendre qu'elle se trouvait en l'an 1673 ? Mais à quel moment précis devrait-il entrer dans le *kan* ? En janvier ? En juin ? En décembre ? Comment pouvait-il le déterminer ? Un frisson d'angoisse courut le long de sa colonne vertébrale. Tout cela passait inévitablement par la maîtrise des Pouvoirs Interdits. Au mieux, la sienne était imparfaite.

Une détonation le tira brusquement de ses questionnements.

Bang !

Des éclats de pierre plurent sur Dickens, qui se baissa et se protégea de ses bras.

— *Good God!* s'écria ce dernier avec un mélange de terreur, d'incrédulité et d'indignation. On nous tire dessus! *How rude[1]!*

Manaïl empoigna Dickens par la manche de sa veste, le projeta violemment sur le sol, puis tenta de repérer la provenance de l'attaque. Cinq hommes traversaient la place d'Armes et accouraient dans sa direction. Accoutrés à la mode du moment, chapeau haut-de-forme, col cravaté, costume à traîne, pantalons pâles et bottillons vernis, ils avaient tous un pistolet à la main.

Même de loin, leurs cheveux longs et sombres juraient cependant avec leur habillement. L'Élu pouvait aussi reconnaître l'étincelle malfaisante qui traversait leur regard et le rictus haineux qui déformait leur bouche. Des Nergalii. Ils l'avaient retrouvé, Ishtar seule savait comment.

Bang!

Un nouveau coup de feu éclata. La balle lui frôla la jambe et se logea au centre du pentagramme, pulvérisant la silhouette. Autour, les passants s'arrêtèrent et se mirent à chercher d'où provenaient ces bruits. Une femme hurla en apercevant les hommes armés et

---

1. En anglais: Quelle grossièreté!

s'enfuit en tenant son chapeau. Un homme projeta l'élégante dame qui l'accompagnait dans l'embrasure d'une porte et la protégea galamment de son corps. La pagaille éclata et toute la rue Notre-Dame ne fut que panique, les carrosses s'arrêtant brusquement pour éviter les passants qui couraient dans toutes les directions.

Le garçon profita de la confusion pour s'accroupir près de Dickens.

— Sauve-toi ! Vite ! s'écria-t-il.

Charlie se releva et hésita.

— Mais… Tu… Tu ne viens pas ?

— Ne t'occupe pas de moi ! répondit Manaïl. Cours !

— Te reverrai-je ?

— Je l'ignore. Va !

À regret, Dickens ramassa son chapeau qui traînait au sol, s'éloigna à toutes jambes et se fondit parmi les passants hystériques.

Manaïl se réfugia de l'autre côté de la tour carrée pour pouvoir bénéficier de quelques secondes supplémentaires de protection. Les Nergalii approchaient. Dans un instant, ils l'auraient rejoint. Il n'avait plus le choix. Il devait remettre son sort entre les mains des Anciens, avoir recours aux Pouvoirs Interdits dont ils étaient censés lui avoir révélé le secret et partir. Maintenant.

Faisant face à la tour, il se concentra de toutes ses forces. Après un instant, les filaments multicolores se matérialisèrent et se mirent à virevolter. Cette étape lui semblait maintenant acquise. Il repéra vite le filament qui représentait le *kan* où il se trouvait : celui de 1842. Il devait se rendre en 1673. Peut-être vers Ermeline. Finalement, il identifia le filament recherché et tendit la main pour le saisir entre ses doigts. Sans qu'il s'en rende compte, son bras pénétra jusqu'au coude dans le clocher.

Il inspira profondément et se projeta vers l'avant. Son corps s'enfonça dans la paroi de brique brune et tomba dans le vide. Une fois encore, toute sensation le quitta. Il cessa d'être et fut, tout à la fois, dépouillé de toute substance, libéré du temps et de l'espace, filant à travers l'infinité multicolore des *kan* vers celui qu'il avait choisi. Mais cette fois-ci, les Anciens n'avaient pas préalablement ordonné son parcours. Il était seul. La panique l'envahit. Il allait mourir.

Lorsque les cinq hommes surgirent de l'autre côté de la tour, arme au poing, ils ne trouvèrent personne.

L'ÉTAPE

Ville-Marie, en l'an de Dieu 1673

Manaïl ouvrit les yeux et secoua la tête. La tour de l'église se trouvait toujours devant lui, exactement au même endroit. Sa main y était encore appuyée. Le même soleil plombait sur sa tête. La déception le submergea. Il n'avait pas bougé. Il avait échoué. Et les Nergalii arrivaient.

Au moment où il faisait demi-tour pour s'enfuir, il fut pris d'un étourdissement. Le monde se mit à tourner autour de lui et le sol à tanguer sous ses pieds. Un voile sombre s'abaissa devant ses yeux et ses jambes refusèrent de fonctionner. Il sentit qu'il s'affalait par terre, vidé de ses forces. Assis sur le sol, il inspira à quelques reprises et, faible comme un bébé naissant, attendit que le malaise se dissipe. Des sueurs froides lui coulaient dans le dos et tous ses membres tremblaient. Au bout d'une minute, il se sentit suffisamment bien pour rouvrir les yeux. Il devait fuir.

Désorienté, il se releva et chancela, puis se figea entre deux pas. La nouvelle église n'était plus là. Ni la rue. En lieu et place, il n'y avait qu'un champ au fond duquel se trouvaient quelques petites maisons. Perplexe, il se retourna sur ses jambes encore flageolantes et avisa la tour. Il fut surpris de constater qu'elle était incomplète. Alors que, un instant plus tôt, elle avait été le seul vestige d'une église disparue dans une rue animée, elle était maintenant en cours de construction et n'atteignait même pas la moitié de sa pleine hauteur. Le seul mur de brique brune existant dépassait à peine son menton.

La réalité le frappa de plein fouet. On était en train de construire l'église dont il n'avait connu que les ruines et, de toute évidence, on en avait encore pour plusieurs années.

À mesure que son malaise s'estompait, il observa les alentours avec plus d'attention et reconnut aisément Ville-Marie, où Ishtar les avait déposés, Ermeline et lui. La colonie avait un peu grandi, mais son apparence n'avait guère changé. Les rues étaient un peu plus nombreuses et plus droites, mais les quelques petites maisons de bois supplémentaires étaient semblables. La future église, elle, était située à l'écart du village et personne ne parut avoir remarqué l'apparition d'un garçon qui venait de sortir de nulle part.

Une chose était certaine : il n'était plus en 1842. Il avait reculé dans le *kan*. Mais était-il bien en 1673 ? Et si c'était le cas, que devait-il faire ? Où se trouvait Ermeline ? Comment pouvait-il la retrouver ? Par où commencer ?

— Tu es là, déclara une petite voix monocorde derrière lui.

Le garçon sursauta et se retourna. Debout près du bâtiment naissant, les bras le long du corps, Angélique posait sur lui son regard déconcertant et dénué d'émotions. L'émissaire de La Centaine ne portait pas les mêmes vêtements que la dernière fois, mais, hormis ce détail, elle n'avait pas changé. Elle était *exactement* la même. Manaïl fut envahi par une profonde déception et ses espoirs s'effondrèrent aussi vite qu'ils avaient été avivés.

Il avait cru arriver en l'an 1673, mais il maîtrisait encore mal les Pouvoirs Interdits. Ceux-ci l'avaient ramené en 1665, au moment où il était parti en sortant du temple des Anciens. Huit années *avant* l'appel lancé par Ermeline. Il était revenu au point de départ. Pour rien. La gitane était toujours seule en 1673, sans doute aux mains des Nergalii. Peut-être morte depuis longtemps.

— J'espérais que tu viennes, reprit la fillette.

— Angélique, dit l'Élu, déconcerté.

Il balaya les environs du regard.

— En quelle année sommes-nous ? s'enquit-il par acquit de conscience.

— En 1673, répondit-elle, comme s'il s'agissait d'une évidence.

— Mais… C'est impossible ! Huit années et tu… Tu n'as pas… Tu… Tu es toujours… Tu es… identique à ce que tu étais.

Angélique ne parut pas juger utile de répondre. Elle haussa les épaules, puis regarda subrepticement aux alentours, comme pour s'assurer qu'ils étaient bel et bien seuls au milieu des terrains vagues où ondulaient les hautes herbes.

— Suis-moi, ordonna-t-elle.

Comme à son habitude, elle se mit en marche sans attendre. Elle se dirigea vers une petite maison de bois à un étage, au toit en pente, qui se trouvait au fond d'un lot modeste, à une minute de marche de l'église. Parvenue à la clôture de pieux qui encerclait la propriété, elle ouvrit le portillon et entra. Elle passa devant la maison sans s'arrêter et se rendit jusqu'à une petite dépendance de pierre située dans le coin le plus éloigné du terrain. Elle en entrebâilla la porte grinçante, pénétra à l'intérieur et, dès que le garçon y fut entré à son tour, la referma.

L'air y était plus frais qu'à l'extérieur. Sur les tablettes qui recouvraient les murs étaient alignés des pommes de terre, des oignons, des navets et d'autres légumes que Manaïl ne connaissait pas, des pots de terre cuite scellés avec de la cire ainsi que des fruits. Aux poutres du toit étaient suspendus des quartiers de viande fumée. Il régnait une odeur de terre et de nourriture qui fit crier le ventre du garçon.

Angélique saisit une pomme sur une tablette et la lui lança sans façon. Par réflexe, il l'attrapa au vol. La fillette s'assit sur une des bottes de foin qu'on avait empilées dans un coin et lui fit signe d'en faire autant. Il obéit tout en mordant dans le fruit. Il avait l'impression de ne pas avoir mangé depuis des jours, son corps exigeant avec violence de la nourriture.

— L'an dernier, je me suis engagée comme domestique chez le notaire Bénigne Basset des Lauriers, déclara Angélique. Comme la maison était tout près de la nouvelle église, j'ai pu guetter chaque jour ton arrivée.

— Où est Ermeline ? coupa Manaïl avec impatience.

La fillette baissa les yeux. Pour la première fois depuis qu'il la connaissait, l'Élu eut la fugitive impression que des émotions les avaient brièvement traversés. De la tristesse. De la colère, aussi. Et peut-être du désarroi.

— Elle est morte depuis huit ans, dit-elle d'une voix un peu moins assurée qu'à l'habitude.

Sans s'en rendre compte, Manaïl laissa tomber la pomme à peine croquée. Il ravala le sanglot qui cherchait à s'échapper de sa gorge qui s'était serrée d'un coup. Il avait l'impression que l'air ne se rendait plus à ses poumons.

— Mais… le message ? s'écria-t-il d'une voix chevrotante. Les symboles gravés sur l'église ? Si elle était morte depuis 1665, elle n'aurait pas pu me le laisser en 1673 !

— C'est moi qui t'ai fait venir, coupa Angélique. Pas elle.

Frappé de plein fouet par la réalité, Manaïl se prit la tête à deux mains et serra les paupières pour endiguer le flot de larmes qui menaçait d'en surgir. Ermeline était morte. Depuis huit ans. Il ne la reverrait jamais. Il avait cru venir à son secours, mais voilà qu'il était trop tard. Seul le fait d'être déjà assis l'empêcha de vaciller. Une froideur sinistre naquit dans son ventre et remonta vers son cœur, étranglant l'organe jusqu'à en entraver les battements. Il sentit le sang quitter son visage et laisser la place à l'engourdissement.

Son champ de vision se rétrécit. Sa bouche était aussi sèche que le désert. Il se découvrit le visage, regarda ses mains et constata qu'elles tremblaient. Il essaya de parler, mais les paroles restèrent coincées dans sa gorge devenue trop étroite.

Après plusieurs minutes, le garçon inspira avec difficulté et parvint à reprendre un semblant de maîtrise sur son corps, son esprit et son cœur. Pour son plus grand malheur, tout pouvait s'expliquer autrement. Il avait présumé qu'Ermeline avait gravé sur le vieux clocher des symboles qu'elle était la seule à connaître. Mais, dans son désir de la revoir, il avait tiré des conclusions trop hâtives. Angélique aussi savait que le pentagramme bénéfique était associé aux Mages d'Ishtar. Elle avait vu en action la marque de YHWH lorsqu'il avait sauvé la gitane dans la caverne de La Centaine. Et tous les Gardiens portaient le triple « T » tatoué quelque part sur leur corps. Elle pouvait très bien les avoir tracés sur le clocher.

— Pourquoi m'avoir fait revenir, alors ? demanda-t-il d'une voix éteinte.

Il posa son regard sur la fillette, qui fixait toujours le sol.

— Qui es-tu vraiment, Angélique ? s'enquit-il.

Cette dernière releva les yeux vers lui.

— Je suis l'émissaire des Anciens, répondit-elle sans démontrer la moindre émotion. Depuis le jour où ils ont construit le temple dans la montagne, sous les glaces, j'ai toujours fait partie de ce *kan*. Autour de moi, le temps passe. Voilà presque trois siècles, j'étais là pour accueillir les premiers Gardiens. Je les ai aidés à s'établir et à cohabiter avec ceux qui vivaient déjà ici et qui adoraient Gendenwitha. Je suis restée auprès d'eux jusqu'aux derniers : La Centaine et Toussaint. Lorsque tu es arrivé avec Ermeline, je croyais que la volonté des Anciens était accomplie. Vous êtes partis pour le temple avec Toussaint, et j'ai pensé que tout était terminé, que j'allais cesser d'être. Mais non. Je suis restée là. J'ai compris pourquoi quand j'ai retrouvé Ermeline dans les bois, aux mains de deux hommes qui la gardaient prisonnière. Mes loups l'ont secourue et je l'ai conduite chez la veuve Fezeret avant de me mettre à ta recherche. J'espérais qu'elle y serait en sécurité, mais tes ennemis ont été plus rapides. Peu de temps après, on a découvert les corps de la veuve et de ton amie. Elle avait été torturée à mort. Son cœur n'a jamais été retrouvé.

Elle fit une pause.

— C'était en 1665…, soupira-t-elle.

— Par Ishtar, chuchota l'Élu. Morte… Torturée…

Ses poings s'étaient fermés sur ses cuisses, assez fort pour que ses jointures blanchissent et que ses bras tremblent. On avait arraché le cœur de la poitrine d'Ermeline. Un seul être pouvait être si cruel.

— Mathupolazzar…, cracha-t-il, les lèvres déformées par la rage et la haine.

— Pourtant, j'ai continué à être, poursuivit Angélique. Il m'a fallu beaucoup de temps, mais j'ai fini par comprendre que je devais t'appeler. Te faire revenir. Lorsqu'on a commencé à construire l'église, j'ai gravé sur les briques le pentagramme, le triple « T » des Anciens, la marque que j'avais vue dans ta main, et l'année. J'espérais qu'un jour, si tu te trouvais plus loin dans le *kan* et que l'église existait encore, tu les apercevrais et que tu saurais comment revenir. Mais j'ignorais si tu en étais capable.

— Pourquoi m'as-tu fait venir, puisque Ermeline est morte ? explosa l'Élu, exaspéré. Que puis-je y faire maintenant ?

— Tu as besoin d'elle, rétorqua la fillette. Sans elle, tu ne pourras pas compléter ta quête. Ermeline est morte *maintenant*, corrigea Angélique en vrillant dans les yeux du garçon un regard rempli d'intensité qui jurait avec sa voix haut perchée. En l'an 1673 de ce *kan*. Mais entre le moment où je l'ai secourue, en 1665, et celui où elle a été tuée, elle a vécu trois jours. Trois jours d'enfer… Si tu arrivais à retourner à ce moment, tu la trouverais vivante. Tu pourrais la sauver. Elle ne serait *jamais* morte. C'est sans doute pour lui éviter la mort que j'ai continué à exister.

Dans l'esprit de Manaïl, les idées se bousculaient. Il tentait désespérément de cerner l'ampleur de ce que suggérait cette fillette qui n'en avait que l'apparence. Jadis, lors d'une soirée tranquille à Babylone, maître Ashurat avait tenté de lui faire comprendre la nature du temps. *Le temps n'est pas linéaire*, avait-il affirmé. *Il ne se déroule pas du passé vers l'avenir en un flot continu et régulier. Tout existe simultanément. Tout a déjà été, est et sera, disaient les Anciens*. Était-ce là ce qu'il avait cherché à lui faire comprendre? Que rien ne cessait jamais d'exister?

Le garçon se remémora les filaments multicolores qu'il semblait maintenant capable de solliciter. Tous les *kan* coexistaient… Il l'avait constaté. Le passé, le présent et l'avenir n'étaient que des moments. Toutes les combinaisons possibles d'événements, toutes les continuités, toutes les séquences… Quelque part dans un autre *kan*, Ermeline existait en ce moment même. Mais pour la sauver, il fallait d'abord parvenir jusqu'à elle.

Il hocha la tête.

— Je suis incapable d'entrer dans un *kan* avec une telle précision, dit-il, dépité. C'est impossible. Même les Nergalii ne le peuvent pas.

La fillette se pencha et, avec son doigt, dessina sur le sol de terre battue un cercle et un point au milieu.

— Ceci représente la clé des *kan*, que les Anciens ont laissée à l'intention du Fils de la veuve, dit-elle. En comprends-tu le sens ?

Abasourdi, Manaïl observa le symbole. Dans sa tête, il revoyait Temple Church, l'église ronde de Londres au milieu de laquelle le frère Enguerrand avait fait graver un point qui l'avait mené vers un fragment du talisman. Le même symbole s'était trouvé sur la porte de la Chambre du Milieu, accompagné d'une inscription qu'Ermeline lui avait traduite : *rien ne manque que la clé*. La clé… Naïvement, il avait cru que la clé à laquelle il était fait référence était le mécanisme en forme d'étoile qu'il avait découvert et qui lui avait ouvert le temple des Anciens. Mais, comme toujours, leurs messages avaient plus d'un sens. La clé…

Il examina le symbole tracé par la fillette. Un cercle et un point en son centre... Quelque chose de précis dans un ensemble limité, circonscrit... Un endroit ? Non. Un moment. Un moment précis. Ou une chose particulière. Une personne. Quelque chose de connu, de familier. Dans un *kan*.

Et si le secret n'était que cela ? Si le cercle représentait un *kan* et le point, un des moments qui le composaient ? Ou une personne qui s'y trouvait ? Si, pour y entrer à un instant particulier plutôt qu'au hasard, il était nécessaire de connaître quelque chose qui soit intimement lié à ce moment, qui en fasse partie intégrante ? Un élément assez bien connu pour attirer le voyageur, pour le guider dans son déplacement. Un objet, un individu, un événement... Un ancrage vers lequel se diriger. C'était ce que maître Ashurat avait tenté de lui faire comprendre dans le ventre de Gendenwitha, mais ils avaient été interrompus par l'arrivée de Mathupolazzar. *Souviens-toi : rien ne manque que la clé*, avait-il dit. Pour voyager avec précision dans les filaments, il fallait une clé...

Ceci expliquait comment Manaïl s'était retrouvé en 1842. Lorsqu'il avait ouvert la porte du temple des Anciens, une multitude de *kan* avait défilé devant ses yeux. Puis celui de Montréal, en l'an 1842, s'était stabilisé.

Maintenant, la raison en était claire : sans qu'il en ait conscience, Charlie Dickens avait été son ancrage. Enfant, il avait déjà été impliqué dans sa quête et le hasard — ou les Anciens ? — avait voulu que l'adulte qu'il était devenu se retrouve à portée de l'Élu. Alors, seulement, le couloir s'était matérialisé. Et les Anciens, eux, l'avaient toujours su. Ils avaient utilisé la présence de Charlie comme ancrage pour l'Élu. De même, il avait réussi à reculer par lui-même jusqu'en 1673 non pas parce qu'il l'avait voulu, mais bien parce qu'Angélique s'y trouvait. Manaïl était ébahi par la complexité de leur pensée. Il arrivait à peine à imaginer l'ampleur de leurs reherches pour identifier, parmi l'infinité des variations, les événements et les individus qui lui seraient utiles. Des millénaires avant sa naissance, ils l'avaient suivi pas à pas et avaient connu les moindres détails de son existence.

Mais à l'instant, rien de cela n'importait. Seule comptait sa compréhension des *kan*. Car pour se rendre au bon moment en 1665, il possédait l'ancrage le plus ferme et le plus précieux qui soit : Ermeline. Rien dans tout l'univers n'était plus précieux à ses yeux. Rien ne pouvait l'attirer davantage et le guider plus sûrement qu'elle.

Manaïl releva la tête vers Angélique et lui sourit, ses yeux brillant d'une détermination nouvelle. Au même instant, la fillette se raidit et ses yeux fixèrent quelque chose d'invisible, au loin, dans le néant.

— Ils sont là, déclara-t-elle avec le calme déconcertant qui la caractérisait.

Il était superflu de demander de qui Angélique parlait. Le garçon se leva, entre-bâilla la porte de la dépendance et y jeta un coup d'œil prudent. Au loin, près de l'église, il vit les cinq hommes auxquels il venait à peine d'échapper. Ils n'avaient même pas jugé bon de laisser derrière les vêtements du *kan* précédent. Ils inspectaient les alentours du chantier et cherchaient visiblement quelque chose. Lui. Ils avaient aussi emporté leur pistolet.

— Si tu as compris le message des Anciens, tu dois partir, Fils de la veuve, insista Angélique. Tout de suite.

Manaïl s'écarta de la porte et réfléchit un moment. Les Nergalii l'avaient retrouvé en 1842, puis en 1673. Mais comment faisaient-ils ? Ils semblaient le suivre à la trace sans le moindre effort. Il hocha la tête. C'était comme s'ils avaient possédé leur propre ancrage... Quelque chose ou quelqu'un qui leur permettait de le suivre pas à pas. Le temps pressait. Le garçon réfléchit furieu-sement. De quoi pouvait-il s'agir ? Il se mit à tapoter ses vêtements, à la recherche d'un objet quelconque. Mais il ne possédait rien d'autre que les hardes qu'il avait sur le dos, le fragment et la bague des Mages. Il mit la main dans sa poche et se figea. Puis il se maudit intérieurement.

Évidemment… Un ancrage. Rageur, il tira de sa poche l'anneau d'argent qu'il avait arraché de l'oreille du Nergali dans le couloir du temps. Depuis la disparition d'Ermeline, il n'y avait pas repensé. Il avait traîné bêtement sur lui l'élément qui révélait sa présence aux hommes de Mathupolazzar. Aussi bien essayer de semer un chien en semant des morceaux de viande ! Il ferma les yeux et frappa violemment le mur de son poing. Viendrait-il jamais à bout de comprendre le fonctionnement des *kan* ?

Dans l'embrasure de la porte, il constata que les Nergalii se dirigeaient dans sa direction, avançant dans les hautes herbes sans même tenter de se cacher. Il serra les dents. Cette fois-ci, ils ne suivraient pas sa piste aussi facilement.

Il se retourna et tendit l'anneau à Angélique.

— Prends ceci, lui ordonna-t-il. Débarrasse-t'en au plus vite. Ne le garde pas sur toi et ne reste pas près de lui. Dépose-le quelque part, loin d'ici. Tu as compris ?

Angélique hocha la tête.

— Je sais déjà où le mettre, dit-elle, une étincelle dans les yeux.

— Pars pendant qu'il est temps, continua Manaïl. Ne les laisse pas t'attraper.

La fillette obtempéra. Elle s'arrêta avant d'ouvrir et le regarda.

— Sauve-la, plaida-t-elle.

— J'essaierai. Je te le promets. De toutes mes forces. Adieu, Angélique.

— Au revoir, Fils de la veuve. Je t'attendrai. D'ici là, qu'Ishtar soit avec toi, dit-elle avant de sortir pour disparaître au pas de course en direction de ce qui deviendrait bientôt la rue Saint-Paul.

— La déesse est avec moi…, murmura l'Élu pour lui-même. Elle l'a toujours été… Je l'avais seulement oublié.

Lorsque Angélique eut refermé la porte derrière elle, il se concentra de toutes ses forces, plus qu'il ne l'avait jamais fait. Dans son esprit, il fit apparaître au milieu des filaments multicolores le visage d'Ermeline, son sourire insolent, ses yeux vairons, étranges et captivants, ses cheveux noirs, sa voix riche et chaude qui pouvait aussi bien hurler des insultes que rire, le goût presque sucré de ses lèvres, la chaleur de son corps. Il n'eut pas conscience que, sur son propre visage, un sourire était apparu. Puis il songea avec angoisse au sort terrible qu'Ermeline avait subi aux mains des Nergalii. Il devait faire vite.

Au moment où sa concentration atteignit son apogée et où il crut presque pouvoir toucher la gitane, il se lança dans le vide et disparut.

RETOUR EN ARRIÈRE

Ville-Marie, en l'an de Dieu 1665

Manaïl ouvrit les yeux. Il faisait nuit. Un croissant de lune illuminait le ciel dégagé. La faible lumière lui permit d'apercevoir les environs. La dépendance d'où il était parti n'existait pas encore, mais la petite demeure où Angélique travaillerait comme domestique quelques années plus tard s'y trouvait déjà. À travers les ombres, il reconnut sans trop d'efforts la disposition des maisons et les quelques rues. Il était bien à Ville-Marie, mais un peu plus tôt dans le *kan*, comme il l'avait souhaité. Exactement au moment où s'y trouvait Ermeline ? Il n'existait qu'une manière de le savoir.

Il se mit en marche, mais ne fit que deux pas avant que le mystérieux malaise qui l'avait affecté lors de son premier déplacement le reprenne sans crier gare, plus violent que la première fois. Il se retrouva presque aussitôt à plat ventre dans la poussière, les yeux fermés, haletant, complètement vidé. Une puissante nausée le contraignit à ravaler une bile acide à l'arrière-goût de pomme. Il lui fallut de longues minutes avant d'être en mesure de se remettre à genoux, la tête pendante, les cheveux trempés, la bave coulant entre ses lèvres flasques. Il secoua la tête et tenta de se relever, mais retomba lourdement sur le sol, tremblant. Que lui arrivait-il ? Se pouvait-il que le recours aux Pouvoirs Interdits l'affecte à ce point ? Était-ce normal ou y avait-il quelque chose qu'il faisait mal ? Allait-il se retrouver drainé ainsi chaque fois qu'il les utiliserait ? L'effet s'amenuiserait-il avec l'habitude ou empirerait-il ?

Il songea à recourir à la marque de YHWH, mais où devait-il la poser ? Il n'était pas blessé. Il se sentait à l'article de la mort. Et nul doute que le mystérieux pouvoir qui y résidait était aussi affaibli que lui.

Il dut patienter plusieurs minutes, vulnérable, pour que les forces lui reviennent un peu. Lorsqu'il s'en sentit capable, il tenta à nouveau de se relever. Cette fois, ses jambes, encore faibles et chancelantes, le soutinrent. Il tituba en direction de son but. Lorsqu'il eut atteint la maison de la veuve, il était loin d'être en pleine forme, mais la tête lui tournait moins. Il se tapit contre un arbre, le temps de s'assurer que personne ne rôdait aux alentours. Heureusement, la colonie était endormie. Il se dirigea vers la porte et frappa trois petits coups. Aucune réponse. Il frappa à nouveau, sans plus d'effet. Son cœur se serra et il testa la poignée de la porte, qui s'ouvrit sans résistance. Pourtant, la veuve Fezeret verrouillait sa porte la nuit. Il s'en souvenait.

Sur ses gardes, il entra. Dans le noir, une puissante odeur âcre et vaguement cuivrée lui envahit les narines. Il l'aurait reconnue entre toutes. Il l'avait sentie trop souvent déjà. Du sang. Encore chaud.

Un froid glacial lui serra le cœur. Il s'avança dans la maison en ayant l'impression de devoir lutter contre ses propres jambes, qui refusaient de lui obéir. Angoissé, il avait peine à respirer. Instinctivement, il tâta sa ceinture, mais se rappela qu'il était sans armes. Il se sentit soudain terriblement seul.

Il n'avait fait que quelques pas lorsque son pied heurta quelque chose d'inerte. Il se fit violence pour baisser les yeux. Dans la lumière de la lune, le regard vitreux et fixe de la Fezeret était posé sur lui. La vieille femme gisait dans une mare de sang. Sa gorge n'était qu'une ouverture béante. Malgré lui, le garçon laissa échapper un petit geignement de terreur et de désespoir. Si la veuve avait subi ce sort... Il n'osa pas poursuivre plus avant son raisonnement.

Il enjamba le cadavre en évitant de mettre les pieds dans le sang et se dirigea vers l'âtre. D'une main tremblante, il saisit le tisonnier que la veuve avait appuyé contre la pierre, fouilla les cendres et dégagea quelques braises. Il y enflamma une brindille et transmit la flamme à la mèche de la lampe à huile qui était posée tout près, sur la table.

Il remarqua les volets du lit dans lequel Ermeline avait dormi lorsque la veuve les avait recueillis. L'un d'eux avait été à moitié arraché et l'autre était ouvert. Il s'arrêta. Tout à coup, il ne voulait plus savoir. Il ne désirait que quitter cet endroit.

Son souffle s'arrêta dans sa poitrine. Il ne doutait pas de ce qu'il allait trouver. Il ne souhaitait pas la voir. Mais il le devait.

Haletant, couvert d'une sueur à l'odeur rance, il avança péniblement, un pas à la fois, tel un condamné vers le gibet où il allait perdre la vie. Il tendit la lampe.

Ermeline était là. Ses beaux yeux étaient ouverts. Son visage exsangue s'était figé dans une affreuse grimace de souffrance. De sa bouche entrouverte avait coulé un filet de sang qui s'était accumulé sur la paillasse et avait mouillé ses magnifiques cheveux noirs. Ses mains n'étaient plus que d'affreux moignons. Tous ses doigts avaient été coupés et traînaient çà et là sur la paillasse et sur le plancher, jetés comme de vulgaires détritus. Son visage était tuméfié au-delà de toute description. Mais tout cela n'était rien. Sa chemise... Sa chemise était ouverte. Sa poitrine n'était plus qu'un gouffre sombre, sanglant. La voix d'Angélique retentit, sinistre, dans sa tête. *Elle avait été torturée à mort. Son cœur n'a jamais été retrouvé.* Son cœur... Mathupolazzar avait pris le cœur d'Ermeline... Pour l'offrir en sacrifice à Nergal, sans doute, en ultime outrage. Il l'avait toujours compris. Mais le voir était infiniment pire.

La douleur fut telle que Manaïl n'eut plus conscience d'exister. Son esprit devint une lumière blanche et aveuglante qui se concentra en une boule de colère pure, dense et brillante, avant de se loger dans son estomac. Ermeline... Ce chien de Mathupolazzar avait fait souffrir Ermeline...

Il se pencha et caressa le front de la gitane. Il était encore tiède. Il lui ferma les paupières, ravala ses sanglots et se retint de la prendre dans ses bras. Puis il se ressaisit. Tout n'était pas perdu. Malgré l'affreux spectacle qui se déployait sous ses yeux, elle pouvait encore vivre. Si Ishtar voulait bien lui venir en aide, elle pouvait encore vivre… Plus que jamais, il devait faire fi de son cœur et avoir recours à sa raison. Sa dernière pensée avant de quitter le *kan* de 1673 avait été celle de la gitane martyrisée par les Nergalii. Sans le vouloir, il avait utilisé le mauvais ancrage.

Le souffle court, il se redressa et, au prix d'un effort infini, parvint à faire revenir dans son esprit un semblant de calme. Il chassa de son mieux l'image du corps ravagé de la gitane et la remplaça par celle de son visage souriant. Son visage *vivant*. Lorsque les filaments l'entourèrent et qu'il eut repéré celui qu'il cherchait, il se lança de tout son être dans le néant.

Vers Ermeline.

◆

Tourmentée, Ermeline faisait les cent pas dans l'unique pièce de la maison. Elle se sentait prisonnière et impuissante. Elle avait promis à Angélique qu'elle se ferait discrète et espérait que la fillette lui revienne avec des nouvelles de Manaïl, mais l'attente était insupportable. Cela faisait à peine deux jours qu'elle était chez la veuve et elle croyait déjà devenir folle. Maintenant que la nuit était tombée, elle résistait avec peine à la tentation de sortir pour se lancer à la recherche de la fillette.

À mi-chemin entre l'agacement et l'amusement, la veuve Fezeret l'observait en tricotant, un gobelet à moitié plein posé près d'elle. À part quelques heures passées à écosser des pois, son invitée n'avait fait que tourner en rond comme un animal en cage.

— Tu vas user le plancher si tu continues comme ça, ma pauvre petite, dit-elle d'un ton rieur. Sans parler de tes chaussures.

— Pardonnez-moi, répondit la gitane, penaude. Je m'inquiète pour… mon frère.

— Je sais, dit la femme en posant une chaussette inachevée dans un panier près de son banc. Tiens, approche. Nous allons dire un rosaire pour lui. Ça ne nuit jamais.

Elle sortit un chapelet de bois de la poche de son tablier et s'agenouilla. Ermeline, qui ne croyait guère aux simagrées des prêtres qui avaient brûlé vive sa pauvre mère, s'exécuta davantage pour ne pas décevoir son hôtesse que par conviction. Elle s'agenouilla auprès de la Fezeret, pencha la tête et ferma les yeux…

Trois coups secs sur la porte rompirent leur recueillement. La veuve sursauta et, contrariée, remit son chapelet dans son tablier. Elle se releva avec quelque difficulté, ses genoux craquant un peu sous l'effort et, intriguée, se dirigea vers la porte.

— Je me demande bien qui ça peut être, dit-elle.

— N'ouvrez pas! murmura la gitane.

— Allons, petite. Il n'y a aucun danger. À part moi et Marie Grandin, la femme de Picot, dit Labrie, personne ne sait que tu es ici.

Ermeline n'eut pas le temps de s'insurger contre le fait que la veuve ait révélé sa présence. Elle devait se cacher.

Lorsqu'elle fut enfermée dans la cabane du lit, la Fezeret ouvrit la porte. Dans l'embrasure se tenait René Moreau, un des miliciens qui les avaient capturés, Manaïl et elle, quelques jours plus tôt.

— René? s'étonna la veuve. Mais que fais-tu ici à une heure pareille?

Le milicien retira son chapeau.

— C'est le sieur de Maisonneuve, répondit-il. Il veut savoir si votre… votre pensionnaire a besoin de quoi que ce soit.

— Non, répondit la femme. Tout va bien.

— Ah… Je vous ai dérangées pour rien, alors, soupira Moreau. Monsieur le gouverneur veut aussi que je vous dise que, maintenant que mademoiselle Ermeline est de retour, une nouvelle battue est prévue pour demain, au matin. Des fois qu'on pourrait retrouver son pauvre frère.

— Tu transmettras les remerciements de mademoiselle Ermeline à monseigneur, dit la Fezeret. Je suis certaine qu'elle appréciera.

Visiblement peu pressé de s'en aller, Moreau étira le cou par-dessus l'épaule de son interlocutrice en tortillant son chapeau.

— Elle n'est pas là, mademoiselle Ermeline ? demanda-t-il.

— Elle dort, mentit la veuve. Elle est encore toute retournée, la pauvre.

— Ah... Bien entendu... Je comprends. J'aurais voulu lui dire un petit bonsoir. Bon. Je me reprendrai une autre fois, je suppose.

— C'est ça. Tu te reprendras.

— Vous lui direz que je suis passé ?

— Oui, oui. Maintenant, ouste ! dit la veuve en souriant. Laisse une honnête femme dormir en paix !

René remit son chapeau et s'éloigna pendant que la Fezeret refermait la porte derrière lui. Elle s'approcha du lit et cogna discrètement aux volets.

— Ermeline ? Tu dors ?

— Non.

— Alors viens. On ne va pas laisser notre rosaire à moitié dit.

À contrecœur, la gitane émergea de sa cachette et se remit à genoux avec son hôtesse, qui reprit son chapelet...

On frappa encore à la porte. La Fezeret leva un regard exaspéré vers le ciel.

— Ah! Mais quel coquebert, celui-là, marmonna-t-elle. Je crois qu'il aimerait bien te faire les yeux doux, le René.

Ermeline se précipita de nouveau dans la cage du lit et en referma les volets. De l'intérieur, elle entendit la veuve, un peu impatiente, ouvrir la porte.

— Qu'est-ce que tu veux encore? demanda-t-elle.

Un fracas retentit. Par instinct, la gitane fouilla dans son corsage et en sortit son médaillon, seul moyen de défense qu'elle possédait. Quelqu'un venait d'entrer dans la maison.

— Ermeline..., haleta faiblement une voix familière. Où... est-elle?

Le cœur de la gitane faillit éclater de joie. Martin! Il était revenu! Elle ouvrit les volets d'un coup, sortit du lit, traversa la pièce à toute vitesse et bouscula la veuve au passage pour se précipiter vers Manaïl et se jeter dans ses bras, mais elle s'arrêta net. Celui qu'elle avait cru ne jamais revoir gisait sur le sol. Son regard vitreux était fixé quelque part dans le vide et sa bouche ouverte laissait échapper un filet de salive.

— Mar... Michel! s'écria-t-elle.

Au son de sa voix, le garçon se concentra et, avec une difficulté évidente, parvint à lever les yeux dans sa direction. La gitane se laissa tomber sur les genoux et se mit à l'examiner frénétiquement, palpant son torse et ses membres, relevant ses manches et les jambes de son pantalon, fouillant ses cheveux.

— Où es-tu blessé ? demanda-t-elle avec angoisse.

— Je… Je n'ai rien…, gémit le garçon. Ça ira. Donne-moi… un moment.

Malgré l'état de faiblesse dans lequel il se trouvait, il parvint à adresser l'ébauche d'un sourire à la gitane. Puis un haut-le-cœur le saisit et il vomit sur le sol. La veuve se précipita vers un bassin sur la table et y trempa un linge qu'elle tendit à la gitane. Ermeline l'appliqua sur le front de Manaïl.

Il lui fallut un long moment avant d'être en mesure de se tenir sur ses jambes. Lorsqu'il y parvint, Ermeline l'étreignit et le fit dangereusement chanceler.

— Tu es là ! s'écria-t-elle en l'écrasant de toutes ses forces et en couvrant ses joues de baisers bruyants. Cornebouc ! Je te croyais trépassé ! Mais où étais-tu ? Comment m'as-tu retrouvée ? C'est Angélique qui te l'a dit ? Qui t'a mis dans cet état ?

Manaïl ne répondit à aucune des questions qui se succédaient à la vitesse de l'éclair.

Les yeux fermés, toujours étourdi, il savourait malgré tout l'étreinte en remerciant Ishtar. Ermeline était vivante et c'était tout ce qui comptait. Il enfouit son visage dans les cheveux soyeux de la gitane et respira son odeur. À son tour, il la serra de son mieux, moulant son corps contre le sien, sentant sa chaleur l'envahir.

Mais le temps était compté. L'horrible scène qu'il venait de voir un peu plus loin dans le *kan*, et qu'il n'oublierait plus pour le reste de sa vie, n'existait pas encore, mais elle allait bientôt devenir réalité. Et la faiblesse qui semblait suivre chaque usage des Pouvoirs Interdits l'avait déjà trop retardé. À regret, il s'arracha des bras de la gitane.

Sous le regard attendri de la Fezeret, qui les observait, les mains sur le cœur, il se retourna et referma la porte restée ouverte.

— Je t'expliquerai plus tard, dit-il à la gitane en s'assurant qu'elle n'était pas verrouillée. Nous avons peu de temps.

Pendant qu'Ermeline l'observait, interdite, il examina rapidement l'intérieur de la pièce. Il éteignit la chandelle et porta son attention sur la veuve.

— Vous, sortez par la porte arrière, ordonna-t-il. Quoi qu'il arrive, ne revenez pas avant le lever du jour.

— Mais... Je...

— Tout de suite ! s'écria-t-il. Si vous voulez avoir la vie sauve, trouvez refuge chez un ami et n'en sortez pas avant le jour !

Les yeux de la femme s'écarquillèrent, mais l'expression du jeune homme lui indiqua clairement qu'il valait mieux ne pas poser de questions. Un peu effrayée, elle s'exécuta sans bruit, les laissant seuls. Manaïl s'adressa à Ermeline.

— Les Nergalii vont bientôt arriver, murmura-t-il d'un ton décidé. Nous n'aurons qu'une chance de les déjouer. Tiens-toi derrière la porte. Ils ne s'attendent pas à me voir. Lorsqu'ils entreront, ils seront surpris. Ce sera le moment d'utiliser ton médaillon. Tu y arriveras dans le noir ?

— Tant qu'il y a la lune ou les étoiles, c'est suffisant.

À l'extérieur, un craquement les fit sursauter. Manaïl se dirigea à grandes enjambées vers le coin opposé de la pièce et se fondit dans la pénombre. Il fit signe à Ermeline de prendre place. Puis il posa son index sur ses lèvres.

— Chut, fit-il.

Tendus, ils attendirent. Les secondes s'étirèrent sans que rien se produise. Puis des coups secs résonnèrent à la porte comme autant de coups de canon dans la nuit. En l'absence de réponse, quelqu'un testa la porte.

La ferrure qui la maintenait fermée se souleva. Avec une lenteur infinie, la porte s'entrouvrit et le grincement des pentures leur parut sinistre.

Une tête passa dans l'entrebâillement et examina prudemment l'intérieur de la maison. Après quelques instants, la porte s'ouvrit entièrement, masquant Ermeline. Un homme entra et balaya la pièce du regard, mais ne vit pas le garçon qui l'observait, tapi dans le noir. Il se retourna vers la porte.

— Il n'y a personne, chuchota-t-il, perplexe. C'est peut-être le mauvais endroit.

Un à un, d'autres Nergalii entrèrent. Manaïl en compta cinq. Tous tenaient un pistolet.

— La femme Grandin était formelle, chuchota l'un d'eux. La petite se cache ici. C'est la propriétaire de la maison qui le lui a affirmé.

— Avec ce maudit Élu, rien n'est impossible, murmura une autre voix amère qui provenait de l'extérieur. Peut-être qu'il nous a précédés.

Les Nergalii refermèrent la porte en silence et, sur le bout des pieds, avancèrent dans la pièce.

— Fouillez partout, ordonna l'un d'eux.

L'Élu d'Ishtar fit un pas vers eux.

— C'est moi que vous cherchez ? demanda-t-il d'un ton naturel.

Les hommes sursautèrent et se retournèrent vivement. Manaïl se retrouva avec cinq
fusils braqués sur lui. L'un d'eux allait se
diriger vers la porte pour prévenir le grand
prêtre lorsque Ermeline, que personne n'avait
remarquée, s'avança en brandissant son pendentif.

— Regardez le joli médaillon, dit-elle d'une
voix enjôleuse. Voyez comme il brille. La
lueur de la lune et des étoiles sur le métal…
Comme il est joli…

Leur attention dirigée vers le pendentif, les
Nergalii abaissèrent un à un leur arme et leur
visage perdit toute expression. Seuls leurs
yeux suivaient les mouvements de balancier
du médaillon.

✦

Par précaution, Mathupolazzar était resté à
l'extérieur de la demeure. La douleur irradiait
de sa main mutilée au long de son bras et jusque dans son épaule. Des sueurs de faiblesse
trempaient son visage et la tête lui tournait.
Mais il n'en avait cure. Il avait retrouvé la compagne de l'Élu. Il avait suffi de tendre l'oreille
aux commérages.

Dans le noir, le grand prêtre observait la
scène à travers le papier ciré qui tenait lieu
de carreaux de verre dans la fenêtre. Cette

diablesse n'était jamais à court de ressources. Voilà maintenant qu'elle se révélait enchanteresse et avait charmé sans difficulté ses Nergalii.

L'Élu était là, aussi, tout près. Il devait agir. Il empoigna le Nergali qui était demeuré à ses côtés et le poussa vers la porte.

— Va! ordonna-t-il. Et surtout, ne regarde pas le médaillon. Abats d'abord la fille!

Le Nergali ouvrit la porte et, son arme tendue devant lui, fonça à l'intérieur. Mais aucune détonation ne retentit.

✦

Sans hésiter, Manaïl empoigna le bras du Nergali le plus proche et fit signe à la gitane de le rejoindre. Il ignorait s'il était possible d'emporter d'autres personnes avec lui vers un *kan* et n'osait même pas imaginer l'effet d'un tel voyage sur ses forces, mais il devait essayer. Si son hypothèse était exacte, il aurait un peu de temps pour faire le point. S'il se trompait, Ermeline et lui se dirigeaient tout droit vers la mort.

Il se concentra, attendit l'apparition des filaments et fixa son esprit sur le seul autre ancrage dont il était certain, priant Ishtar de le mener à bon port. Puis il sauta dans le vide en tenant la gitane et son prisonnier.

✦

Sentant la colère et la panique l'envahir, Mathupolazzar pénétra à son tour dans la maison. Lorsqu'il entra, les Nergalii se tenaient immobiles et pantois. Il ne lui fallut que le temps d'un souffle pour constater qu'il en manquait un.

— Où est Bibul-na ? demanda-t-il.

Les serviteurs de Nergal se regardèrent l'un l'autre, interloqués. Dans la pièce, il n'y avait qu'eux.

— Il... Il était là voilà un moment..., balbutia l'un d'eux. Je ne comprends pas... Il n'a pas pu...

— Où sont-ils ? cracha le grand prêtre en furie. Où sont l'Élu et la fille ?

Aucun des serviteurs de Nergal n'osa prononcer un mot. Mathupolazzar se dirigea vers Occa-nahr et tendit sa main valide vers lui. L'homme à la lèvre boursouflée eut un mouvement de recul instinctif.

— Ne crains rien, dit-il d'une voix empreinte d'une fausse tendresse paternelle. Je ne te veux aucun mal. Bien au contraire.

Ne sachant pourquoi il était ainsi cajolé, le Nergali regarda son maître sans comprendre. Mathupolazzar écarta les longs cheveux noirs d'Occa-nahr et dégagea son oreille gauche, au lobe de laquelle était suspendu un anneau d'argent qu'il prit délicatement entre ses doigts.

— Quel joli bijou…, minauda Mathupolazzar, un éclair de mépris dans les yeux. Dis-moi, tu sais où se trouve l'autre ?

— Je crois que l'Élu me l'a arraché lorsque nous l'avons surpris dans le couloir.

— Il te l'a arraché… Oui. C'est aussi ce que j'ai vu. Heureusement, puisque tu n'as pas cru bon de m'en informer.

Sans prévenir, Mathupolazzar remonta son genou entre les jambes du Nergali et, d'un geste vif, lui arracha l'anneau, déchirant cruellement le lobe de son oreille. L'homme se recroquevilla sur lui-même en gémissant, ses mains enveloppant sa virilité meurtrie et un filet de sang lui mouillant le cou.

— Ta stupidité nous sera utile, grogna le grand prêtre de Nergal en observant l'anneau dans la lumière de la chandelle.

À genoux aux pieds de son maître, l'homme interrompit ses gémissements, médusé.

— Si je ne m'abuse, Occa-nahr, tu portes ces anneaux depuis très longtemps, non ? s'enquit Mathupolazzar.

— Ou… Oui, maître, gémit le Nergali, le visage pâle de douleur. Ils m'ont été donnés par mon père lorsque j'ai atteint l'âge de raison.

— Bien. Très bien, réfléchit le prêtre.

Mathupolazzar regarda un des autres Nergalii.

— Tue-le, ordonna-t-il.

Ne connaissant que trop les risques de contester un ordre du grand prêtre, l'homme tendit son fusil vers la tête de son comparse toujours agenouillé et, avant que ce dernier ne puisse faire davantage qu'émettre un couinement de terreur, il appuya sur la détente. La nuque de la victime explosa et le corps s'affala au sol. Le sang d'Occa-nahr éclaboussa la porte.

Un sourire de satisfaction sur le visage, Mathupolazzar se retourna vers les autres.

— Suivez cet anneau, ordonna-t-il en tendant l'objet à l'un d'eux. Lorsque vous aurez trouvé le garçon, faites-lui cracher l'emplacement du dernier fragment et tuez-le sans hésiter, peu importe les circonstances. Celui qui me le ramènera sera fait prêtre dans le Nouvel Ordre.

— Il en sera fait selon votre volonté, maître, répondit l'un d'eux.

Sans rien ajouter, Mathupolazzar se concentra et disparut le premier. Quelques secondes plus tard, les Nergalii étaient de retour à Ville-Marie, sur les traces de l'anneau de leur frère sacrifié.

En l'an 1673.

AU SOMMET DU CLOCHER

Montréal, en l'an de Dieu 1842

Manaïl eut à peine conscience d'émerger du néant que déjà, il s'effondrait violemment sur quelque chose d'humide et tiède. Son visage encaissa un choc, mais la sensation en fut distante. Il se sentait coupé du monde physique et tout mouvement lui paraissait inconcevable. Il n'avait ni l'envie ni la capacité de bouger. Jamais il ne s'était senti si vide.

Un à un, avec une lenteur infinie, ses sens lui revinrent. La première chose qu'il sentit fut la poussière dans sa bouche. Puis résonna la voix d'Ermeline, qui semblait venir de l'autre bout de l'univers. Elle l'appelait.

— Martin ! Cornebouc ! Tu vas finir par te réveiller et me dire ce que je dois faire de ce châtron ? l'interpellait la gitane d'un ton où perçait une inquiétude mal contenue, en le poussant avec insistance du bout du pied. Je ne pourrai pas le garder endormi AD VITAM ÆTERNAM[1] !

Manaïl ouvrit les yeux et ne vit rien. Le noir l'enveloppait. Celui de la nuit, mais aussi celui qui l'habitait. Il avait peine à respirer. Il réalisa qu'il gisait face contre terre, la bouche ouverte.

Il parvint à relever un peu la tête et cracha avec difficulté. Il se retourna. Ses paupières semblaient aussi lourdes que la grande ziggourat de Babylone. Mais la pénombre s'amenuisait. La lune brillait. Il aperçut Ermeline. Elle ne semblait pas affectée par le voyage. Le bras tendu, le poing fermé sur le lacet de cuir, elle avait tenu le Nergali sous sa coupe grâce au mystérieux pouvoir des gitans. Le visage flasque, son pistolet tenu mollement dans sa main, l'homme fixait intensément le pendentif qui oscillait et scintillait.

Au prix d'un effort terrible, Manaïl se remit sur pied. Aussitôt, il sentit le sol se dérober sous lui et retomba sur un genou, haletant, avant de vomir une bile amère. Il s'essuya la bouche d'une main tremblante et releva la tête. Même en pleine nuit, il était clair qu'il se trouvait de nouveau face à la tour. Un examen plus attentif lui confirma

---

1. En latin : Pour l'éternité.

qu'il ne restait plus rien d'autre de l'ancienne église alors que la nouvelle, derrière lui, était presque achevée. Comme avant son départ. Avec soulagement, il comprit qu'il avait réussi. Non seulement il était parvenu à revenir en 1842, mais, au prix d'une ponction dramatique dans ses forces vitales, il y avait ramené Ermeline et le Nergali.

Il prit plusieurs profondes inspirations et, en s'appuyant des deux mains sur son genou plié, il se releva une nouvelle fois, difficilement. Ses jambes tremblotaient et les muscles de ses cuisses étaient traversés de spasmes. Il s'appuya sur la tour de brique pour ne pas tomber, suant comme une bête. Lorsque le monde tourna plus lentement sous ses pieds, il tituba vers l'homme, lui arracha le pistolet qu'il tenait mollement et le mit en joue. L'arme lui parut aussi lourde qu'une épée templière.

— Il... Il dort toujours ? demanda-t-il, pantelant.

— Oui, répondit la gitane d'une voix incertaine.

Le regard d'Ermeline glissa rapidement sur les bâtiments qui les entouraient.

— Martin... Où sommes-nous ? demanda-t-elle. Que s'est-il passé ? C'est... C'est le même endroit, n'est-ce pas ? Le même endroit mais... pas le même moment ?

Trop épuisé pour se lancer dans des explications, l'Élu se contenta de faire oui de la
tête.

— Tu es blessé ? s'enquit la gitane.

— Non…, soupira le garçon en se frottant
le visage de sa main libre. Juste… vidé.

— Qu'est-ce que je fais avec lui ? insista
Ermeline en désignant le Nergali d'un geste
de la tête.

— Là, dit-il en désignant du doigt la porte
de la tour. C'est… abandonné. Nous serons
tranquilles.

Sceptique, Ermeline haussa les sourcils.
Sans altérer le balancement de son pendentif,
elle allongea le bras et testa la porte, qui
s'ouvrit sans résistance. Elle étira le cou et
scruta l'intérieur.

— Il fait aussi noir que dans le cul du
diable, là-dedans, déclara-t-elle. Il y a un
escalier tournant qui va jusqu'au sommet. Tu
veux monter tout là-haut ?

Manaïl acquiesça de la tête.

— Bon…, dit la gitane, incertaine.

Elle se concentra sur le Nergali.

— Suis le médaillon, ordonna-t-elle.
Regarde-le bien et suis-le, répétait-elle au
disciple de Nergal.

Elle s'engagea à reculons dans l'escalier,
suivie docilement par le Nergali. Manaïl leur
emboîta le pas, le pistolet toujours pointé vers

le captif. Il n'avait jamais utilisé une de ces armes, mais il l'avait vu faire par d'autres. Dans le *kan* de Londres, le duc de Sussex avait simplement appuyé sur la gâchette. Mais il se sentait si faible... Ce simple effort lui apparaissait presque au-delà de ses forces.

Derrière le Nergali, il gravissait avec peine chaque marche du vieil escalier en colimaçon qui longeait le mur, s'agrippant avec sa main libre à la rampe de bois. Bientôt, le sommet fut en vue. Au centre du toit était suspendue une lourde cloche en bronze couverte de vert-de-gris. Elle n'avait visiblement pas sonné depuis longtemps. Lorsqu'ils atteignirent le palier, une nuée de pigeons, effrayés par leur arrivée impromptue, virevoltèrent dans tous les sens à l'intérieur du clocher abandonné, puis s'enfuirent par les ouvertures, ne laissant derrière eux que des plumes et des excréments.

— Qu'est-ce que je fais, maintenant ? demanda Ermeline, le pendentif toujours au poing devant le nez du Nergali. C'est qu'il va finir par s'éveiller, le bougre.

Accroché à la balustrade, en sueur et à bout de souffle, la gorge serrée par des haut-le-cœur, l'Élu déglutit péniblement avant de parler.

— À Paris, tu as ordonné au garde... de t'ouvrir la porte lorsque tu dirais... « Ishtar »...

trois fois... et il l'a fait..., haleta-t-il avec difficulté. À Londres, tu as... fait oublier... Charlie...
Tu pourrais... refaire la même chose ?

— Bien sûr. Que veux-tu que je lui suggère ?

— Lorsqu'il se réveillera... il ne doit plus
être capable d'utiliser... les Pouvoirs Interdits.
Fais-le... oublier comment.

— Les Pouvoirs Interdits... Facile, répondit-
elle en haussant les épaules.

Ermeline se retourna vers le Nergali et
accrut le mouvement du pendentif.

— Tu vois toujours le joli médaillon ?
demanda-t-elle d'un ton enjôleur.

— Oui, répondit l'homme.

— Concentre-toi, continua la gitane. Il va
et vient... Lorsque tu te réveilleras, tu ne
sauras plus comment utiliser les Pouvoirs
Interdits ? Tu comprends ? Tu auras oublié
comment t'en servir.

— Oui... Plus capable... Pouvoirs Interdits...

— Tu auras beau essayer, tu ne te rappelle-
ras plus comment faire, insista Ermeline.

— Ne me rappellerai plus...

La gitane fit claquer ses doigts.

— Réveille-toi ! ordonna-t-elle.

Le Nergali écarquilla les yeux, l'air ahuri,
et secoua la tête. Il vacilla un peu, puis se
reprit. Son regard hébété fit le tour de la pièce

et s'arrêta sur la cloche, puis sur l'Élu, qui le défiait du regard. Il plissa les yeux.

— Toi ! cracha-t-il en faisant mine de s'élancer vers lui.

Manaïl releva un peu le pistolet et hocha la tête.

— Tiens-toi… tranquille, Nergali, ordonna-t-il en tentant de raffermir sa voix.

Un rictus de haine sur les lèvres, les narines dilatées, les poings fermés contre ses cuisses, Bibul-na riva sur son adversaire un regard noir. Puis il sourit.

— Les Pouvoirs Interdits sont plus exigeants que tu ne le croyais, n'est-ce pas ? demanda-t-il, narquois. Chaque fois que tu les utilises, ils dévorent un peu plus de ta vie. Ils te tueront à petit feu… à moins d'être un Nergali et d'y avoir été initié correctement !

Subitement, il étendit les bras.

— Tu aurais dû me tuer pendant que tu en avais la chance, Élu d'Ishtar, ricana-t-il.

Il ferma les yeux et se concentra, mais rien ne se produisit. Son visage se crispa sous l'effort. Toujours rien. Lorsqu'il rouvrit les yeux, la panique et l'incrédulité s'emparèrent de lui.

— Que m'as-tu fait ? demanda-t-il d'une voix tremblante.

Manaïl se raidit, fit deux pas incertains dans sa direction et lui asséna un coup au visage avec le canon de son arme. La lèvre supérieure du Nergali se fendit sous le choc et le sang gicla sur sa chemise. Mais l'homme resta droit comme un chêne, son regard arrogant planté dans celui de l'Élu.

— Je t'ai fait… ce que mériteraient… tous les… Nergalii, rétorqua l'Élu, encore essoufflé par l'effort.

Les deux adversaires se toisèrent et un lourd silence s'installa.

— Dis-moi comment… détruire… le talisman, ordonna finalement le garçon.

Le regard du Nergali se porta brièvement vers Ermeline, puis il renversa la tête et éclata d'un rire sonore qu'amplifia la cloche de bronze.

— Tu prétends vouloir regrouper les fragments et tu ne sais même pas comment détruire le talisman ! se moqua Bibul-na. Quel Élu tu fais ! Quel champion Ishtar a trouvé ! Tu n'es qu'un enfant !

Furieux, Manaïl aurait voulu s'élancer vers lui et le frapper encore et encore, mais un étourdissement le saisit. La pénombre menaçait d'envahir son esprit. Appuyé sur la balustrade, tremblant de tous ses membres, mouillés de sueur, il sentit qu'on lui arrachait le pistolet. Puis tout se déroula très vite. Il n'avait pas encore relevé les yeux qu'une détonation éclata. Un bruit sourd. Le cri d'Ermeline.

Lorsque le monde cessa de tourner, le Nergali était debout, le canon de l'arme dans la bouche, l'arrière de la tête éclaté. Du sang et une substance grisâtre et visqueuse mouillaient la cloche et en dégouttait. Il vacilla, pivota contre la balustrade et bascula dans le vide. Un instant plus tard, le bruit de son atterrissage retentit à l'entrée du clocher abandonné.

Manaïl regarda Ermeline.

— Charlie Dickens…, balbutia-t-il en s'affalant sur le plancher. L'hôtel Rasco…

Puis une nuit noire, épaisse et silencieuse envahit l'Élu.

LE REPOS DU GUERRIER

Lorsque Manaïl ouvrit les yeux, il ne reconnut pas l'endroit où il se trouvait. Il tourna lentement la tête d'un côté puis de l'autre. On aurait dit un temple. L'or qui revêtait les murs de pierre de taille portait à croire qu'il était consacré à une divinité importante, mais il ne s'y trouvait ni statues ni symboles qui permettaient d'identifier laquelle. À l'exception des torches qui faisaient briller les murs, il était vide. L'air sec sentait la poussière et le renfermé, comme si personne n'y était entré depuis très longtemps. À travers les parois, le son d'un chœur masculin lui parvenait, chantant un air à la fois grandiose et sombre.

L'Élu était allongé sur un rectangle de pierre. Cette couche aurait dû être inconfortable, mais il s'y sentait merveilleusement bien, comme si le roc se moulait à son corps. Il soupira d'aise. Un peu de repos. Enfin. Il se souvenait de l'extrême faiblesse qu'il avait ressentie après avoir utilisé les Pouvoirs Interdits. La dernière fois, lorsqu'il avait transporté avec lui Ermeline et le Nergali, ses forces avaient semblé s'écouler hors de lui et le laisser presque vide. Il avait cru mourir.

Il ricana avec insouciance. Cela n'avait plus d'importance. Il se sentait si bien. Il avait percé le mystère des Pouvoirs Interdits. Pour la première fois depuis le commencement de sa quête, il avait le sentiment de mériter un peu la confiance d'Ishtar. Au bout du compte, peut-être que le choix de la déesse n'avait pas été une totale erreur. Certes, il n'avait pas toujours été à la hauteur, mais il avait fait des progrès. C'était indéniable. Lui qui, à son corps défendant, avait été désigné l'Élu, peu à peu, au fil des épreuves, il l'était devenu. Il avait connu de profonds découragements et avait souvent voulu abandonner. Pourtant, sans qu'il s'en rende véritablement compte, sa détermination à achever la quête avait crû et, avec elle, sa conviction. Désormais, il ferait tout en son pouvoir pour la mener à son terme. Il retrouverait les quatre fragments perdus en cours de route. Il assemblerait le talisman. Et il le détruirait, dût-il y laisser sa vie. Il ne lui restait qu'à découvrir le moyen d'y parvenir. Mais il avait confiance. S'il avait réussi à maîtriser les Pouvoirs Interdits et à sauver Ermeline, il arriverait bien à trouver le moyen de réduire en poussière l'objet maudit qui lui avait causé tant de malheur et de misère. Il sacrifierait Mathupolazzar sur son propre autel. Il le ferait payer pour tout ce qu'il avait subi.

— Te voilà beaucoup mieux disposé que la dernière fois, firent deux voix féminines en parfaite harmonie.

Au même moment, au loin, le chant du chœur prit de l'ampleur, comme s'il célébrait les paroles prononcées.

Manaïl sursauta. Il se releva sur un coude et chercha qui avait parlé. À l'extrémité du temple, une porte s'était ouverte sans qu'il s'en rende compte. Deux femmes aussi gracieuses l'une que l'autre se tenaient côte à côte dans l'embrasure. Elles lui adressaient le même sourire bienveillant.

À gauche se trouvait Ishtar. Comme à Babylone, Elle portait sa longue robe immaculée, sa tiare et son collier serti de joyaux qui scintillaient dans la lumière des torches. Elle tenait dans ses mains la cruche d'où coulait la vie. À droite se tenait la Vierge Marie, parée d'une longue robe blanche qui ne laissait paraître que ses orteils. Par-dessus, Elle portait un manteau bleu comme le ciel. Ses longs cheveux bruns étaient couverts d'un voile blanc qui semblait plus brillant que le soleil et que surmontait une couronne d'or, ornée de joyaux multicolores et étincelants. Ses mains étaient ouvertes en un geste de paix.

Manaïl en fut ému. La seule femme qui lui avait jamais adressé un regard aussi plein d'amour que celle-ci était sa mère, disparue depuis si longtemps. Il sourit en songeant à celle dont le réconfort et la douceur lui avaient été arrachés si tôt par les lois inflexibles de Babylone. Mais cela était du passé. Il devait se concentrer sur l'avenir. Non pas le sien, mais celui des kan.

— Je suis heureuse de te revoir, Élu, dirent simultanément les deux apparitions. Et soulagée... J'ai eu très peur de te perdre.

Déconcerté, ne sachant pas où donner de la tête, Manaïl tentait de regarder les deux femmes en même temps. Ishtar et la Vierge lui adressèrent le même sourire un peu embarrassé et relevèrent le sourcil de façon identique. Puis Elles se regardèrent l'une l'autre et se donnèrent la main. Aussitôt, Elles parurent perdre leur substance, devinrent translucides et se fondirent l'une dans l'autre pour ne former qu'une divinité : Ishtar.

— Je suis désolée, dit la déesse, un peu contrite. Je ne voulais pas m'amuser à tes dépens. Mais dans ce kan, on me connaît sous la forme de la Vierge Marie. On me prie, on m'invoque, on me fait des offrandes, on me demande d'intercéder dans toutes sortes de situations, on m'érige des églises... Parfois, j'en oublie qui je suis vraiment.

Elle quitta le fond du temple et franchit lentement la distance qui la séparait de l'Élu. À son approche, il s'assit sur le bloc de pierre. Elle lui caressa les cheveux et scruta son visage.

— Tu n'as pas l'air trop mal en point, déclara-t-Elle avec soulagement.

Elle soupira longuement.

— Tu as couru de bien grands risques en utilisant les Pouvoirs Interdits sans en connaître les effets, reprit-Elle avec un ton de reproche qui sonnait un peu faux. Mais à quoi as-tu pensé, pauvre fou ? Tu aurais pu en mourir.

— On ne m'en avait rien dit. Je m'en suis rendu compte..., murmura le garçon.

— Heureusement, ajouta la déesse, grâce à ta témérité, Ermeline est sauve. Tu lui as évité un terrible sort. La façon dont tu as su utiliser les kan pour y arriver était remarquable.

— Vous me l'avez dit vous-même, déesse, commenta Manaïl. Sans elle, mon avenir ne serait que ténèbres... Et puis... Et puis...

Manaïl rougit et baissa les yeux.

— J'ai toujours su que ça t'arriverait, fit Ishtar en souriant. Un peu comme une mère qui connaît bien son fils. Tu ne l'as pas sauvée seulement pour assurer le succès de ta quête. Ermeline t'est devenue très chère et c'est bien ainsi.

La déesse inclina sa cruche. Reconnaissant le geste désormais familier, l'Élu joignit les mains, formant un récipient de fortune dans lequel il recueillit l'eau qui s'écoulait. Il porta ses mains à sa bouche et avala le liquide d'un seul trait, puis retendit les mains.

— Bois, mon enfant, bois, l'encouragea la déesse en lui en versant une seconde rasade. Tu en as bien besoin. Les Pouvoirs Interdits sont terriblement exigeants. Ils drainent la vie même de ceux qui les utilisent.

Comme auparavant, l'eau d'Ishtar lui rendit sa vitalité et il se sentit revivre.

— Mais… déesse, que pouvais-je faire d'autre? interrogea Manaïl lorsqu'il fut rassasié. Personne ne m'avait averti que les Pouvoirs Interdits avaient de telles conséquences.

Ishtar soupira.

— Non, c'est vrai… J'aurais voulu te prévenir, mais nos chemins ne se sont pas croisés, dit-Elle avec regret. Il aurait fallu que tu sois en présence d'une statue de la Vierge. J'ai tenté d'intervenir dans un de tes songes, mais tu n'étais pas en état de saisir mon message.

Maître Ashurat a bien essayé de le faire, lui aussi, mais il a été interrompu.

— Maître Ashurat..., répéta Manaïl, songeur. Dites-moi, déesse, est-ce vraiment lui que j'ai vu lorsque j'étais dans le temple des Anciens ?

La déesse haussa les épaules.

— Qui peut vraiment prétendre comprendre comment fonctionnait l'esprit des Anciens ? Peut-être ont-ils simplement fait en sorte que leurs connaissances prennent une forme qui te serait familière. À moins qu'Ashurat ne t'aide vraiment d'outre-tombe. Après tout, la mort n'est qu'un kan *comme un autre. Mais d'où qu'elle vienne, accepte cette assistance en sachant qu'elle procède de bonnes intentions.*

Manaïl réfléchit un instant.

— Les Nergalii ne semblent pas souffrir, eux, lorsqu'ils passent d'un kan *à un autre, remarqua-t-il. Comment cela se fait-il ? Savent-ils quelque chose que j'ignore ? Y a-t-il quelque chose que je fais mal ?*

— Oh, détrompe-toi ! Ils en subissent les contrecoups, eux aussi, déclara Ishtar. Mais n'oublie pas qu'ils maîtrisent les Pouvoirs Interdits depuis longtemps. On leur en a méthodiquement enseigné l'usage et ils savent en amenuiser les séquelles. Alors que toi, en t'immergeant dans le pentagramme des Anciens, tu y as été littéralement plongé,

sans aucune préparation. Et tu t'es beaucoup déplacé en peu de temps. Ton corps n'avait pas encore pu absorber le choc du premier déplacement que déjà, tu étais reparti. Les effets se sont accumulés et t'ont vidé de tes forces. Comme si cela ne suffisait pas, tu as transporté deux autres personnes avec toi, jeune imprudent... Tu as vraiment beaucoup de chance d'être encore vivant.

— La grande Ishtar doit veiller sur moi, dit Manaïl en souriant.

— Je veille de mon mieux, mon enfant... Je veille, répondit la déesse en lui caressant la joue. Mais je suis bien loin de mon propre kan et il ne reste plus grand-chose de moi. Mes incarnations sont moins puissantes qu'avant. Mes pouvoirs sont limités. Si tu mourais, je n'y pourrais rien. Et l'avènement du Nouvel Ordre serait toujours possible.

Autour d'eux, la lumière s'atténua notable-ment. Les flammes des torches baissèrent et vacillèrent. L'or qui recouvrait les murs cessa de briller. Ishtar redressa la tête, alerte.

— Oh! Tes amis t'appellent, déclara-t-Elle en souriant. Ils sont bien étranges, les pauvres, mais leur cœur est pur. Fais-leur confiance.

Devant Manaïl, Ishtar devint peu à peu translucide.

— Déesse! Comment puis-je détruire le talisman? s'écria-t-il.

— La réponse est sous la protection de YHWH, entre hier et demain. Mais tu dois la retrouver avant qu'hier ne disparaisse. Le Dieu d'Israël ne t'a jamais quitté, Élu. Mais sois très prudent. La terre nourricière peut aussi être la plus cruelle des meurtrières et ses fruits sont parfois empoisonnés.

Les ténèbres remplirent le temple et Manaïl resta seul dans le noir.

◆

Montréal, en l'an de Dieu 1842

Il faisait nuit noire. Le ciel était à l'orage et les nuages cachaient la lune et les étoiles. Malgré la chaleur de juin, le vent frais qui s'était levé traversait les vêtements usés de l'homme et le faisait frissonner. De temps à autre, les voix et les pas des rares passants qui osaient braver le mauvais temps qui approchait lui rappelaient qu'il n'était pas seul.

Le moment fatidique fixé par Yehuyah était proche et seule la foi inébranlable de Malachi Franks lui avait permis de surmonter la terreur qui lui nouait les entrailles. Pour justifier le fait de sortir ainsi en pleine nuit, ce qu'il ne faisait jamais, il avait menti à sa pauvre femme, qui ne le méritait pourtant pas. Il lui avait raconté qu'il devait aller à la boutique résoudre un urgent problème d'inventaire. La douce Sarah lui avait adressé un regard compatissant et avait souri sans rien dire. Il l'avait embrassée sur le front, l'avait longuement regardée dans les yeux, puis en avait fait autant pour chacun de ses enfants. Peut-être ne les reverrait-il jamais. YHWH pouvait être si cruel. Mais de quel droit un bon juif oserait-il douter de sa volonté?

Depuis plusieurs heures déjà, Malachi Franks se dandinait nerveusement, déchiré entre la peur de commencer et l'anxiété d'en finir. Il refusait de laisser monter en lui l'espoir que tout cela n'avait été que le fruit de son imagination fiévreuse et de sa foi trop fervente. Il n'osait penser que personne ne viendrait, qu'il retournerait bientôt chez lui et reprendrait sa petite vie monotone. YHWH ne s'amusait pas à envoyer son plus terrible messager pour rien.

Un coup de tonnerre éclata et quelques éclairs aveuglants fendirent la nuit, faisant sursauter Malachi. Aussitôt, des torrents de pluie s'abattirent sur Montréal et trempèrent ses rues. La pluie froide n'avait cependant que peu à voir avec les grelottements qui l'affectaient et qu'il avait grande difficulté à contenir. Malgré lui, ses dents claquaient.

Dans quelques heures, Malachi Franks, *Tsedeq* malgré lui, affronterait l'objet de ses terreurs les plus viscérales. L'ennemi ultime de tout kabbaliste. Et il était transi de peur.

✦

Éridou, en l'an 3612 avant notre ère

Dans le temple de Nergal, parmi une vingtaine de Nergalii silencieux vêtus de leur longue robe noire à capuchon, Mathupolazzar faisait les cent pas en titubant. Son visage était toujours aussi pâle et il avait les yeux hagards. Il atteignait la limite de ses forces. Son épaule était encore sensible. Sa main blessée, enveloppée dans un pansement taché de sang et de pus, le faisait horriblement souffrir. Il la tenait blottie contre sa poitrine. Il avait l'impression persistante que les doigts que le loup lui avait arrachés y étaient toujours attachés et il se faisait sans cesse mal en tentant d'exécuter des gestes quotidiens et banals comme se tirer les cheveux à deux mains. Il le faisait donc d'une seule main, mais avec une énergie redoublée, des mèches grises serrées entre ses doigts.

Dans un coin se tenaient les cinq Nergalii tremblants de terreur qui venaient de rentrer, bredouilles, du *kan* où ils avaient poursuivi l'Élu. Comme cela leur avait été ordonné, ils avaient suivi l'anneau de leur frère, que le fugitif était censé conserver sur lui. Ils s'étaient retrouvés en l'an 1673 de ce *kan*, en pleine forêt. Ils avaient retrouvé l'anneau dans une caverne perdue au milieu des bois, sous un étrange rocher allongé. Sur le sol en terre battue de la grotte, quelqu'un avait dessiné un pentagramme bénéfique au centre duquel avait été déposé l'anneau. On y avait même poussé l'audace jusqu'à y ajouter une raillerie.

Beati pauperes spiritu[1]

Mais de l'Élu et de leur frère Bibul-na, point de trace. Le garçon les avait roulés. Pendant qu'ils le cherchaient dans ce *kan*, il s'était enfui ailleurs. Par mesure de précaution, ils avaient néanmoins fouillé la caverne de fond en comble, à la recherche d'un quelconque indice, mais en vain. Ils s'étaient dirigés vers Ville-Marie. Discrètement, ils avaient mis sens dessus dessous la maison de la veuve Fezeret, puis, prétendant être des voyageurs de passage, ils avaient interrogé les habitants, sans plus de succès. Ils avaient failli. Découragés,

---

1. En latin : Bienheureux les pauvres d'esprit.

ils avaient décidé de retourner dans le *kan* d'Éridou sans le dernier fragment et de braver la colère de leur maître. Maintenant, ils craignaient pour leur vie.

— Aaaaggghhhh! s'écria Mathupolazzar avec exaspération. Ce maudit Élu est un démon! Il s'est joué de nous! Tout ce temps perdu! Nergal seul sait ce qu'il a pu accomplir pendant que nous cherchions sa trace!

Le grand prêtre s'arrêta brusquement face au mur et, sans réfléchir, le frappa violemment avec sa main mutilée. Un affreux gémissement de douleur lui échappa et il dut appuyer son front contre la pierre froide pour ne pas s'évanouir. Mais l'éclair de douleur lui clarifia l'esprit. Il ne devait pas laisser sa hargne détruire ses chances de retrouver le dernier fragment.

— Ce n'est pas votre faute, haleta-t-il à l'intention des cinq Nergalii, dans un rarissime élan de compassion. En laissant l'anneau quelque part dans un autre *kan*, l'Élu m'a tendu un piège et je suis tombé bêtement dedans.

Interloqués, les disciples fautifs échangèrent un regard. Leur maître était si affaibli qu'il n'était plus lui-même. Tout à coup, près du grand prêtre, une femme qui avait semblé perdue dans une profonde méditation depuis plusieurs heures redressa brusquement la tête. Son capuchon retomba sur ses épaules, découvrant un visage entre deux âges qui conservait les traces d'une grande beauté et de longs cheveux poivre et sel attachés sur la nuque.

— Par Nergal..., murmura-t-elle, les yeux écarquillés dans un soudain étonnement.

Elle remonta le capuchon de sa robe, étendit les bras et ferma les yeux. Autour d'elle, l'air vibra et un bourdonnement s'éleva. L'instant d'après, elle avait disparu.

— Mais... Où est-elle partie ? s'écria Mathupolazzar, rouge d'indignation, les yeux exorbités de colère. De quel droit ?... Quelle impertinente ! Je lui arracherai le cœur de la poitrine ! Je la sacrifierai à Nergal ! Je...

Le grand prêtre vit ses imprécations interrompues par le retour de la femme, aussi inattendu que son départ. Sa robe noire était souillée de terre et couverte de fils d'araignée. Elle rabattit son capuchon et s'avança vers son maître, un sourire énigmatique sur les lèvres. Sa chevelure était en broussaille et son visage, barbouillé de poussière.

— Fille de hyène ! s'écria Mathupolazzar. Truie ! Saisissez-la !

Quelques Nergalii s'avancèrent vers leur sœur, hésitants, mais celle-ci leva la main avec calme.

— Maître, dit-elle d'une voix douce. Je sais où trouver l'Élu.

Sidéré, la bouche entrouverte, la main droite traversée par d'affreux élancements, Mathupolazzar se figea.

— Tu en es certaine ? demanda-t-il, incrédule, en la dévisageant.

— Oui, déclara la Nergali. Il suffisait d'y penser... Ramassez vos armes. Il n'y a pas un moment à perdre.

ÉPIPHANIE

Montréal, en l'an de Dieu 1842

« Eille ! Regardez ! s'écria un homme. Y bouge !

— Il se réveille, dit une voix nasillarde.

— On dirait, oui, fit un autre.

— Enfin, Cornebouc !

Ermeline. Le garçon sourit et prit quelques grandes inspirations avant d'ouvrir les yeux. Il était allongé sur le dos dans un lit. La pièce était éclairée par une lumière blafarde. Il se crispa. Des ombres se penchaient sur lui, informes et menaçantes. Des Nergalii ? Peu à peu, elles devinrent reconnaissables et il se détendit.

Au-dessus de lui, éclairés par la flamme de deux lampes à huile, se trouvaient les visages amicaux de Modeste Mailhot, d'Eng et de Chang, de l'Albinesse, de Calvin Edson, de Charles Dickens et d'Ermeline. Tous le regardaient, inquiets.

— *Good God! It's about time*[1] ! s'exclama Dickens en agitant les mains.

La gitane lui caressa la joue du revers de la main et sourit nerveusement.

— Tu vas mieux ? s'enquit-elle.

— Tu vas mieux ? répéta Eng, le visage anxieux.

— Oui, est-ce que tu vas mieux ? renchérit Chang, avec une expression identique.

Le garçon bâilla, puis se frotta les yeux. L'esprit encore embrumé, il fit mentalement un bilan. Il n'avait pas mal. La sensation de profonde faiblesse qu'il avait ressentie s'était estompée. Il se sentait un peu fatigué, mais rien de plus.

— Je crois, oui, dit-il. J'ai dormi longtemps ?

— Deux jours ! déclara le géant, tout sourire. On a pensé que tu te réveillerais jamais ! Une vraie marmotte en hiver !

En se demandant distraitement ce que pouvait bien être une marmotte, Manaïl regarda tout autour de lui et reconnut la chambre où Modeste Mailhot l'avait hébergé. Comment s'était-il retrouvé là ? Perplexe, il interrogea Dickens du regard, mais ce fut Ermeline qui répondit.

---

1. En anglais : Bon Dieu ! Ce n'est pas trop tôt !

— Avant de t'évanouir, tu m'as dit de retrouver Charlie... Euh... ce monsieur, expliqua-t-elle, visiblement troublée par le vieillissement de Dickens. Je t'ai laissé dans le clocher et j'ai couru au hasard en demandant mon chemin aux passants. Lorsque j'ai fini par trouver l'hôtel Rasco, monsieur Dickens était là avec ces... euh... personnes. Tu ne m'avais pas précisé qu'il était plus... euh... moins... qu'il avait... euh... changé. Heureusement, il s'est souvenu de moi.

— Tu sais comment je suis, intervint Dickens avec son enthousiasme habituel. Je ne peux pas résister à une curiosité. J'étais en train de discuter avec ces sympathiques personnages, précisa-t-il en désignant d'un geste Mailhot et ses compagnons. Je les imagine déjà dans un de mes romans ! Ils me racontaient leur vie autour d'une tasse de thé. Je notais tout dans mon fidèle calepin lorsque Evelyn a fait irruption dans le hall de l'hôtel, l'air atterré. Je l'ai tout de suite reconnue, évidemment. Tu ne m'avais pas dit qu'elle était là, elle aussi ! J'ai compris que la condition de ta sœur était la même que la tienne : elle n'a pas changé d'un poil ! Revoir la jolie Evelyn ! Quel bonheur ! Une fois le choc passé, je me suis approché d'elle et après avoir évité de justesse quelques coups de pied dans les tibias, j'ai fini par me faire reconnaître à mon tour. Elle m'a expliqué que tu avais besoin d'aide. Ce cher Modeste a entendu la conversation et, comme il te connaissait, il s'est fait un devoir de nous accompagner pour te récupérer. Il t'a ramené ici *and the rest is history*[1].

— On t'a allongé dans notre chambre, continua Mailhot. T'étais sans connaissance. Une vraie poche de patates! Mam'zelle Ida pis ta sœur t'ont veillé pendant deux jours. T'as dormi comme une bûche. J'ai jamais vu quelqu'un dormir autant! Deux jours, tout habillé, pis t'as même pas pissé! En tout cas, chu ben content de te voir revenu d'entre les morts, mon jeune! Mais, coudon, on dirait que t'as un don pour te mettre dans le trouble, toé...

— Vous n'avez même pas idée..., soupira Manaïl en adressant à Ermeline un regard de connivence.

— T'es encore chanceux, poursuivit le géant. Y paraît qu'y vont commencer à démolir le vieux clocher demain matin. Un jour de plus pis tu recevais toute c'te brique sur la tête!

Le géant éclata d'un rire sonore, mais Manaïl, devenu soudain insensible à ce qui se déroulait autour de lui, ne l'écoutait plus. Dans l'esprit de l'Élu, des informations disparates s'assemblaient presque malgré lui. On

---

1. En anglais: Et le reste appartient à l'histoire.

allait démolir le clocher qui lui avait servi de point de repère dans ce *kan*, autour duquel il avait voyagé à travers le temps. *La réponse est sous la protection de YHWH, entre hier et demain*, lui avait déclaré Ishtar durant son rêve. *Mais tu dois la retrouver avant qu'hier ne disparaisse*. Et voilà que ces phrases cryptiques prenaient un sens. Déjà, la nouvelle basilique, presque achevée, avait remplacé l'ancienne église. Grandiose et splendide, elle en relayait une autre, plus modeste. Demain était déjà en place. Le clocher était tout ce qui restait d'hier et allait bientôt disparaître. Avec lui serait effacé le nom de YHWH qui figurait sur le linteau de la vieille porte et qui étendait sa protection sur ceux qui entraient.

Ce qui lui échappait encore se trouvait quelque part dans ce clocher, il en eut soudain la totale conviction. Il avait passé et repassé tout près sans le savoir. Il avait fallu qu'Ishtar intervienne et le guide pour qu'il le comprenne. Et maintenant, il faisait nuit. Dans quelques heures, le clocher serait jeté à terre. Il n'avait pas une seconde à perdre.

Manaïl se leva d'un trait. La tête lui tourna légèrement, mais le malaise se dissipa aussitôt. Il regarda Ermeline.

— Viens, ordonna-t-il, une expression grave sur le visage. Vite.

Il traversa la pièce en quelques pas, saisit au passage un couteau qui traînait dans une des nombreuses assiettes sans doute vidées par le géant Mailhot durant la journée et le glissa dans sa ceinture. Il ouvrit la porte, la gitane près de lui. Il allait sortir lorsqu'il s'arrêta et se retourna. Dickens et les autres les regardaient, sidérés.

— *But… But…*, bredouilla l'écrivain. Où vas-tu ?

— Mieux vaut que personne ne le sache, répondit l'Élu. Mais merci, Charlie. Sans toi, je serais mort depuis longtemps. Tu ne sauras jamais à quel point tu as été important. Et merci à vous tous, ajouta-t-il à l'intention de Mailhot, des siamois, de l'Albinesse et du squelette vivant. Ce fut un… un honneur de vous connaître.

Il se tourna vers Ermeline et lui fit un petit signe de la tête. Comprenant ce que désirait son compagnon, la gitane sortit son médaillon de son corsage et le brandit à bout de bras.

— Regardez le joli médaillon, dit-elle d'une voix calme, presque céleste. Regardez comme il brille…

Quelques minutes plus tard, rue Notre-Dame, l'Élu et la gitane couraient à toutes jambes sous l'orage.

✦

Dans la chambre de l'hôtel Rasco, Modeste Mailhot parcourut la pièce des yeux. Il avait l'impression de sortir d'un profond sommeil. Autour de lui, Eng, Chang, Ida et Calvin semblaient aussi égarés que lui. Il aperçut un inconnu calé dans un fauteuil.

— Qui est-ce que vous êtes, vous ? demanda-t-il, stupéfait. Qu'est-ce que vous faites ici-dedans ? Comment vous êtes entré ?

L'air hébété, l'étranger cligna des yeux et se frotta le visage.

— Dickens, répondit-il d'une voix traînante. Je m'appelle Charles Dickens. Et, pour répondre à votre question, je n'en ai pas le moindre début d'horizon de commencement d'idée…

Dehors, un coup de tonnerre éclata et fit vibrer les fenêtres contre lesquelles s'abattait la pluie que personne n'avait vue commencer.

AVANT QU'HIER
NE DISPARAISSE

Après une vingtaine de minutes d'une course effrénée, Manaïl et Ermeline, trempés jusqu'aux os, arrivèrent en vue du vieux clocher solitaire. Ils s'arrêtèrent à quelque distance, se blottirent sous l'arche d'une porte et reprirent leur souffle.

— Cornebouc! Quelle mouche t'a piqué? finit par demander la gitane. Pourquoi une telle hâte?

— Tu as entendu ce que Modeste a dit? rétorqua le garçon. Ils vont démolir le clocher demain matin.

— Et alors? Les ouvriers vont y trouver le macchabée que nous avons laissé en bas, c'est tout.

— Au fait, comment se fait-il que Charlie et Modeste n'en aient pas parlé?

La gitane lui adressa un sourire espiègle.

— J'ai pensé qu'il était sans doute préférable de ne pas laisser une charogne bien en vue, au cas où quelqu'un me verrait sortir et déciderait de venir voir ce que je faisais là. Avant de partir à la recherche de Charlie, j'ai un peu nettoyé. J'ai mis le cadavre au fond, derrière l'escalier et toi, je t'ai traîné près de la porte. Si ton gros bonhomme pansu était entré un peu plus loin, il aurait trouvé un Nergali au crâne bien moigné[1]. Heureusement, il ne voulait que te sortir de là au plus vite.

Elle posa ensuite les deux mains sur ses hanches, l'air exaspéré.

— Maintenant que te voilà satisfait, ça t'embêterait de m'expliquer pourquoi je suis dehors en pleine nuit, trempée ? Si je dois attraper la carnade[2], j'aimerais au moins en connaître la raison !

Manaïl lui raconta son rêve. Lorsqu'il eut terminé son récit, la gitane hocha la tête, songeuse.

— La déesse semble prendre un malin plaisir à te soumettre une énigme chaque fois que tu fermes l'œil…, soupira-t-elle.

— Son *kan* est révolu depuis longtemps, dit Manaïl. Pour elle, c'est sans doute la seule façon qui lui reste de communiquer avec moi. Elle tente de me transmettre le peu qu'elle sait.

---

1. Mutilé.
2. Mort.

Le tonnerre éclata une nouvelle fois et un éclair aveuglant traversa le ciel, illuminant le rideau de pluie dense et presque opaque qui enveloppait Montréal. Ermeline se tendit et se colla le dos contre la porte, au fond de l'arche, attirant brusquement Manaïl vers elle.

— Il y a quelqu'un près du clocher, lui chuchota-t-elle à l'oreille.

— Tu en es sûre ?

— Un drôle de petit homme barbu avec un chapeau, insista-t-elle. On dirait qu'il tient une lampe. Tu vois, la petite lumière qui va et vient ? Il attend peut-être quelqu'un ? Tu crois que ?…

— On va bien voir.

L'Élu sortit le couteau de sa ceinture et le soupesa. L'arme n'était pas faite pour le combat, mais elle était bien aiguisée. Au besoin, elle ferait l'affaire. Il se glissa dans la nuit, Ermeline sur ses talons, et longea les bâtiments. Arrivé en vue du clocher, il franchit à toute vitesse l'espace laissé libre par l'église disparue et se blottit contre la brique mouillée. Ermeline le rejoignit et lui fit comprendre d'un signe que l'étranger qu'elle avait aperçu se trouvait du côté opposé. Ensemble, ils contournèrent le vestige sur la pointe des pieds.

Dos à eux se tenait effectivement un petit homme. Son long manteau noir était trempé et la pluie tombait des rebords de son chapeau à grands flots. Il frissonnait et avait l'air tout à fait piteux. Le dos arrondi, il regardait sans cesse de gauche à droite. Dans sa main droite, il tenait une lampe aveugle, en fer-blanc, dont les volets avaient été fermés pour que le vent et la pluie n'éteignent pas la chandelle qu'elle contenait. L'instrument n'émettait qu'une lumière minimale.

Manaïl bondit, saisit l'étranger par l'épaule, le fit pivoter sur lui-même, le plaqua contre la brique en lui appuyant l'avant-bras sur la poitrine et le couteau sur la gorge. L'homme laissa immédiatement tomber sa lampe, émit un petit couinement de terreur et écarquilla les yeux. Un nouvel éclair fendit le ciel et révéla un visage dans la trentaine aux cheveux bouclés, à la barbe clairsemée et aux lèvres tremblantes. Visiblement, il tremblait autant de peur que de froid.

— Le pauvre bougre n'a pas l'air bien méchant, remarqua Ermeline. Il grelotte comme un chaton transi.

— Qui es-tu ? demanda néanmoins l'Élu d'une voix sombre en appuyant un peu plus fort sur son arme.

— *Neyn ! Neyn ! Oyfhern*[1] *!* Pas tuer Malachi ! Malachi est *Tsedeq* ! s'exclama le petit homme

---

1. En yiddish : Non ! Non ! Arrête !

en se frappant la poitrine avec insistance. Malachi aider *Mishpat*!

Manaïl sentit que sa main relâchait, presque malgré lui, la pression sur la gorge de l'homme. Cet inconnu avait dit *Mishpat*... Hanokh l'avait appelé ainsi à Jérusalem. Était-ce une ruse? Il hésita un peu, puis abaissa complètement son arme tout en restant sur ses gardes.

Le petit homme terrorisé et l'Élu se toisèrent durant un instant. L'étranger sembla sentir que son sort dépendait du prochain geste qu'il ferait. Avec prudence, il repoussa la lame et s'accroupit, ramassant la lampe dans laquelle brûlait encore la chandelle. Avec son index, il indiqua les symboles qui surmontaient le linteau de la porte.

— YHWH! s'écria-t-il. YHWH dire *Tsedeq* aider *Mishpat*!

Il se retourna vers l'Élu.

— *Tsedeq*! dit-il en se refrappant la poitrine avec plus d'insistance encore. Malachi est *Tsedeq* de YHWH!

Puis, du bout du doigt, il tapota avec prudence la poitrine du garçon qui le dépassait d'une demi-tête.

— Toi *Mishpat*? *Mishpat*? insista-t-il. Toi *Mishpat*?

Le Dieu d'Israël ne t'a jamais quitté, Élu, l'avait prévenu la déesse. Et voilà que cet homme l'avait appelé *Mishpat* et se disait *Tsedeq*. Le pouvoir de YHWH se tenait-il devant lui sous la forme improbable d'un petit homme chétif qui paraissait aussi effrayé qu'un chiot sans défense ? Un homme qui pouvait se retourner contre lui sans prévenir, comme l'avait fait le seul autre *Tsedeq* qu'il avait rencontré, se rappela-t-il à lui-même. Mais aussi quelqu'un qui pouvait lui venir en aide, comme l'autre l'avait fait.

Manaïl ouvrit la main gauche et lui présenta sa paume. Au même moment, un tonitruant coup de tonnerre se fit entendre et un éclair surgit, illuminant les lignes pâles qui formaient la marque de YHWH. Le visage de l'étranger s'éclaira d'un large sourire de soulagement mêlé de fierté.

— *Mishpat*…, dit l'homme. Malachi aider toi.

Le tonnerre retentit et l'orage augmenta encore en intensité. Avec l'air misérable d'un chiot détrempé, Ermeline désigna du regard la porte du clocher.

— Cornebouc ! Entrons ! Je n'en peux plus de recevoir toute cette pluie !

Manaïl hésita un moment. Devait-il pénétrer dans cet endroit en compagnie d'un homme en apparence inoffensif, mais dont il ne savait rien ? Allait-il encore une fois foncer tête baissée dans un piège ? Et pourtant, la déesse semblait avoir annoncé sa présence. Si la réponse se trouvait dans ces ruines, comme elle le lui avait laissé entendre, sa découverte était peut-être liée à ce petit individu.

Le garçon prit la décision de s'en remettre à Ishtar. Il ouvrit la porte et laissa passer sa compagne, puis Malachi. Il jeta un coup d'œil au tétragramme sur le linteau et allait les suivre lorsqu'un hurlement retentit.

HIER

Son couteau à la main, Manaïl fit irruption dans la tour, prêt à défendre Ermeline, mais il s'arrêta. Au centre de la pièce, près de l'escalier, la gitane avait l'air parfaitement calme. Amusée, même. Malachi, par contre, était livide. Ses mains recouvraient sa bouche et une horreur sans nom se lisait dans ses yeux. Dans la lumière vacillante de la lampe qui avait de nouveau atterri sur le sol, les pieds du Nergali mort dépassaient de derrière l'escalier.

— Il a eu un peu peur, je crois…, dit Ermeline en haussant les épaules. Cornebouc ! Il hurle comme une garcelette[1] !

Manaïl s'approcha de Malachi, lui posa la main sur l'épaule et l'entraîna le plus loin possible du corps.

---

1. Jeune fille.

— Qu'est-ce qu'on fait maintenant ? s'enquit la gitane.

L'Élu ne répondit pas tout de suite. Il ramassa la lampe, en ouvrit les volets pour en accroître l'éclairage et la leva à bout de bras pour mieux examiner l'intérieur du clocher condamné, qu'il n'avait vu que dans la pénombre. La pluie qui tambourinait sur le toit, les éclairs, le tonnerre et la présence du cadavre contribuaient à rendre l'endroit tout à fait sinistre. La réponse se trouvait ici, quelque part. Il en avait la certitude.

Le garçon laissa son regard errer au hasard en se répétant mentalement l'avertissement d'Ishtar. Le tétragramme inscrit sur le linteau confirmait que ce lieu était bien sous la protection de YHWH, en la personne hautement improbable de Malachi Franks, le petit être rabougri qui claquait des dents, silencieux et effrayé, dans un coin. Mais Ishtar avait aussi déclaré autre chose… Quelque chose au sujet de la terre… *Sois très prudent. La terre nourricière peut aussi être la plus cruelle des meurtrières et ses fruits sont parfois empoisonnés.* La terre…

Il suivit du regard l'escalier en colimaçon qui longeait les murs et montait vers le sommet du clocher, d'où le Nergali était tombé. La terre… Il pouvait encore apercevoir le cratère qu'avait creusé son corps en atterrissant dans la terre battue. La terre ! Le sol était en terre battue !

L'Élu s'agenouilla, déposa la lampe, prit son couteau et se mit à frapper le sol au hasard.

— Qu'est-ce que tu fais ? s'exclama Ermeline. Tu as perdu l'esprit, mon pauvre ami !

Le garçon ne répondit pas. Sous le regard éberlué de la gitane et de Malachi, il sondait frénétiquement la terre, tel un possédé du démon.

Il avait déjà enfoncé la lame plusieurs dizaines de fois et avait couvert presque la moitié de la surface du clocher lorsqu'un tintement sec retentit.

Tic !

L'instant d'après, le tonnerre éclata, comme si un dieu mauvais plaisant désirait souligner l'événement à sa façon.

— Viens m'aider, tu veux ?

La gitane le rejoignit et, ensemble, ils se mirent à retirer à mains nues la terre rendue humide par le temps pluvieux, pendant que Malachi restait tapi dans son coin, le plus loin possible du cadavre, en se rongeant nerveusement les ongles. Une dalle de pierre semblait avoir été enfouie sous la surface. Ils la balayèrent de leurs mains et la dégagèrent entièrement. Le garçon approcha la lampe et l'éclaira. Elle était parfaitement lisse, à l'exception d'un gros anneau de fer fixé en son centre.

— Aucune inscription…, nota la gitane, un peu déçue. Les Anciens perdent leurs saines habitudes.

— Pas besoin, rétorqua l'Élu. Leur message est clair : il faut entrer.

— S'il vient bien des Anciens…

— Quoi ?

— Le message…

— Il n'y a qu'un seul moyen de le savoir, déclara le garçon en haussant les épaules.

L'Élu et la gitane se consultèrent du regard et, d'un même geste, empoignèrent l'anneau à deux mains. Ils bandèrent leurs muscles et tirèrent de toutes leurs forces. La dalle résista d'abord, puis elle céda et s'ouvrit brusquement. Pris au dépourvu, ils perdirent l'équilibre et se retrouvèrent sur les fesses.

Ils se relevèrent d'un bond et s'approchèrent de l'ouverture rectangulaire. La gitane saisit la lampe déposée tout près et se contorsionna pour scruter l'intérieur.

— Il y a un escalier, déclara-t-elle. En pierre de taille.

— Pourquoi ne suis-je pas étonné ? dit Manaïl en fronçant les sourcils. Allons-y, fit-il en s'emparant de la lampe que tenait Ermeline.

— Et lui ? s'enquit celle-ci en désignant Malachi de la tête.

Le petit homme, qui n'avait toujours pas bougé de son coin, redressa la tête en réalisant qu'on parlait de lui.

— S'il est vraiment le *Tsedeq* qu'il prétend être, il doit nous accompagner, dit Manaïl en réfléchissant à haute voix.

Il ramassa le couteau laissé par terre et le tendit à sa fidèle alliée.

— Prends ça et reste derrière lui. Au moindre signe de manigance, utilise-le. Les Nergalii n'hésitent pas, eux.

— Tu crois qu'il ?...

— Comment puis-je savoir ? lança l'Élu. Il est sorti de nulle part en prétendant devoir m'aider. Si l'expérience m'a appris une chose, c'est de ne pas accorder ma confiance au premier venu, même s'il se dit bien intentionné et qu'il semble posséder toutes les bonnes réponses... Les Nergalii sont retors.

— Ah ça...

Ermeline accepta l'arme. L'Élu se retourna vers Malachi.

— Viens, lui ordonna-t-il en lui faisant un signe de la main.

L'inconnu émit un gémissement piteux, puis pointa un index et un majeur tremblants en direction de l'ouverture sombre.

— *Keynahore*[1] ! murmura-t-il d'une voix chevrotante.

Un pas à la fois et avec moult efforts, il s'approcha, ses jambes rendues rigides par la peur. Lorsqu'il eut enfin franchi la distance, il s'arrêta près de l'Élu et vrilla sur l'entrée nouvellement dégagée dans le sol un regard résigné. Ses épaules s'affaissèrent et son dos se voûta visiblement, comme s'il venait tout à coup de vieillir de vingt ans.

— Malachi *Tsedeq*…, soupira-t-il avec résignation. Aider *Mishpat*…

Sans rien dire, Manaïl tendit la lampe devant lui et s'engagea dans l'escalier. Malachi Franks lui emboîta le pas et Ermeline ferma la marche. L'un après l'autre, ils disparurent sous les fondations de l'ancienne église Notre-Dame.

Derrière eux, un nouveau coup de tonnerre pétarada, plus puissant et plus sec que les précédents. Ni l'Élu ni la gitane n'osèrent déterminer s'il s'agissait d'un bon ou d'un mauvais augure. Malachi, lui, se contenta de gémir dans sa barbe.

---

1. En yiddish : Va-t'en, mauvais œil !

LA CRYPTE

Au bas de l'escalier, ils se retrouvèrent dans un tunnel de pierre grise où l'eau suintait du plafond et des murs. Après quelques secondes de marche, le décor changea. La pierre céda la place à une brique cuite enduite de glaçure bleue qu'Ermeline n'avait jamais vue. Manaïl reconnut celle qui avait servi à construire les temples de Babylone.

— Cette partie est plus ancienne, on dirait, suggéra la gitane.

— Beaucoup plus…, répondit le garçon d'un ton énigmatique.

La lumière de la lampe suffisait à peine pour percer les ténèbres épaisses et éclairer les murs. Après moins d'une minute, le trio se buta à une porte massive qui lui barrait la route. Elle avait été taillée dans une pierre noire comme la nuit qu'on avait polie avec une telle perfection qu'elle reflétait la lumière de la lampe. Au centre, on avait sculpté en ronde bosse un pentagramme bénéfique.

La gitane se retourna vers le début du couloir et évalua la distance parcourue.

— Nous devons nous trouver exactement à mi-chemin entre le vieux clocher et la nouvelle basilique, murmura-t-elle. Entre hier et demain…

Par réflexe, Manaïl appuya sur la dalle sans obtenir le moindre résultat.

— Comment ça s'ouvre ? s'enquit la gitane.

Comme si les divinités avaient voulu répondre à sa question, un grondement sourd fit trembler le sol sous leurs pieds et la lourde dalle de pierre noire s'anima devant leurs yeux. Malachi poussa un cri et se colla à la paroi de brique. Des filets de sable et de petits cailloux s'échappèrent du pourtour de la porte et s'accumulèrent sur le sol. Puis, presque sans bruit, la dalle pivota lentement sur un axe central et s'immobilisa lorsqu'elle fut perpendiculaire au mur. De chaque côté, un espace à peine plus large qu'un homme permettait de franchir le passage.

Derrière eux, Malachi, les deux mains cachant son visage, émit un nouveau couinement de frayeur. Le garçon regarda la gitane et haussa un sourcil méfiant. Il n'aimait guère le fait que le passage s'ouvre ainsi, sans le moindre effort. Tout cela empestait le guet-apens à plein nez. Mais après avoir parcouru tout ce chemin, guidé par la déesse, pouvait-il vraiment reculer ?

Sans rien dire, Manaïl grimaça de frustration, tendit la lampe devant lui et entra par le côté droit. Ermeline secoua l'épaule de Malachi et, lorsqu'elle fut certaine qu'il la suivrait, pénétra par le côté gauche.

Devant la gitane et le petit homme, l'Élu se tenait droit comme un chêne, les jambes écartées, les pieds bien ancrés au sol, une main sur la hanche, la lampe au-dessus de la tête. Mais la faible lumière n'éclairait absolument rien sinon le sol, qui semblait aussi lisse que la porte.

— Cornebouc…, murmura la gitane. Il fait aussi noir qu'en enfer. Tu crois qu'il s'agit d'un piège des Nergalii ?

— Pourquoi perdraient-ils leur temps à creuser des tunnels et à construire des portes qui s'ouvrent toutes seules ? réfléchit l'Élu à haute voix. Ils n'ont pas besoin de tout ça pour me capturer et m'arracher le dernier fragment. Non… Il doit s'agir d'autre chose.

Dans la pénombre, Malachi gémit misérablement, puis se mit à murmurer inintelligiblement en se balançant d'avant en arrière.

— Qu'est-ce qu'il marmonne ? s'enquit le garçon, un peu exaspéré.

— Je crois qu'il prie.

— Grand bien lui fasse. Mais en attendant, il faut trouver un moyen de poursuivre notre chemin. Cette chandelle n'est pas éternelle. Je vais essayer de faire un peu plus de lumière. Attends…

Manaïl arracha les deux volets de ferblanc de la lampe. Aussitôt, une lumière aveuglante emplit l'endroit où ils se trouvaient. L'Élu, la gitane et Malachi se couvrirent instinctivement les yeux avec leur avant-bras. Après la nuit des rues de Montréal et la pénombre du clocher, il leur fallut une minute pour s'acclimater. Lorsqu'ils le furent, ils risquèrent un regard autour d'eux.

Tous trois restèrent figés.

— Par Ishtar ! s'écria Manaïl.

— Cornebouc…, éructa Ermeline.

— *Oi, gevald*[1] ! geignit Malachi en mâchonnant furieusement ses doigts.

Même dans leurs fantasmes les plus délirants, ni l'Élu ni la gitane n'auraient pu imaginer la scène qui se déployait devant eux. Ils

---

1. En yiddish : Au secours !

se trouvaient à l'extrémité d'une pièce qui n'était rien de moins qu'une sphère parfaite, coupée en plein centre par le plancher. Tout était construit de la même pierre noire, si parfaitement polie qu'ils ne pouvaient déterminer comment on avait pu produire semblable merveille. Le garçon comprit que la lumière aveuglante qui éclairait maintenant l'endroit comme dix soleils n'était que la réflexion de la modeste flamme de la lampe, décuplée par le lustre de la pierre.

Sur le sol noir comme l'ébène, un pentagramme avait été tracé et la ligne qui en définissait la forme brillait comme du métal chauffé à blanc. En son centre se trouvait un symbole que Manaïl connaissait déjà : un point dans un cercle. Le secret des Pouvoirs Interdits. Mais tout cela n'était rien en comparaison du macabre comité d'accueil qui les attendait.

À chaque pointe du pentagramme se trouvait un trône merveilleusement sculpté dans la même pierre et incrusté de diamants qui scintillaient comme des étoiles dans la nuit. Quatre hommes et une femme y étaient assis. Malgré l'arrivée impromptue du trio, aucun d'eux n'avait bougé. Assise face à l'entrée, au sommet du pentagramme, la femme posait sur eux un regard intense et perçant. De chaque côté, les deux hommes qui l'encadraient continuaient à regarder droit devant eux avec la plus parfaite indifférence.

— Qui... Qui sont-ils ? bredouilla Ermeline. Pourquoi ne disent-ils rien ?

Les yeux rivés sur les inconnus, le garçon se contenta de hocher négativement la tête. Puis il posa la lampe à ses pieds, bomba le torse et ouvrit les mains vers l'extérieur, comme l'avait fait la Vierge Marie dans son rêve.

— Je suis Manaïl de Babylone, Élu d'Ishtar ! s'écria-t-il d'une voix forte dont l'écho se répercuta sur la paroi de l'étrange pièce sphérique. La quête des fragments du talisman de Nergal m'a mené jusqu'ici. Je viens en paix. Qui êtes-vous ?

Les personnages n'eurent aucune réaction. La femme le regardait toujours sans même battre des paupières.

— Identifiez-vous, au nom d'Ishtar ! insista l'Élu.

Le silence perdura, plus lourd qu'auparavant.

— Ce sont des macchabées ou quoi ? s'enquit la gitane.

Manaïl haussa les sourcils, perplexe. Avec prudence, il fit un pas hésitant vers le cœur de la pièce. Puis un autre. Rien d'imprévu ne s'étant produit, il se dirigea vers l'homme qui trônait à la droite de l'entrée. La gitane lui emboîta le pas. Se voyant laissé seul, Malachi pleurnicha et s'empressa de la rejoindre. Il prit le bras d'Ermeline à deux mains et se blottit contre elle. Rassurée quant aux intentions du petit homme barbu, elle remit le couteau dans la taille de sa jupe.

— *Ruekh*[1], chuchota-t-il d'une voix tremblante. Attention, *Tsedeq*. Dangereux.

Manaïl se pencha vers le visage de l'homme assis devant lui et l'examina. Puis il se retourna.

— Ils sont tous morts, déclara-t-il. Leurs yeux ont été peints sur leurs paupières closes.

— Ça alors…, lâcha Ermeline. Quelle barbarie ! Mais pourquoi ?

— Pour donner l'impression qu'ils veillent, comme les Gardiens dans le temple des Anciens ? suggéra le garçon.

Lentement, ils arpentèrent la pièce, s'arrêtant tour à tour devant chacun des individus. Les cinq cadavres étaient magnifiquement

---

1. En yiddish : Démons.

conservés et nul ne pouvait dire depuis combien de temps ils étaient claustrés dans cet
endroit. Depuis des millénaires, sans doute.
De près, leur maigreur et la texture parcheminée de leur peau étaient apparentes. Les
cinq portaient des robes identiques, d'une
couleur turquoise encore éclatante, au col et
aux rebords brodés d'or et d'argent, qui descendaient avec grâce jusque sur leurs pieds,
dont on n'apercevait que les orteils, chaussés
de sandales dorées. Sur leur poitrine reposait
un pectoral rond, tout en or, suspendu à une
chaînette du même métal. Au centre de chacun se trouvait une petite pierre ronde et
noire. Malgré lui, Manaïl leva la main droite
et tâta la bague qu'il portait au majeur. Elle
était sertie de la même pierre.

Les cheveux noirs des inconnus leur descendaient dans le dos en une longue tresse.
Leur tête était ceinte d'un mince bandeau
argenté qui leur traversait le front. Les quatre
hommes semblaient avoir été dénués de barbe
et de poils. La peau de leur visage et de leurs
bras avait été jadis aussi lisse que celle d'un
bébé. Il suffisait de les regarder pour comprendre qu'ils avaient été grands et élancés,
presque félins. Ils étaient tous assis dans la
même position, avec un air de dignité presque
palpable. Leurs mains sereinement posées à
plat sur leurs cuisses, les pieds légèrement

écartés, le dos bien droit, le port altier, le menton haut comme s'ils avaient regardé la mort en face avec dédain.

— Mais… Qui sont-ils ? répéta Ermeline lorsqu'ils eurent presque complété leur macabre tour de la pièce circulaire.

— *Ruekh*, répéta Malachi.

Manaïl paraissait envahi d'une sérénité inattendue. Son visage était détendu et dégageait une assurance nouvelle. Il sourit tranquillement et désigna de la tête les mains de l'homme devant lequel Ermeline, Malachi et lui se tenaient.

— Regarde ses mains, dit-il en les désignant de la tête.

La gitane se pencha et les examina de plus près. Sous l'effet du choc, elle ne réalisa pas qu'elle retenait son souffle. Les mains de tous les cadavres étaient palmées.

— Des Anciens ? demanda-t-elle, étonnée, Malachi toujours accroché à son bras.

Manaïl leva sa propre main gauche, écarta les doigts et examina les fines membranes qui les reliaient.

— *L'Élu se lèvera, rassemblera le talisman et le détruira…*, récita-t-il. *Fils d'Uanna, il sera mi-homme, mi-poisson.* Je crois que voici mes ancêtres lointains.

Il toisa du regard les cinq corps, hésita, puis reporta son regard sur sa compagne.

— D'une certaine façon, je crois qu'il s'agit aussi des tiens.

— Les miens ? Mais que veux-tu dire ? s'enquit la gitane en tentant sans succès d'arracher son regard des momies. Je n'ai pas de palmes aux doigts, moi !

— Je sais. Mais ta mère était la descendante d'un des Mages d'Ishtar...

— Tu veux dire que ?...

— Ils sont cinq. Une femme et quatre hommes, tout comme Abidda, Mour-ît, Nosh-kem, Hiram et Ashurat, fit remarquer le garçon. Ils sont liés l'un à l'autre par les cinq pointes d'un pentagramme, le signe des Mages, au milieu duquel se trouve le symbole des Pouvoirs Interdits. Je crois qu'il s'agit des premiers Mages, bien avant Ishtar... Ceux que les Anciens ont désignés pour s'emparer du talisman créé par les Mages Noirs, après que le cataclysme eut été déclenché par l'ouverture du portail. Mais ils savaient que leur victoire n'était que temporaire et que le talisman serait reconstruit un jour. Depuis, ils attendent le moment où quelqu'un se présentera pour le détruire une fois pour toutes.

— Oh ! fit la gitane. Tu crois qu'ils veillent sur le secret de la destruction du talisman ?

Manaïl hocha la tête affirmativement.

— Oui. Et je pense savoir où il se trouve, dit-il.

445

Il fit un pas en direction du centre du pentagramme, là où se trouvait le cercle contenant un point. Il allait s'accroupir pour l'examiner de plus près lorsqu'un bruit de pas le fit sursauter.

Il eut à peine le temps de se retourner avant de voir quatre individus surgir dans la pièce. Avec le parfait synchronisme d'une unité de combat, ils se déployèrent de chaque côté de l'entrée et deux détonations éclatèrent aussitôt dans la pièce, répercutées par l'écho de la pierre polie.

Bang! Bang!

En moins de temps qu'il n'en faut pour battre des paupières, Manaïl vit Ermeline et Malachi être violemment projetés contre la paroi arrondie et s'affaler sur le sol. Une tache sombre apparut sur l'épaule de la gitane et elle y porta la main, le visage blême, en lui lançant un regard de détresse. Malachi, lui, était recroquevillé, la bouche ouverte en un cri de douleur silencieux, le regard incrédule, les mains pressées contre son abdomen, un sang rougeâtre s'écoulant entre ses doigts.

Deux autres détonations éclatèrent.

Bang! Bang!

L'Élu d'Ishtar aperçut deux balles de plomb, parfaitement rondes, émerger du canon des pistolets que les autres intrus pointaient dans sa direction.

גולם[1]

Dans la crypte construite par les Anciens, bien avant que Montréal et ses rues n'existent, le temps s'arrêta net. Les lèvres retroussées en une moue arrogante, fort de sa nouvelle maîtrise des Pouvoirs Interdits, Manaïl leva la main gauche et attendit calmement que les deux projectiles se rendent à lui, ferma le poing dessus et les jeta avec dédain sur le sol. Puis il posa un regard rempli de furie sur les individus qui avaient fait feu. En cet instant précis, rien n'existait plus que cette femme et ces trois hommes. Ils allaient mourir. Le fait que lui, l'Élu, soit sans armes ne changeait rien à sa rage. S'il le fallait, il arrêterait une à une toutes leurs balles et, lorsqu'il les aurait à sa merci, il les déchirerait à mains nues.

---

1. En hébreu : Golem.

Aucun des nouveaux venus n'avait jugé bon de se vêtir à la mode de ce *kan*. Chacun portait encore la longue robe noire des adorateurs de Nergal, le capuchon rabattu. De toute évidence, ils avaient cru que leur mission ne serait qu'une formalité. Maintenant, même s'ils n'étaient pas affectés par l'interruption dans le cours du temps, ils semblaient déroutés par l'ampleur insoupçonnée du pouvoir de l'Élu et se regardaient l'un l'autre, indécis.

La femme, qui semblait être responsable du groupe, fut la première à se secouer de sa torpeur. Dans la quarantaine, les cheveux poivre et sel attachés derrière la nuque, elle lui adressa un sourire presque compatissant et secoua la tête.

— Tu crois avoir tout appris, Élu ? demanda-t-elle. Tu sais si peu de choses. Tu n'es encore qu'un enfant.

Elle étendit les bras et ferma les yeux. Aussitôt, Manaïl sentit que son emprise sur le temps faiblissait. Une force supérieure s'opposa à celle qu'il exerçait lui-même et, peu à peu, inexorablement, elle prit le dessus. Contre la volonté de l'Élu d'Ishtar, le temps se remit en marche.

Le bruit d'un autre coup de feu se répercuta sur la paroi sphérique de la pièce.

Bang !

Un choc fit pivoter le garçon sur lui-même. Au même moment, une douleur brûlante lui traversa l'épaule droite et se répandit dans son bras et son côté. Il se retrouva à son tour sur le sol de pierre froid. L'esprit confus, il sentait le sang s'écouler abondamment de sa blessure. Les yeux fermés malgré lui pour mieux résister à la souffrance, le souffle court et les mains tremblantes, il entendit les pas lents et assurés des Nergalii qui s'approchaient. Dans sa tête, la noirceur menaçait de tout envelopper. Les idées et les questions s'entre-choquaient au hasard.

Une fois encore, les Nergalii l'avaient suivi à la trace, comme si de rien n'était. Mais comment avaient-ils pu savoir ? Il n'avait plus l'anneau sur lui. Qui avait pu les informer de l'endroit où il se trouvait ? Le visage de Malachi, ce petit homme qui était arrivé si à propos, se forma dans son esprit. Il se disait *Tsedeq*. Hanokh avait affirmé la même chose et cela ne l'avait pas empêché de jouer double jeu. Pourtant, Malachi Franks n'avait rien fait qui pût paraître suspect. Au contraire, il avait bravé sa frayeur évidente pour le suivre dans l'antre des Anciens.

Puis tout devint évident. Un point dans un cercle… Malachi n'avait rien à voir avec tout cela. Par son imprudence, il avait lui-même montré la voie à ses ennemis. Il avait été bête.

Si bête… Le cadavre du Nergali était toujours dans la tour désaffectée du clocher. C'était forcément lui qui avait servi d'ancrage à ses semblables. C'était la seule explication plausible. Les Nergalii avaient parié que l'Élu se trouvait toujours dans le *kan* où il avait emporté leur frère. Et ils avaient eu raison. Tout le temps qu'il avait passé à chercher l'ouverture puis à la dégager, ses adversaires l'avaient sans doute passé terrés au sommet du clocher, à l'observer. Ils avaient dû bien rire en le voyant s'activer ainsi. Lorsqu'il avait fini par descendre l'escalier, ils n'avaient eu qu'à le suivre en s'assurant de rester assez loin derrière pour ne pas attirer son attention.

Maintenant, à cause de son imprévoyance, Ermeline, Malachi et lui-même étaient gravement blessés et ces Nergalii, qui ne semblaient pas portés sur la tergiversation, n'allaient pas tarder à les achever. À eux trois, ils ne possédaient pour toute arme qu'un couteau de cuisine que la gitane avait passé dans la taille de sa jupe. Contre quatre pistolets que leurs adversaires rechargeaient en ce moment même. Et, au bout du compte, sa maîtrise des Pouvoirs Interdits, dont il s'était senti si fier beaucoup trop vite, se révélait bien insuffisante. Son orgueil allait finalement les perdre, la gitane et lui.

Le garçon ouvrit les yeux et se fit violence pour ne pas grimacer. La femme et un des hommes s'étaient arrêtés près de lui alors que les deux autres tenaient Ermeline et Malachi en joue. La Nergali pointa calmement son arme entre ses yeux et sourit.

— Donne-moi le fragment, ordonna-t-elle d'une voix calme.

Au même instant, une puissante secousse traversa le plancher. L'Élu sursauta en même temps que les Nergalii et tenta d'en localiser la source. Sur le sol, à la tête du pentagramme, devant l'Ancienne, une trappe s'était soulevée. Son couvercle de pierre fut projeté dans les airs et alla se fracasser contre le mur.

De la boue se mit à en remonter, d'abord paresseusement, puis de plus en plus vite, comme un torrent d'eau bouillonnant.

— Quelle est cette sorcellerie ?... cracha la Nergali, stupéfaite, son regard allant de l'étrange phénomène à l'Élu.

Interdits, ses trois compagnons avaient les yeux rivés sur la boue qui s'amassait, tout comme Manaïl, Ermeline et Malachi, dont les blessures semblaient être passées au second rang. Tous avaient oublié qui étaient les assaillants et qui étaient les victimes.

Au bout d'un petit moment, un énorme monceau d'argile informe s'était accumulé devant la trappe. Malachi se colla contre le mur, tremblant comme une feuille au vent.

— *Golem*..., gémit-il avec peine, sa voix rendue glaireuse par le sang qui se répandait dans ses voies respiratoires. *Golem.*

La masse d'argile s'étira vers le haut jusqu'à dépasser les Nergalii de trois têtes. La base se sépara en deux parties égales, presque aussi massives que les piliers qui soutenaient le temple d'Ishtar à Babylone. Tandis que des jambes se formaient, deux bras émergaient de la partie supérieure et, un doigt à la fois, des mains se constituèrent. Pareil à un nouveau-né émergeant du corps de sa mère, une tête se dégagea de ce qui devint des épaules aussi massives que celles d'un cheval. Un visage, approximatif et incomplet, apparut. Le nez épaté, une simple ligne sans lèvres tenant lieu de bouche, il avait quelque chose de stupide et de malfaisant. Sur le front de la créature se trouvait une inscription en caractères hébraïques.

Pendant un instant, l'être étrange demeura impassible comme une statue. Puis une paire de paupières de glaise s'ouvrit. Une conscience s'y manifesta et deux petits cailloux noirs, sans pupilles ni iris, se rivèrent sur la première chose qu'ils virent : les Nergalii, pistolets en main, debout au-dessus de leurs victimes allongées.

La créature ouvrit la bouche et laissa échapper un rugissement assourdissant. Elle leva ses poings massifs devant leur visage, les ferma et les ouvrit à quelques reprises, comme si elle désirait tester leur fonctionnement. Elle fit un pas maladroit vers l'avant puis, constatant que ses jambes la portaient, en fit un deuxième, puis un troisième, avec de plus en plus d'adresse.

— *A klog tzi meine sonim*[1], gronda la créature d'une voix si profonde qu'elle semblait sortir tout droit des entrailles de la terre.

Ses mains avides tendues vers l'avant, le monstre s'avança en direction des Nergalii. Un retentissant barrage de coups de feu résonna dans la pièce. Dans le tonnerre qui se répercutait à l'infini sur les parois arrondies, les balles frappèrent la chose au thorax, à la tête, aux membres. Une à une, elles s'enfoncèrent dans l'argile sans autre effet qu'un ploc! piteux. La lente progression de la créature était inexorable.

Constatant la puissance de leur adversaire et sachant qu'ils n'auraient pas le temps de quitter ce *kan* avant d'être rattrapés, les quatre Nergalii affolés se précipitèrent d'un même élan vers la porte. Celle-ci semblait avoir attendu ce moment pour pivoter sur

---

1. En yiddish : Malédiction sur mes ennemis.

elle-même et se refermer avec fracas, emmu-
rant les occupants dans la crypte. Le visage
livide de terreur, les adorateurs de Nergal
s'appuyèrent le dos contre la dalle de pierre
noire et pointèrent leurs armes vides en direction de la monstruosité. Puis tout se passa
très vite.

La chose empoigna deux Nergalii par le
cou et frappa leur tête l'une contre l'autre avec
une telle force que leurs crânes s'écrasèrent
comme s'il s'était agi de simples coquilles
d'œufs. Puis elle les laissa choir par terre avec
indifférence. Un autre Nergali tenta d'esquiver
l'attaque et y parvint presque, mais, avec une
agilité étonnante, le monstre l'attrapa par le
bras, fit un tour complet sur lui-même et le
fracassa cruellement contre la paroi. L'homme
glissa lentement vers le sol, laissant derrière
lui une traînée de sang. La créature empoigna
ensuite la femme par le devant de la robe et la
souleva dans les airs. De l'autre main, elle lui
prit le cou et tira vers le haut, sans se soucier
des cris hystériques de sa victime, détachant
sans effort apparent sa tête de ses épaules
dans un écœurant bruit de succion et de ten-
dons qui se rompaient. Puis elle abandonna le
tout sur le plancher et s'immobilisa.

Pendant les quelques secondes qu'avait
duré le carnage, Manaïl avait posé la marque
de YHWH sur son épaule blessée. Il avait

senti la chaleur familière s'insinuer dans sa blessure et y insuffler une vie nouvelle. La balle de plomb qui avait percé sa chair avait été expulsée et avait roulé sur le sol. Puis la douleur s'était estompée et la peau s'était refermée.

En observant l'affreux spectacle qui se déployait sous ses yeux, l'Élu prit quelques instants pour remercier silencieusement les Anciens, qui avaient laissé derrière eux cette chose cauchemardesque. Une fois de plus, il avait bénéficié de la clairvoyance de ces êtres qu'il ne connaîtrait jamais et qui étaient pourtant toujours si près de lui.

De l'autre côté de la pièce, la gitane et le petit homme n'avaient pas bougé. Les bras ballants, le regard vide, la bête d'argile, elle, était redevenue immobile, comme la terre inerte dont elle était formée.

Manaïl se leva et s'empressa vers Ermeline. Il n'eut pas à lui demander où la balle l'avait atteinte. La tache écarlate qui maculait le haut de sa poitrine, entre l'épaule et le cœur, l'indiquait avec éloquence. Sans hésitation, le garçon défit les boutons de la chemise de lin et en ouvrit le col au-delà des épaules. Le sang s'écoulait par lentes pulsations d'un petit trou rond et sombre.

Les paupières d'Ermeline papillonnèrent et elle entrouvrit les yeux. En réalisant sur quelle partie de son anatomie Manaïl allait poser la main, elle tenta bien de prendre un air indigné, mais le garçon coupa court aux protestations qu'elle s'apprêtait à formuler.

— Que je ne t'entende pas me reprocher mes manières ou me parler de ta vertu! gronda-t-il. Tu me gifleras tout ton soûl lorsque tu seras sur pied.

Il posa avec détermination la marque de YHWH sur la poitrine dénudée de la gitane. Presque aussitôt, le sang se fraya un chemin et se mit à se répandre entre ses doigts.

— Vicieux! Espèce de...

— Tais-toi!

La gitane ne pouvait le savoir, mais Manaïl avait déjà vécu l'expérience atroce de la perdre et, pour le reste de son existence, le traumatisme ne le quitterait plus. Il l'avait vue morte, son cœur extirpé de sa poitrine béante, et jamais il ne revivrait une telle horreur, dût-il payer de sa vie. Il la sauverait, comme il l'avait fait après les tortures infligées par les Nergalii.

La sensation de chaleur se forma dans la paume de sa main et se communiqua à la blessure d'Ermeline. La gitane était mal en point. Heureusement, la magie de Hanokh était puissante. Au grand soulagement du garçon, après quelques instants, les saignements s'atténuèrent, puis cessèrent complètement. Petit à petit, le visage d'Ermeline reprit des couleurs et son regard vitreux retrouva son expression. Sans avertissement, elle administra à Manaïl une retentissante gifle au visage. La force du coup le projeta vers l'arrière et il se retrouva assis sur le sol, souriant à pleines dents.

Encore faible, la gitane s'empressa néanmoins de se remettre debout, le visage cramoisi de colère et d'embarras, et se retourna pour reboutonner sa blouse à la hâte. Puis revint se planter devant lui, les mains sur les hanches.

— Ruffian! l'invectiva-t-elle. Dérober ainsi une pauvre blessée pour la mignonner et attenter à son féminage! Tu devrais avoir honte! Fornicateur! Paillard! Bordelier! Tu vas me faire le plaisir de contrôler ton huile de rein ou je le jure par tous les saints des prêtres, je te ferai avaler ta pendeloche, Cornebouc!

Manaïl se releva à son tour sans perdre son sourire, trop heureux de retrouver Ermeline en si belle forme.

— Heureux de te savoir guérie, dit-il en frottant sa joue endolorie, qui avait distinctement enflé.

— Et... Et... Merci, termina Ermeline, son flot d'insultes subitement tari, en lui effleurant le bras avec tendresse. J'ai bien peur que tu m'aies sauvé la vie une fois de plus...

— Ce n'est rien, espèce de furie, répondit-il en souriant toujours. Mais la prochaine fois, si ça ne t'embête pas trop, garde tes gifles pour les Nergalii, tu veux bien ?

Il jeta un coup d'œil en direction de Malachi. Le petit homme s'était affaissé sur le côté et semblait au plus mal. Son regard était fixe et voilé, et son visage, exsangue. Ses mains étaient toujours plaquées sur son ventre et une flaque écarlate s'était accumulée sous lui. Il ne semblait plus respirer que par petits coups saccadés. Le mystérieux inconnu qui se disait *Tsedeq* ne s'était pas trouvé sur son chemin par hasard. Manaïl avait la profonde conviction qu'il ne devait pas mourir.

— Je dois m'occuper de lui, déclara-t-il en contournant Ermeline pour se diriger vers le petit homme.

Il était à mi-chemin vers Malachi lorsqu'une voix caverneuse tonna et le figea sur place.

— *A klog tzi meine sonim.*

LA VIE OU LA MORT

Tous les sens en alerte, l'Élu se retourna vivement. Contre toute attente, la créature de glaise avait repris vie. Elle rouvrit les yeux et posa sur lui un regard froid et noir comme la mort. Puis elle fit un pas vers l'avant en tendant vers lui une main avide.

— *A klog tzi meine sonim*, redit-elle.

Interdit, Manaïl regarda la chose s'approcher, menaçante, chacun de ses pas faisant trembler la crypte. Comment cela était-il possible ? Elle existait pour protéger des intrus les dépouilles des Anciens, il en avait la conviction. Et les Nergalii avaient été éliminés. Or, il était l'Élu d'Ishtar et Ermeline était fille de Magesse. Leur présence était légitime, voire annoncée, puisque Ishtar Elle-même l'avait mis sur la piste de cet endroit en lui laissant entendre qu'il y découvrirait le moyen de détruire le talisman de Nergal. Était-ce la présence de Malachi qui la faisait réagir ainsi ? Ou s'attaquait-elle systématiquement à tous ceux qui avaient l'audace de franchir le seuil de la crypte, sans exception ? *Sois très prudent,* l'avait averti la déesse. *La terre nourricière peut aussi être la plus cruelle des meurtrières et ses fruits sont parfois empoisonnés.* Il comprenait, maintenant, ce qu'Ishtar avait pressenti.

Avec une vivacité quasi surnaturelle, la créature franchit la distance qui la séparait du garçon, l'empoigna rudement par le cou, le souleva de terre et approcha son visage du sien. Pendant une seconde, elle l'examina, l'air perplexe.

— *Goy*[1], grogna-t-elle.

Manaïl put sentir l'haleine du monstre : une odeur fétide d'argile humide mêlée de pourriture. Puis la chose parut satisfaite et se mit à serrer la main plus fort. Dans le crâne du garçon, la pression s'accrut. Ses oreilles se mirent à bourdonner. Encore un peu et son crâne éclaterait comme un fruit trop mûr.

Avant que les ténèbres ne l'envahissent complètement, l'Élu ferma les yeux et tenta d'arrêter le temps, mais n'y arriva pas. Son esprit était déjà trop embrumé et sa panique trop grande pour qu'il atteigne la concentration requise.

---

1. En hébreu : Non juif.

Près de lui, Ermeline se mit à fouiller frénétiquement dans son corsage et parvint enfin à en extraire le pendentif qu'elle brandit aussitôt à bout de bras. La pièce de monnaie attachée au cordon de cuir se mit à osciller en scintillant dans la lumière surnaturelle de l'endroit.

— Regarde le beau médaillon…, dit-elle en tentant de chasser les trémolos de frayeur de sa voix. Regarde comme il brille. Il est beau, non ?

Sans lâcher Manaïl, la créature posa les yeux sur le pendentif et émit un grognement perplexe. Les deux cailloux noirs se mirent à se balancer de gauche à droite au rythme de la pièce de monnaie. Ses paupières de terre retombèrent. Son dos se voûta sensiblement. Elle dormait debout.

— Laisse-le, espèce de tas de fumier, ordonna la gitane.

La chose ouvrit la main et Manaïl atterrit lourdement. Ses bras menaçants retombèrent avec lourdeur le long de ses jambes massives et ballottèrent jusqu'à s'arrêter. Sur le sol, l'Élu toussait et peinait pour faire passer un peu d'air par sa gorge meurtrie.

— *Emet… Met…*, gémit Malachi d'une voix à peine audible, mais empreinte d'urgence.

Manaïl se retourna et, à travers des yeux que l'asphyxie avait remplis d'eau, vit le petit homme. Malgré son agonie évidente, une expression de solide détermination avait pris forme sur son visage cireux. Son index tremblant et maculé de sang pointait frénétiquement vers la tête de la créature.

— *Emet… Met…*, répétait-il sans cesse fébrilement. *Emet… Met…*

Avec peine, il réussit à s'asseoir et s'appuya sur une main pour tenter de se remettre debout. Mais dès qu'il posa un pied à plat sur le sol, il s'affala pitoyablement, à bout de forces, et plaqua ses mains tremblantes contre son abdomen, d'où s'échappa un nouveau flot de sang.

— *Tsedeq…* aider… *Mishpat…*, haleta-t-il en grimaçant.

Dans l'esprit de Manaïl, tout se bousculait. *Tsedeq* aider *Mishpat… Le Dieu d'Israël ne t'a jamais quitté, Élu*, avait déclaré Ishtar. Était-ce possible ? Malachi avait-il été placé sur son chemin parce qu'il savait comment vaincre cette créature de cauchemar ?

Malgré la féroce douleur qui lui palpitait dans la gorge, Manaïl se releva et tituba jusqu'à lui. Il s'accroupit, écarta son long manteau et déchira sa chemise. Sur son ventre se trouvait une ouverture béante de laquelle saillaient des intestins grisâtres baignés de sang. Au même instant, les yeux de Malachi se révulsèrent et il fut pris de violentes convulsions.

Le garçon comprit que les dernières parcelles de vie quittaient le petit homme. Surmontant son dégoût, il repoussa de son mieux les intestins chauds et gluants à l'intérieur et appliqua la marque de YHWH sur la plaie. Puis il ferma les yeux et pria Ishtar de toutes ses forces pour qu'il ne soit pas trop tard. Dans sa main, la sensation de chaleur frôla la brûlure. Malgré cela, le sang de Malachi coulait toujours en abondance et les organes persistaient à tenter de s'insinuer entre ses doigts.

— Vite, grommela la gitane derrière lui sans quitter des yeux la créature devant elle. Je ne sais pas combien de temps je pourrai contrôler cette chose. Je me demande si elle a un esprit. Point d'âme, assurément. Le médaillon ne l'intéressera pas très longtemps.

Ermeline accrut sa concentration autant qu'elle le put. La sueur perlait sur son front.

— Tu dors, insista-t-elle d'une voix de moins en moins assurée. Comme tu es bien… Tu n'as pas envie de déchiqueter qui que ce soit…

Manaïl constata avec un immense soulagement que, sous sa main, la magie de Hanokh faisait enfin effet. Les joues de Malachi reprenaient un peu de couleurs. Bientôt, il rouvrit les yeux et s'anima. Mais il était loin d'être guéri. Il faudrait beaucoup plus de temps pour que la marque puisse venir à bout de sa blessure. Plus que ce dont il disposait.

— Elle se réveille ! s'écria Ermeline, confirmant ses craintes.

La créature commençait à agiter les doigts et à se dandiner sur place, comme un fauve impatient. Sans quitter des yeux le médaillon, elle dodelinait de la tête et semblait chercher à secouer la torpeur qui l'avait frappée et dont elle ne comprenait pas la nature.

— Tu dors ! s'écria la gitane. Tu m'entends ? Tu dors !

Malachi adressa un sourire faible mais serein au garçon. Il prit sa main dans les siennes, la pressa avec chaleur, la porta à sa bouche pour la baiser puis la laissa. Sur son abdomen, la blessure s'était un peu refermée, mais, si l'hémorragie avait diminué, les intestins en saillaient toujours.

— *Tsedeq…* aider… *Mishpat*, déclara-t-il d'une voix où perçaient à la fois la faiblesse, la détermination et la résignation.

Le petit homme s'accrocha à l'épaule de Manaïl et, au prix d'un grand effort, se releva. Il s'approcha péniblement mais sans hésitation de la créature. Il examina un moment le front de la chose et désigna les trois symboles qui s'y trouvaient.

אמת

— *Emet*[1], murmura-t-il d'une voix éteinte. *Golem* vivant...

Il se racla la gorge, cracha sur le bout de ses doigts et étira le bras pour toucher le front de la chose. Mais il était bien trop petit. Il se retourna vers la gitane et lui adressa un regard éperdu. Comprenant qu'il avait besoin de son aide, Ermeline intervint.

— À genoux ! ordonna-t-elle d'une voix autoritaire.

La chose à demi endormie émit un grognement et parut hésiter un instant avant de se laisser tomber lourdement sur les genoux, faisant trembler la crypte. Aussitôt, Malachi appuya les doigts sur son front et se mit à frotter le signe de droite avec sa salive. La glaise se détrempa et, bientôt, il fut complètement effacé. Le petit homme recula de quelques pas et examina les deux lettres restantes de l'inscription.

— *Met*[2], déclara-t-il, une étincelle de fierté traversant ses yeux vitreux. *Golem*... mort.

---

1. En hébreu : vie.
2. En hébreu : mort.

Puis il se laissa glisser sur le sol et s'assit, à bout de forces. Devant lui, la créature de glaise semblait avoir séché. Elle se mit à trembler. Comme une avalanche à flanc de montagne, des morceaux commencèrent à tomber. Un bras, puis l'autre, se détachèrent. Avant peu, elle s'effrita complètement et s'affaissa, ne laissant qu'un monceau de terre et de poussière inerte.

Enjambant les cadavres des Nergalii, la gitane et l'Élu s'empressèrent aussitôt auprès de Malachi. Manaïl écarta la chemise déchirée pour y reposer la main, bien décidé à le sauver s'il était encore temps, mais l'homme l'arrêta d'un geste. Il le regarda et sourit faiblement.

— *Golem*... parti, hoqueta-t-il. *Tsedeq*... aidé... *Mishpat*... Malachi... fini. Malachi rejoindre... YHWH...

Son visage se crispa en une grimace de douleur et sa poitrine s'affaissa une dernière fois. Malachi Franks, *Tsedeq* envoyé par une divinité que l'Élu n'adorait pas, était mort.

L'Élu soupira avec tristesse. D'un geste de la main, il ferma les paupières du petit homme et étendit le corps dans une position plus digne, les bras croisés sur la poitrine. Puis il inclina la tête avec respect et pria Ishtar avec ferveur pour qu'Elle guide son âme vers le Royaume d'En-Bas ou ce qui en était l'équivalent pour lui. Bien davantage que Hanokh le magicien, il s'était montré digne du titre de *Tsedeq*. Sa foi en Dieu avait été si forte qu'il avait accepté de donner sa vie pour une quête dont il ignorait tout.

Lorsqu'il eut terminé, il se releva, aba-sourdi.

— Je ne comprends pas, dit Ermeline. Si ce... *golem* protégeait la crypte, pourquoi s'en est-il pris à toi, l'Élu d'Ishtar ? Les Anciens auraient certainement pu le créer en lui ordonnant de t'épargner. Pourquoi risquer la vie de celui qui doit accomplir leur œuvre ?

— Il devait s'agir d'une épreuve, répondit Manaïl, en réfléchissant à haute voix. Les Anciens ne pouvaient pas se permettre de courir le risque que le secret de la destruction du talisman tombe entre de mauvaises mains. Si ceux qu'ils appelaient les Mages Noirs étaient parvenus à s'en emparer, il aurait été perdu à jamais, même pour l'Élu. Plus per-sonne n'aurait été en mesure de détruire le talisman et leurs pouvoirs auraient été illimi-tés. Le *golem* gardait la crypte contre *tous* les intrus, sans exception. Pour les Anciens, seul le véritable Élu pourrait le vaincre — avec l'aide de ses protecteurs : Ishtar et YHWH.

À ce moment, une vibration remplit la crypte et interrompit sa réflexion.

— Cornebouc ! s'écria la gitane. Que se passe-t-il encore ?

LE SECRET DES ANCIENS

Au centre du cercle, ce qui avait constitué le point s'était transformé en une colonne de pierre noire qui émergeait lentement du sol. Intrigué, le garçon se releva et s'approcha lentement.

Le tube lisse, d'un diamètre d'environ une demi-coudée, monta jusqu'à atteindre le niveau de la taille de l'Élu, puis s'immobilisa.

— Gare à toi, chuchota Ermeline en lui emboîtant le pas. C'est peut-être un autre piège.

— Non, supposa Manaïl sans quitter des yeux l'étrange colonne. Je crois que c'est plutôt ce que protégeait le *golem*.

Il s'avança, s'arrêta à quelques pas et examina la curieuse structure. La main d'Ermeline se referma sur son coude.

— Ils ont bougé, murmura-t-elle d'une voix anxieuse.

— Qui ? s'enquit-il, une pointe d'impatience dans la voix.

— Eux, répondit la gitane en désignant les momies. Il me semble qu'ils ne sont plus exactement dans la même position.

Manaïl les observa. Elles étaient toujours assises sur leur trône respectif, les mains posées à plat sur les cuisses, l'air noble.

— C'est une illusion, la rassura le garçon. Un jour, dans un temple à Babylone, j'ai vu une fresque ornée de personnages dont les yeux semblaient nous regarder où que nous soyons. Tu as la berlue.

— Tu as sans doute raison, approuva la gitane, mal à l'aise. Brrr... Un peu plus et cet endroit lugubre me ferait porpisser[1]. Je ne serai pas mécontente d'en sortir, moi.

Le garçon reporta son attention sur la colonne de pierre. Sur le sommet plat se trouvait un symbole gravé. Un pentagramme bénéfique dans un cercle rappelant celui de la bague des Mages.

— Tu y comprends quelque chose ? s'enquit la gitane.

---

1. Pisser de peur.

Distraitement, le garçon jouait avec sa bague. Les leçons apprises jadis avec maître Ashurat étaient encore fraîches à sa mémoire. *L'étoile est le symbole d'Ishtar, qui guide les Mages*, lui avait-il appris, un soir, près du feu, alors qu'il n'était encore que « le poisson » de Babylone. *Comme Ishtar règne sur l'amour et la fertilité, mais aussi sur la guerre, elle peut aussi bien faire le Bien que le Mal. Et l'étoile représente cette ambivalence. Lorsqu'elle est dessinée à l'endroit, la pointe vers le haut, elle représente le Bien. Ses cinq pointes font référence au chiffre cinq, le chiffre médian entre un et neuf, comme l'homme est à mi-chemin entre l'animal et les dieux. Ainsi que tu l'as noté sur ma bague, elle a d'ailleurs la forme d'un homme, la tête au sommet, les bras tendus vers l'extérieur et les jambes vers le bas. Elle indique que l'homme doit aspirer à s'élever vers le Bien et le Divin.*

Manaïl hocha gravement la tête.

— Fais comme moi, dit-il.

Il ferma le poing droit et tendit la bague des Mages d'Ishtar vers le symbole. Ermeline en fit autant avec celle dont elle avait hérité de sa mère. Aussitôt, le contour de l'étoile s'illumina d'un bleu glacial. L'Élu et la gitane s'attendaient à voir apparaître au centre une lumière orangée formant la silhouette humaine qui leur était familière. Ils furent étonnés lorsque de petites étoiles apparurent à l'extrémité de chaque pointe du pentagramme. Au centre, une ligne orangée se matérialisa lentement et, comme tracée par un crayon invisible, elle forma un pentagramme inversé. Au haut et au bas, des lettres de feu prirent forme.

SURGE, QUI DORMIS

ET EXSURGE A MORTUIS

— Qu'est-il écrit ? s'enquit le garçon.

Sans abaisser sa bague, Ermeline caressa les lettres du bout des doigts et se pencha pour les déchiffrer. Quelques instants plus tard, elle put traduire le message.

— « Réveille-toi, toi qui dors, relève-toi d'entre les morts[1] »...

Elle tourna la tête, interloquée.

— C'est un extrait de la Bible. L'Épître aux Éphésiens de saint Paul. Si les Anciens

---

1. Épître aux Éphésiens 5,14.

vivaient vraiment voilà des dizaines de milliers d'années, comment pouvaient-ils connaître la Bible? Elle n'était même pas écrite. Et en plus, tu vas me dire qu'ils parlaient latin?

L'Élu resta momentanément coi. Il se frotta le visage de sa main libre et réfléchit.

— Pour eux, le temps n'avait aucun secret. Pourquoi, de leur *kan*, n'auraient-ils pas connu ta Bible et le latin? Ils savaient sans doute que celle qui déchiffrerait l'inscription saurait lire le latin, suggéra-t-il. Ils ont prévu beaucoup d'autres choses.

— Brrrr, fit la gitane avec un petit frisson nerveux. J'ai froid dans le dos juste à songer que des gens qui sont morts depuis des dizaines de milliers d'années connaissaient à l'avance tous les gestes que j'allais faire… C'est presque insensé.

Manaïl reporta son attention sur le symbole.

— Cinq pentagrammes, chacun sur une des pointes d'un pentagramme, observa-t-il.

— Regarde, ajouta Ermeline. Au centre du grand pentagramme, les lignes en forment un autre. Inversé.

— *Fils de la Lumière, il portera la marque des Ténèbres*, répondit Manaïl, songeur. Le Mal au cœur du Bien…

— Toi?

— Je crois, oui.

Ermeline tâta de nouveau le symbole, appuyant sur les lettres, glissant ses doigts dans les lignes concaves, frottant, tapotant au hasard.

— Qu'est-ce que tu fais ?

— Ça doit bien s'ouvrir quelque part, grogna-t-elle, en poursuivant les mouvements de sa main sur la surface lisse de la colonne.

— Pourquoi veux-tu l'ouvrir ?

La gitane se redressa brusquement.

— Pour découvrir le moyen de détruire ce fameux talisman, espèce de sot ! Au cas où tu l'aurais oublié, je te rappelle que c'est la raison pour laquelle nous sommes venus dans cet endroit et que nous avons presque été tués, d'abord par les Nergalii, puis par cette créature de boue ! s'emporta la gitane. Tu pourrais peut-être m'aider au lieu de rêvasser, cornebouc ! Plus vite nous aurons trouvé et plus vite nous pourrons sortir d'ici !

— Mais nous avons déjà trouvé, Ermeline, fit remarquer Manaïl avec un calme quasi surnaturel.

— Que dis-tu là ? Nous n'avons découvert qu'un autre de ces maudits symboles à déchiffrer. Je ne vois ni talisman, ni bague, ni arme, ni amulette, moi !

— Et pourtant, nous avons la réponse.

Il abaissa sa bague. La gitane l'imita. Aussitôt, le symbole perdit son scintillement et redevint une simple étoile dans un cercle. La colonne de pierre s'ébranla et se mit à se rétracter dans le sol.

Le visage d'Ermeline s'empourpra et elle plaça vigoureusement ses poings fermés sur ses hanches.

— Je ne comprends plus rien! Voudrais-tu avoir la bonté de me dire comment tu vas détruire le talisman?

— En réveillant les morts, répondit l'Élu d'Ishtar d'un ton à la fois lugubre et plein de conviction.

— Tu as perdu l'esprit! Réveiller les morts? Te voilà nécromancien, maintenant?

— En quelque sorte, oui. Viens. Il est temps de partir.

Manaïl prit sa main et l'entraîna vers la sortie. Ils enjambèrent les Nergalii, passèrent devant Malachi et s'arrêtèrent un moment.

— Et lui? Qu'allons-nous faire de ce pauvre homme? demanda-t-elle. Nous n'allons tout de même pas le laisser ici?

— Je crois que c'est ce qu'il aurait voulu. D'une certaine manière, il est plus près de YHWH qu'il ne le sera jamais.

L'Élu considéra momentanément les restes ensanglantés des Nergalii. Puis un petit sourire cruel illumina son visage.

— Attends-moi un peu, dit-il.

Il contourna les cadavres enchevêtrés des deux Nergalii qui avaient eu la tête broyée par le *golem* et se rendit auprès de celui qui avait été fracassé contre le mur. Il se pencha, l'empoigna par la cheville et le tira jusqu'aux deux autres.

— Mais qu'est-ce que tu fais ? s'enquit Ermeline. Tu ne vas quand même pas offrir une sépulture décente à ces fripons ? Ils ne le méritent pas...

— Pas tout à fait..., chuchota-t-il, énigmatique.

Il se rendit auprès de ce qui restait de la femme qui l'avait presque abattu de sang-froid. Il saisit un de ses poignets et traîna le corps décapité pour le jeter par-dessus les autres. Puis il rebroussa chemin, saisit les longs cheveux poivre et sel, et revint vers Ermeline avec la tête de la femme.

— Donne-moi le couteau, demanda-t-il en tendant la main.

Perplexe, la gitane le tira de la taille de sa jupe et le lui remit. Manaïl s'accroupit et traça sur le front de la Nergali un pentagramme bénéfique. Lorsqu'il eut terminé son macabre ouvrage, il plaça précautionneusement la tête par-dessus les autres restes, posa la main sur le dessus et se concentra. Les filaments apparurent bientôt, multicolores et dansants. Il les examina et, en songeant intensément à l'ancrage qu'il désirait utiliser, le trouva sans trop d'effort. Puis, comme il l'avait fait les fois précédentes, il plongea dans le vide tout en emportant avec lui l'amoncellement de cadavres. Mais au dernier moment, il se retint pour ne pas tomber dans le *kan*.

— Ton règne achève, Mathupolazzar, marmonna-t-il d'une voix à peine audible. Bientôt, je détruirai le talisman devant ta tête piquée sur un pieu!

Les restes des quatre Nergalii et la tête disparurent. Manaïl se retrouva à quatre pattes, tremblant d'épuisement. Il prit quelques minutes pour permettre aux battements de son cœur et à sa respiration de retrouver un rythme normal.

— As-tu fait ce que je crois que tu as fait? s'enquit la gitane, rayonnante d'espièglerie.

— En tout cas, j'ai essayé, répondit le garçon en se relevant avec peine. Je ne sais pas si j'ai réussi.

— Je l'espère de tout cœur! s'écria Ermeline en éclatant de rire.

— Et moi, donc…

Lorsqu'ils parvinrent devant la porte, Manaïl, encore affaibli par son recours aux Pouvoirs Interdits, la poussa. Elle pivota sur son axe sans offrir la moindre résistance. Aussitôt qu'ils l'eurent franchie, elle se referma avec fracas, murant pour l'éternité les Anciens dans leur crypte secrète, Malachi Franks avec eux.

LA DÉCLARATION DE GUERRE

Éridou, en l'an 3612 avant notre ère

Une fois de plus, Mathupolazzar faisait les cent pas. Quelques disciples inquiets l'observaient. Sa main blessée suppurait abondamment. Depuis la veille, elle dégageait une odeur nauséabonde qui emplissait le temple de Nergal. Il semblait avoir vieilli de vingt ans en quelques jours. Ses cheveux gris étaient maintenant presque blancs et il avait tant maigri qu'il semblait flotter dans sa robe. Les quatre Nergalii avaient quitté le temple plus de deux heures auparavant. Ils auraient dû être de retour.

Il avait déjà perdu tant de disciples qu'il n'osait plus en faire le décompte. Si les choses continuaient ainsi, il ne resterait bientôt que lui pour accueillir Nergal lorsque le talisman serait de nouveau entier et que le portail s'ouvrirait sur la personne glorieuse du dieu des Enfers, de la Destruction, de la Maladie et de la Guerre. S'il parvenait jamais à réunir les cinq fragments… Même s'il en avait perdu quatre, l'Élu maudit résistait encore et parsemait d'obstacles la route des Nergalii.

— Maître, vous êtes mal en point. Vous devez vous reposer, implora une jeune disciple. Notre sœur et nos frères reviendront bientôt avec le dernier fragment et, sans vous, qui instaurerait le Nouvel Ordre ?

Le grand prêtre de Nergal s'arrêta, fit volte-face et posa sur la jeune femme un regard brillant de fièvre ou de folie, nul n'aurait pu le dire. Instinctivement, la jeune fille recula, effrayée. Elle ne connaissait que trop bien les accès de colère de son maître et ne tenait pas à en faire les frais comme plusieurs malheureux avant elle.

— Je suis le grand prêtre de Nergal, désigné par notre dieu lui-même ! cracha Mathupolazzar en brandissant vers elle un index menaçant. Je sais ce que j'ai à faire ! Et si tu t'avises de…

Un bourdonnement familier lui coupa la parole. Il sentit son cœur retrouver une seconde jeunesse dans sa poitrine. Ses disciples revenaient avec le dernier fragment. Enfin ! Aujourd'hui même, les Nergalii en liesse se prosterneraient devant Nergal. Aujourd'hui même, les *kan* seraient effacés et le Nouvel Ordre naîtrait, au service des seuls adorateurs de Nergal. Un seul *kan*, une seule continuité et toutes les richesses mises au service du seul vrai dieu. Et ce maudit garçon n'aurait pas existé. Il serait effacé à jamais de l'ardoise du temps.

Au-dessus du magnifique autel orné d'or et de pierres précieuses situé à une des extrémités du temple, l'air se mit à vibrer et à osciller devant le grand cercle de pierre qui saillait du mur. Quatre silhouettes apparurent et se matérialisèrent devant lui. Pendant la fugitive seconde durant laquelle les trois hommes restèrent debout, le grand prêtre eut le temps de constater le terrible état dans lequel ils se trouvaient. Deux d'entre eux, la tête réduite en bouillie, étaient méconnaissables. L'autre, dévisagé et fracturé, n'était plus qu'une masse de chair sanglante. Les trois corps chancelèrent mollement, puis s'écrasèrent au sol, dévoilant un quatrième amas de chair ensanglantée et sans tête qui s'effondra à son tour.

Mathupolazzar vacilla. Avec une malice infinie, quelqu'un lui avait retourné ses Nergalii dans cet état. L'Élu d'Ishtar… Ce ne pouvait être que lui. Il empoigna ses cheveux de sa main valide et se mit à tirer. Il allait hurler sa fureur lorsque son cri se coinça dans sa gorge.

Sur l'autel se trouvait la tête de la Nergali qui avait mené l'expédition. Ses yeux fixes et sans vie le regardaient. Le visage, encadré de longs cheveux poivre et sel, était flasque et dénué d'expression. Pour ajouter l'injure à l'insulte, l'Élu avait gravé sur son front un pentagramme dont la pointe vers le haut était un obscène pied de nez qui lui était personnellement destiné. Il avait osé faire pénétrer le symbole honni des Mages d'Ishtar dans le temple de Nergal.

Incrédule, le grand prêtre regarda la bouche de sa disciple s'ouvrir.

— Ton règne achève, Mathupolazzar, dit une voix qu'il connaissait, mais qui n'était pas la sienne. Bientôt, je détruirai le talisman devant ta tête piquée sur un pieu !

La bouche resta grande ouverte et une langue sombre et enflée en émergea lentement, comme si l'Élu avait voulu adresser à son ennemi une dernière grimace narquoise. Les yeux de la morte se fermèrent. La tête se renversa sur le côté, tomba, roula et s'arrêta aux pieds de Mathupolazzar. En furie, le grand prêtre lui administra un violent coup de pied et l'envoya s'écraser brutalement contre un mur.

— Maudit sois-tu, Élu ! hurla-t-il. Maudit sois-tu dans tous les *kan* !

Tremblant de tout son corps, le grand prêtre regardait les cadavres qui gisaient devant lui. Pour la première fois depuis la trahison d'Ashurat et la perte des fragments du talisman, les Nergalii avaient perdu leur avance. L'Élu maîtrisait dorénavant les Pouvoirs Interdits. Même sans le temple du Temps, il pourrait désormais faire irruption à volonté dans le *kan* d'Éridou et souiller de sa présence le temple sacré de Nergal. De plus, il avait réussi à lui seul à décimer sévèrement les rangs des Nergalii. S'il se matérialisait ici même dans une minute, serait-il seul ou accompagné ? Les adorateurs de Nergal seraient-ils même en mesure de lui résister ?

La conclusion, aussi cruelle qu'angoissante, était évidente. Les quatre fragments n'étaient plus en sécurité dans le temple de Nergal. La première responsabilité de Mathupolazzar était d'assurer leur protection. Ensuite, il serait temps de se regrouper et d'attendre l'Élu de pied ferme.

Mathupolazzar se retourna vers ses fidèles, anxieux.

— Mes frères, dit-il d'une voix tremblante, nous devons partir.

51

LE CADEAU D'ADIEU

Montréal, en l'an de Dieu 1842

Manaïl et Ermeline parcoururent à rebours le couloir. Ils atteignirent l'escalier, le gravirent et émergèrent dans le clocher abandonné.

— Je ne comprends pas pourquoi il nous faut revenir ici, dit Ermeline. Si nous devions quitter ce *kan* pour un autre, pourquoi ne pas l'avoir fait de la crypte? Tu as bien réussi à envoyer les cadavres ailleurs.

— J'ai une dernière chose à régler avant, répondit Manaïl. En tout cas, je crois...

Il ouvrit la vieille porte et fut aussitôt aveuglé par la lumière éclatante du soleil. Lorsque ses yeux s'y furent habitués, il sortit, la gitane près de lui. À l'extérieur, des hommes s'activaient, préparant des outils et établissant un périmètre de sécurité autour du clocher.

L'un d'eux les aperçut et son visage prit une expression d'horreur.

— Bonyenne de Dieu… Mais qu'est-ce qui vous est arrivé, vous autres ? Vous êtes couverts de sang.

Comprenant que leur état leur attirerait sans doute des problèmes dont ils n'avaient pas besoin, Manaïl empoigna la main d'Ermeline et l'entraîna à la hâte, laissant derrière l'ouvrier hébété. Ils traversèrent la rue Notre-Dame et trouvèrent sans peine une cour arrière où on avait mis des vêtements à sécher sur une corde à linge.

— Vite. Prends ce qu'il faut, ordonna-t-il.

La gitane arracha aussitôt une blouse et une jupe rapiécées, et choisit un pantalon et une chemise pour son compagnon. Puis ils trouvèrent un coin entre la maison et la dépendance et se changèrent rapidement, au son des avertissements répétés de la gitane au sujet de sa vertu.

Une fois proprement vêtus, ils se rendirent sur le perron de la basilique toute neuve. Manaïl s'assit sur les marches et, d'un geste de la main, invita Ermeline à faire de même.

— Tout ce mystère…, s'impatienta-t-elle. Tu veux bien me dire ce que nous faisons ici ?

— Nous attendons.

— Quoi donc ?

— Patience. Tu verras.

Ermeline croisa les bras sur sa poitrine et se renfrogna. Après qu'elle eut passé quelques minutes à bouder, son attention fut attirée par une dame, debout au coin de la rue Saint-Sulpice, tout près. Elle tenait dans ses bras un panier de pommes qu'elle tentait de vendre aux passants. La gitane bondit sur ses pieds et se dirigea vers elle. De loin, Manaïl la vit discuter un peu avec la vendeuse en tâtant les beaux fruits rouges. L'eau lui monta à la bouche. Il ne se rappelait même pas quand il avait mangé pour la dernière fois. Il sourit en apercevant la gitane qui sortait discrètement son pendentif de son corsage. Deux secondes plus tard, la marchande, le regard fixe, lui remettait quatre belles pommes. Puis, avec tout son savoir-faire, elle attira l'attention d'un homme richement vêtu qui passait tout près. L'homme mit la main dans la poche de son pantalon, en sortit une pièce de monnaie et la donna à la marchande avant de poursuivre son chemin.

Lorsque Ermeline fut de retour auprès de Manaïl, elle lui offrit deux pommes, qu'il se mit à croquer l'une après l'autre avec appétit.

— Elles sont bonnes, non ? ricana la gitane, la bouche pleine. Et la pauvre femme s'en est trouvée bien compensée, je crois.

— Mais l'homme, lui ?

— Bof… Il semblait avoir les moyens d'être charitable, non ?

Ils mangèrent en silence pendant un moment.

— On va attendre encore longtemps ? se lamenta Ermeline en savourant sa deuxième pomme.

— Non, répliqua le garçon en désignant quelqu'un au loin.

Les yeux vairons d'Ermeline s'écarquillèrent malgré le soleil et sa bouche s'entrouvrit, laissant échapper quelques morceaux de pomme sur ses cuisses sans qu'elle s'en rende compte.

Au loin, une petite fille approchait. Chétive et pâle, la chevelure rousse bouclée et parsemée de reflets blonds, elle portait une jolie robe bordée de dentelles, une boucle blanche dans les cheveux et des bottines noires. Dans sa main gauche, elle tenait un petit sac à main en tissu brodé. Malgré le costume différent, il n'y avait aucun doute possible.

— Angélique, dit Manaïl en souriant.

La fillette s'approcha. L'air grave, elle s'arrêta devant eux et ses yeux kaki passèrent de l'un à l'autre.

— Tu es vivante, dit-elle à Ermeline.

— Euh… Oui, balbutia cette dernière. Mais… Comment… Comment est-ce possible ? Tu ne peux pas…

— J'en suis heureuse.

Angélique porta son attention sur Manaïl.

— Je t'ai attendu, déclara-t-elle d'un ton neutre.

— Je suis là, répondit le garçon, en se rappelant la promesse qu'elle lui avait faite en le quittant en 1673.

La fillette ouvrit son petit sac. Elle en sortit quelque chose qu'elle remit à Manaïl.

— Je crois que tu en auras besoin, dit-elle. Je les ai conservés pour toi.

Le garçon ouvrit la main et sursauta. La fillette y avait déposé quatre doigts desséchés, aux ongles noircis.

— Ils appartenaient à ton ennemi. Un grand homme aux longs cheveux gris.

Manaïl hocha la tête et son regard s'assombrit.

— Mathupolazzar, murmura-t-il d'un ton menaçant.

— Voilà. Tout est dit. Adieu, Élu. Adieu, Ermeline, dit Angélique. Qu'Ishtar et les Anciens soient avec vous.

Sans rien ajouter, la petite fille tourna les talons et s'en retourna par où elle était venue. Bientôt, elle disparut au loin dans la rue Notre-Dame.

Manaïl se leva et fourra les doigts raides de Mathupolazzar dans sa poche. Il tendit la main à la gitane et l'aida à se relever.

— Maintenant, nous pouvons partir, déclara-t-il.

— Où allons-nous ? demanda-t-elle.

— Réveiller des morts.

Avant que la gitane, frustrée, ne puisse entreprendre une nouvelle tirade, il se concentra intensément sans lui lâcher la main. L'instant d'après, le garçon et la fille cessèrent d'exister à Montréal.

Ni l'un ni l'autre ne vit la statue de la Vierge qui, de la façade de la basilique, les bénissait. Mais à Montréal, on parla longtemps de l'apparition de Notre-Dame, venue pleurer son clocher qu'on démolissait.

À suivre.

TABLE DES MATIÈRES

LE TALISMAN DE NERGAL

TOME 1
L'ÉLU DE BABYLONE

TOME 2
LE TRÉSOR DE SALOMON

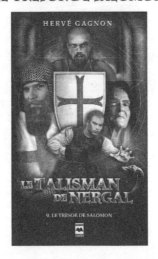

TOME 3
LE SECRET DE LA VIERGE

TOME 4
LA CLÉ DE SATAN

TOME 5
LA CITÉ D'ISHTAR